um passado sombrio

PETER STRAUB

um passado sombrio

ROMANCE

Tradução
Marina Slade

BERTRAND BRASIL

Rio de Janeiro | 2016

Copyright © 2010 by Seafront Corporation

Título original: *A Dark Matter*

Capa: Sérgio Campante

Foto de capa: Pawel.gaul / iStock Photo

Editoração: FA Studio

Texto revisado segundo o novo
Acordo Ortográfico da Língua Portuguesa

2016
Impresso no Brasil
Printed in Brazil

Cip-Brasil. Catalogação na publicação.
Sindicato Nacional dos Editores de Livros, RJ.

S891u	Straub, Peter
	    Um passado sombrio / Peter Straub; tradução Mariana Slade. — 1. ed. — Rio de Janeiro: Bertrand Brasil, 2016.
	    392 p.; 23 cm.
	
	    Tradução de: A dark matter
	    ISBN 978-85-286-2048-1
	
	    1. Ficção americana. I. Slade, Mariana. II. Título.

15-28162	CDD: 813 CDU: 821.111(73)-3

Todos os direitos reservados pela:
EDITORA BERTRAND BRASIL LTDA.
Rua Argentina, 171 — 2º andar — São Cristóvão
20921-380 — Rio de Janeiro — RJ
Tel.: (0xx21) 2585-2070 — Fax: (0xx21) 2585-2087

Não é permitida a reprodução total ou parcial desta obra, por quaisquer meios, sem a prévia autorização por escrito da Editora.

Atendimento e venda direta ao leitor:
mdireto@record.com.br ou (0xx21) 2585-2002.

Para Judy e Ben Sidran

Existe um vazio que todos compartilhamos?
            Quer dizer, antes do fim?
O céu e a terra dependem dessa claridade,
            O céu e a terra.
Sob os dobrões de ouro das folhas de bordo caídas,
O mundo inferior se esconde,
            Farto da luz.

— CHARLES WRIGHT, *Littlefoot*

no início

Há alguns anos, final da primavera

As grandes revelações da minha vida adulta começaram com os gritos de uma alma perdida na lanchonete perto de casa.

Eu estava na fila da Corner Bakery, na esquina das ruas State e Cedar, a meio quarteirão do meu belo condomínio de tijolos aparentes, esperando para pedir um Swiss Oatmeal (musli) ou um Berry Parfait (granola); de qualquer modo, algo modesto. Os ruídos mais altos no lugar eram o da digitação de teclas de *laptop* e o folhear de páginas de jornal. Inesperadamente, com uma indignação maníaca que pareceu vir do nada, o homem no início da fila começou a proferir a palavra *turbulento*. Ele começou num nível um pouco mais alto que o de uma conversa comum. Quando encontrou um ritmo, o volume estava duas vezes maior, ficando cada vez mais alto à medida que continuava. Se você tivesse que se fixar numa palavra para gritar várias vezes em público, não escolheria algo menos esquisito? E no entanto ele continuou, revirando as quatro sílabas de todas as formas possíveis, como se medisse seu tamanho. Seu motivo, pois nada realmente vem do nada, logo ficou óbvio.

Turbulento? TuRBUlento? TURBULENTO? Tur-bulen-TO? TURbulento?

Senhora, acha que sou turbulento agora? — Era o que ele dizia. — *Me dê mais trinta segundos e a senhora vai aprender o que é turbulento.*

A cada repetição, sua pergunta ficava mais veemente. A moça do balcão, atônita no momento, o havia ofendido, e ele queria que ela soubesse como fora grande a ofensa. O cara também achava que estava sendo esperto, até espirituoso, mas, para todo mundo na loja, ele tinha destampado sua loucura delirante.

Suas variações se tornaram mais imaginativas.

— Turboolento? Torbulento? TurbuLEEENTO?

Para observar o sujeito, eu me inclinei para o lado e olhei para o começo da fila, que estava de bom tamanho. Quase desejei não ter feito isso.

Imediatamente ficou claro que o cara não estava apenas se divertindo. O homem atrás dele na fila tinha deixado uns dois metros de espaço vazio. Na melhor das hipóteses, as pessoas queriam manter distância daquele personagem. Cerca de vinte centímetros de cabelos grisalhos emergiam em ondas espessas em volta de sua cabeça. Vestia um terno xadrez rasgado, amarfanhado como se dormisse com ele, que poderia ter sido tirado de um espantalho de uma plantação de milho. Sob uma treliça de crostas de feridas, manchas e hematomas, seus pés inchados eram de um branco ofuscante e sem sangue. Como eu, o homem tinha jornais debaixo do braço, mas o bolo de jornais que apertava contra si parecia já estar com ele havia pelo menos quatro ou cinco dias. Os pés inchados, descalços, arranhados e gastos como sapatos eram a pior parte.

— Senhor — disse a mulher do balcão. — Senhor, precisa sair da minha loja. Afaste-se do balcão, senhor, por favor. O senhor precisa se afastar.

Dois rapazes enormes usando camisetas da universidade de Southern Illinois, parecendo recém-formados, empurraram suas cadeiras para trás e partiram direto para ação. Isso é Chicago, afinal, onde rapazes grandes e atléticos brotam das calçadas como dentes-de-leão em gramados dos subúrbios. Sem falar com ninguém, eles flanquearam o sem-teto, içaram-no pelos cotovelos e o transportaram para fora. Se ele tivesse ficado flácido, teriam tido um pouco de trabalho, mas o homem estava rígido de pânico e não ofereceu mais dificuldade que um manequim de índio de loja de charutos. Ficou teso como uma estátua de mármore. Quando ele passou, observei seus lábios chorosos e dentes marrons e quebrados. Seus olhos injetados tinham uma aparência vidrada. O homem continuava a dizer "turbulento, turbulento, turbulento", mas a palavra tinha se tornado sem sentido. Ele a usava para se proteger, como um totem, e achava que, enquanto continuasse a dizê-la, estava fora de perigo.

Quando fitei aqueles olhos sem expressão e sem visão, um pensamento inteiramente imprevisto me abalou. O impacto foi como um golpe, trazendo consigo uma sensação críptica de iluminação tão fugaz como o acender de um palito de fósforo.

Eu conhecia alguém assim. Esse homem aterrorizado com um vocabulário de uma só palavra me lembrava vivamente de alguém que *poderia ter sido* essa pessoa que agora estava sendo expulsa para a Rush Street. Mas... quem poderia ter sido? Ninguém que eu conhecia se parecia com aquele personagem desvairado que então cambaleava pra frente e pra trás na calçada do lado de fora das amplas janelas, ainda sussurrando sua palavra totêmica.

Uma voz que só eu ouvia disse "Ninguém? Pense novamente, Lee." No fundo de meu peito, alguma coisa importante e decisiva — algo que eu vinha ignorando e empurrando para fora da vista durante décadas — agitou-se em seu sono e crispou suas asas de couro. O que quer que fosse que quase acordara tinha em parte sabor de vergonha, mas vergonha não era de maneira alguma o todo.

Embora minha primeira reação fosse virar as costas para o que estava causando meu tumulto interno (e realmente virei as costas, com toda a decisão inata que pude convocar), a lembrança de ter testemunhado uma iluminação inexplicável se agarrou a mim como um gato que tivesse pulado nas minhas costas e enfiado as garras na minha pele.

O que fiz a seguir envolvia um tanto de desorientação inconsciente típica — tentei acreditar que meu desconforto fosse causado pela linguagem tola da garota da caixa registradora. Talvez isso pareça esnobe, e talvez seja de fato, mas já escrevi oito livros e presto atenção à maneira como as pessoas usam as palavras. Talvez atenção demais. Portanto, quando finalmente fiquei na frente da moça que tinha dito àquela criatura arruinada que ele "precisava" sair de sua "loja", expressei minha infelicidade pedindo um Anaheim Scrambler, que vem com toucinho defumado, queijo *cheddar*, abacate e muitas outras coisas, inclusive bolinhos de batata e um muffin de milho também. (Ai de mim, sou uma dessas pessoas que tendem a usar a comida como forma de se esquivar de emoções desagradáveis.) De qualquer jeito, quando foi que as pessoas começaram a dar ordens em termos de necessidades? E há quanto tempo as pessoas do ramo de restaurantes estão chamando seus estabelecimentos de "lojas"? Será que não podem perceber a feiura e a imprecisão dessa porcaria? A criatura dentro de mim voltou ao seu sono inquieto, temporariamente embalada.

Eu me instalei numa mesa vazia, abri o jornal bruscamente — o *Guardian Review* — e evitei olhar para as amplas janelas frontais até ouvir um empregado trazer minha bandeja. Por alguma razão, olhei em volta e olhei pela janela, mas naturalmente o pobre homem meio maluco tinha sumido. De qualquer modo, por que me importaria com o que lhe tivesse acontecido? Eu não ligava, exceto por sentir um tipo de piedade genérica por seu sofrimento. E aquele pobre diabo não me recordava ninguém que eu conhecia ou tivesse conhecido. Durante dois segundos, uma espécie de *déjà vu* desorientado entrou em cena. Ninguém pensa em *déjà vu* senão como uma ilusão momentânea. Ele nos dá um estranho zumbido de reconhecimento que parece um entendimento misterioso, mas o zumbido é um destroço psíquico sem valor.

Quarenta e cinco minutos depois, eu voltava para casa, esperando que o trabalho do dia rendesse bem. A pequena perturbação na Corner Bakery mal chegava a ser uma lembrança, até o momento em que enfiei a chave na fechadura da porta da frente e vi novamente os olhos vidrados e injetados e o escutei sussurrar *turbulento, turbulento.*

— Preciso que você pare com isso — falei em voz alta e tentei sorrir enquanto entrava no meu vestíbulo claro e confortável. Então disse: — Não, eu não conheço ninguém nem de leve parecido com você. — Por meio segundo, pensei que alguém iria me perguntar sobre o que estava falando, mas minha mulher estava fazendo uma longa viagem a Washington D.C., e em toda a minha esplêndida casa nenhum ser vivo poderia me ouvir.

O trabalho, infelizmente, não foi de nenhuma valia. Eu tinha planejado usar os dias em que minha mulher estava fora para dar um impulso num novo romance, então intitulado *Seu olhar direto*. Não importava a total falta de graça do título, que eu pretendia mudar assim que encontrasse um melhor. Sobre minha vasta escrivaninha, uma pasta estourando de anotações, esboços e ideias para capítulos estava ao lado de meu iMac e uma pasta bem menor ao lado desta continha as dez páginas desajeitadas que eu até então conseguira excretar. No momento em que comecei a mexer nele, o romance, que parecia tão promissor quando ainda era um lampejo de possibilidade, tinha se tornado um animal lento e rosnador. O protagonista parecia um pouco lento também. Embora eu não quisesse admitir, a personagem principal, a moça com o olhar direto e desconcertante, o devoraria no café da manhã com uma só mordida.

No fundo da minha mente estava um assunto sobre o qual eu não queria pensar naquele dia, uma sugestão muito tentadora feita alguns anos antes, meu Deus, talvez uns cinco anos, por David Garson, meu agente, que me contara que meu editor tinha lhe proposto num almoço, quem sabe o quão seriamente, que, ao menos uma vez, eu deveria escrever um livro de não-ficção, não apenas memórias, mas um livro sobre alguma coisa.

— Lee — disse David —, não fique paranoico em relação a isso; ele não estava dizendo que queria que você deixasse de escrever romances, claro que não. Eles acham que você tem um modo interessante de ver as coisas, é o argumento principal deles, acham que seria proveitoso se uma vez, e eu quero dizer *uma só vez*, Lee Harwell pudesse dirigir essa *característica* acessível e ao mesmo tempo desafiadora para um acontecimento do mundo real. O evento pode ser importante ou algo menor e mais pessoal. Ele acrescentou que acha que um livro desse tipo poderia ser favorável a você no mercado. Acho que ele realmente tem um bom argumento aí. Quero dizer, parece uma ideia extraordinariamente interessante. Você não quer pensar a respeito? Por que você não reflete por alguns dias e vê o que surge daí? Quero dizer, é só uma sugestão.

— David — falei —, não importa quais sejam minhas intenções, tudo o que eu escrevo acaba se transformando em ficção, até as cartas para os amigos. — Entretanto, David é um cara legal e ele realmente olha por mim. Prometi pensar sobre a sugestão, o que foi uma dissimulação de minha parte, porque eu de fato já estava considerando a possibilidade de escrever um livro de não ficção. Um manuscrito inédito e impublicável com o qual me deparara no eBay uns dois meses antes, uma espécie de memórias de um detetive de homicídios de Milwaukee chamado George Cooper, parecia lançar uma luz sobre uma série de assassinatos antigos não esclarecidos oficialmente que haviam interessado muito a meus amigos e a mim quando estávamos no colégio. Ainda de maior interesse era o fato de que esses assassinatos do "matador de mulheres" pareciam ter pelo menos uma relação tangencial com um assunto sombrio que envolvia esses meus amigos, inclusive a garota incrível que se tornou minha mulher, mas não a mim, em nosso último ano do curso secundário. Mas eu não queria pensar naquilo — o manuscrito envolvia um rapaz chamado Keith Hayward que fora, ao que tudo indicava, uma criança doente e má, criada por uma figura realmente demoníaca, seu tio. Tudo isso constava nessas memórias que o detetive Cooper escrevera em sua caligrafia cursiva, da escola antiga, e mesmo enquanto eu concatenava a história, estava determinado a resistir à atração gravitacional que ela causava em mim. A enorme questão teológica do mal parecia grande demais, complexa demais para abordar com os instrumentos e armas que eu possuía. O que eu fazia melhor tinha a ver apenas com histórias e como elas se desenrolavam, e um mero instinto para a narrativa não era suficiente para encarar as profundezas da história de Hayward. O fato de que minha mulher e nossos amigos tinham estado em contato com o sinistro Keith Hayward também me repelia.

Na hora costumeira, uma e meia, a fome me levou para a cozinha, onde arrumei uma salada, esquentei a sopa e fiz meio sanduíche de pão *pumpernickel*, presunto Floresta Negra, repolho e molho russo. Dinah Lion, minha assistente, que estaria presente, não trabalhava às segundas-feiras, portanto o isolamento da manhã permanecia intacto. Dinah estaria fora durante os próximos dez dias, mais ou menos, num acordo que tínhamos feito com meus contadores, que lhe permitiria se juntar aos pais na Toscana recebendo meio salário, em troca de uma certa mexida nas férias que ela normalmente tirava em agosto.

Por algum motivo, no segundo em que me sentei diante de minha refeição solitária, senti vontade de chorar. Alguma coisa vital fugia de mim e, pela primeira vez, esse sentimento não era só uma fantasia sobre o romance que eu estava escrevendo. A enorme onda de tristeza que se avolumava dentro de mim se relacionava com algo mais crítico que *Seu olhar direto*; era alguma coisa com a qual eu tinha vivido por muito mais tempo do que convivera com aquele meu livro que naufragava. Lágrimas subiam aos meus olhos e tremiam. Durante um momento excruciante, fiquei na posição ridícula de chorar por uma pessoa, um lugar ou uma situação que permanecia oculta para mim. Uma pessoa amada morrera quando éramos muito jovens — era esse o sentimento — e eu cometera o crime idiota de até aquele momento não ter parado para lamentar a perda. Essa devia ser a fonte da vergonha que senti antes de começar a enfiar os ovos mexidos, o abacate e o queijo *cheddar* na boca. *Eu tinha deixado essa pessoa desaparecer.*

Ao pensar no café da manhã que eu forçara garganta abaixo na Corner Bakery, minha fome congelou. A comida na mesa parecia envenenada. Lágrimas escorriam no meu rosto e eu me levantei e me virei para o balcão para pegar uns lenços de papel. Depois de ter secado o rosto e assoado o nariz, coloquei o meio sanduíche num saco plástico, cobri a tigela de salada com plástico filme e enfiei a tigela de sopa no micro-ondas, onde com certeza a esqueceria até a próxima vez em que o abrisse. Depois dei voltas a esmo pela cozinha. O livro que eu tinha começado a escrever parecia ter me trancado do lado de fora, o que eu geralmente interpretava como ele estar esperando outro escritor mais jovem aparecer e o tratar da maneira adequada. Levaria pelo menos um dia até que eu pudesse enfrentar novamente minha escrivaninha e, quando isso acontecesse, provavelmente eu teria que sonhar com outro projeto.

Seu olhar direto nunca foi adequado a mim, de qualquer modo. No fundo, era uma pequena história certinha sobre um homem fraco e uma mulher que era um animal selvagem, e eu a vinha enfeitando como uma espécie de história de amor pós-moderna. O livro, na verdade, deveria ter sido escrito por Jim Thompson, em algum ano da metade da década de 1950.

Uma onda de tristeza pesada e desagradável passou por mim novamente, e dessa vez parecia que eu estava lamentando a morte, a verdadeira morte, de toda a minha infância e juventude. Gemi alto, desconcertado com o que estava acontecendo comigo. Um repositório de tesouros, de beleza e vitalidade, toda essa sensação saturada, mas bem definida, de prazer, tristeza e perda, tinha desaparecido, tinha sido varrida, e eu mal percebera. Meus pais, minha antiga vizinhança, meus tios e tias, toda uma época parecia me chamar, ou eu a ela, e numa rápida sucessão, como numa série de quadros, eu vi:

como foi a nevasca de uma noite de dezembro de 1960, os grandes flocos caindo suavemente como plumas de um céu negro e desmedido;

um cão de caça esguio caminhando pela neve alta ao pé do morro onde descíamos de trenó;

a pintura descascando na parte de cima de nossos trenós e as lascas e os amassados nas compridas lâminas frias;

um copo d'água brilhando sobre a melhor toalha de mesa branca de minha mãe.

Meio cego pelas lágrimas, andando em volta do balcão de mármore de minha cozinha em Chicago, eu via o impressionante e deselegante lado oeste de Madison, Wisconsin, o lugar em que eu havia crescido e de onde tinha fugido tão logo pude. Minha incrível namorada, agora minha mulher, Lee Truax, tinha fugido comigo — dirigindo, atravessamos o país até Nova York, onde fui para a Universidade de Nova York e ela serviu mesas e atendeu em bares até poder também se matricular na Universidade, causando muito rebuliço e comoção por onde quer que passasse. O que se comunicava comigo, no entanto, não eram nossos anos de universidade no East Village, mas o lado oeste de Madison, tão diferente então e tão igual, o lugar em que Lee Truax e eu nos conhecemos quando crianças e frequentamos a escola com nossos amigos perturbados e maravilhosos.

Então vi todos os nossos amigos, que precisaram ser convencidos de que eu não era um babaca porque meu pai era professor da universidade em vez de ser um pai ausente ou não ser nada, realmente nada, parecido com os pais deles. Por um momento, seus rostos brilharam tão claramente quanto o copo d'água que eu tinha gravado em minha memória sobre a melhor toalha de mesa branca de minha mãe... seus rostos jovens voltados para o rosto refinado e de parar o coração de Eel. Embora me chamassem de Gêmeo, querendo dizer gêmeo dela, eu realmente nunca tive uma aparência dessas. E, no momento seguinte, antes que eu os pudesse absorver completamente, uma cortina se fechou bruscamente, como uma proibição. Bang! *Nada mais disso para você, irmão.*

— Por favor — falei, e depois: — O que está acontecendo comigo? — Que momento desconcertante, repleto de uma dor terrível; a dor *do que eu não fizera, do que eu tinha perdido porque não fizera o que não fizera.* O que quer que fosse, eu não tinha ideia, sabia apenas que *não o tinha feito.*

Depois, como num telão diante de mim, vi os lábios que se mexiam, o rosto sem barbear, os pés horríveis e machucados, e ouvi a voz recortada, quase mecânica, mamando as quatro sílabas que representavam segurança para aquela alma esfarrapada. Naquele momento, mantido fora de um reino que havia muito eu me alegrara em abandonar, desejei ter um totem para me proteger de Madison — o verniz descascado do trenó, o cão de caça que passava; o som dos armários se fechando no corredor do colégio; o modo preciso como a luz das janelas da sala 138 caía sobre os rostos de Eel e Dill Olson no início da nossa aula de inglês avançado, emprestando-lhes um charme deslumbrante e esmaecido.

Buscando a libertação, eu liguei o rádio, como em geral sintonizado na NPR. Um homem cujo nome eu apagara temporariamente, embora reconhecesse sua voz, disse: — O que é inesperado é como Hawthorne soa melodioso quando se lê o seu texto em voz alta. É uma coisa que se perdeu, acho, a ideia de que o som da escrita é importante também.

E Nathaniel Hawthorne girou a chave; Hawthorne me deu entrada no reino perdido. Não a ideia de lê-lo em voz alta, mas a de ouvir suas palavras recitadas: o som de sua escrita, como o homem da NPR tinha dito. Eu sabia exatamente como o Hawthorne de *A letra escarlate* soava, porque conheci um garoto que possuía o talento de lembrar tudo o que lia e esse garoto muitas vezes citava longas passagens do romance de Hawthorne. Ele também gostava de lançar na conversa normal palavras malucas que ele descobrira num livro chamado *Dicionário de palavras desconhecidas, estranhas e absurdas do capitão Leland Fountain*. (Uma vez me disse que achava muito estranho *nostologia** ser o estudo da senilidade, enquanto *nostomania* nada tinha a ver com idade avançada, mas simplesmente significava um caso sério de saudades de casa.) Seu nome era Howard Bly, mas todos nós, do nosso pequeno bando, o chamávamos de "Hootie". Por algum motivo, todos tínhamos apelidos bobos. O garoto não podia deixar de decorar tudo que lia. Quando uma fileira de palavras entrava por seus olhos, elas se gravavam numa lista sem fim no seu cérebro. Embora eu desejasse ter essa habilidade, não tenho a menor ideia de como funciona, nem parecia particularmente útil a Hootie Bly, que não era absolutamente ligado às letras.

Quando estávamos no último ano do colégio Madison West e ele tinha dezessete anos, Hootie parecia ter treze ou quatorze; era pequeno, louro, tinha bochechas rosadas e ar angelical. Tinha olhos de um azul de cerâmica,

---

* Em inglês "nostology", do grego "nostos" (volta à casa, numa referência à segunda infância). Em português parece não existir a palavra "nostologia". (N.T.)

o azul cerúleo dos olhos das bonecas, e seu cabelo caía na testa formando uma franja. Pense no personagem de Brandon De Wilde em *Os brutos também amam*, acrescente alguns anos e esse era Hootie. As pessoas tendiam a gostar dele, nem que fosse por ser tão bonito e não falar muito. Não era inteligente como Eel, a minha namorada, Lee Truax, mas também não era burro nem lento — é que Eel era *realmente* inteligente. Hootie de modo algum era agressivo ou precoce ou atrevido. Imagino que tenha nascido com uma modéstia natural. Isso não quer dizer que era passivo ou sem sal, porque não era.

Era assim que Hootie era: quando se olha uma foto de grupo, especialmente um retrato de uma porção de pessoas fazendo alguma coisa como caminhar pelo campo ou conversar num bar, sempre se pode localizar alguém que está mentalmente afastado, divertindo-se com o espetáculo à sua frente. Desencavando coisas, como diria Jack Kerouac. Às vezes Hootie gostava apenas de se recostar e, bem, desencavar o que acontecia ao seu redor.

Posso dizer que Hootie Bly era bom sob todos os aspectos. O cara não tinha uma célula ou mesmo um osso mesquinho ou cruel em seu corpo. Infelizmente, devido ao seu tamanho e à sua aparência, pessoas que não tinham um coração igualmente bondoso — provocadores, idiotas — às vezes o perseguiam. Eles se divertiam irritando-o, implicando com ele de um modo que ia além da implicância, até mesmo o empurrando de um lado pro outro, e às vezes nós, seus melhores amigos, sentíamos que precisávamos intervir para protegê-lo.

No entanto, Hootie podia se defender verbalmente. Eel me contou que, quando um rapaz pertencente a uma fraternidade universitária, muito ameaçador e desagradável, o insultou num café sujo da State Street de nome Tick-Tock Diner, mas conhecido como Espaço Alumínio, Hootie lançou ao idiota um olhar opaco e o desconcertou com uma citação de *A letra escarlate*: "És tu como o Homem Negro que assombra a floresta ao nosso redor? Atraíste-me para uma relação que será a ruína de minha alma?" Menos de um minuto depois, o estudante da Universidade de Wisconsin ampliou seu insulto para incluir os pais de Hootie, que o rapaz sabia serem proprietários do Badger Foods, o pequeno armazém triangular a dois quarteirões na mesma rua, pois vira eles todos na loja. Hootie o enfrentou novamente com outro trecho de Hawthorne: "Que homem estranho e triste ele é! Na escuridão da noite, ele nos chama para perto dele e segura a tua mão e a minha, como quando nós ficamos com ele no cadafalso lá longe!"

 O rapaz da fraternidade, o mesmo Keith Hayward doente e pervertido sobre quem eu estivera lendo recentemente nas tristes memórias do detetive Cooper, aparentemente avançou na direção dele, mas foi detido por seu colega de quarto e único amigo, Brett Milstrap, que não queria que eles fossem expulsos do Espaço Alumínio antes da (provável) chegada de uma maravilhosa garota loura, que cobiçavam tanto que só a visão dela bebericando uma xícara de café poderia mantê-los aquecidos e felizes durante três ou quatro dias. Meredith Bright era seu nome e, como Hayward e Milstrap, ela teve um enorme papel na história que comecei a tentar decifrar durante as semanas e os meses seguintes. Ela deve ter sido uma das moças mais bonitas que surgiram naquele campus em todos os tempos. O mesmo teria sido verdade se ela tivesse ingressado na Universidade da Califórnia em Los Angeles em vez de na Universidade de Wisconsin. Meredith Bright detestava Keith Hayward e era indiferente a Brett Milstrap, mas, na primeira vez em que pôs os olhos em Hootie Bly e Lee Truax, ficou encantada com eles. Por muitas razões.

 Seria justo dizer que a história comprida e maluca que acabei por tentar desencavar na última mesa começou quando Meredith Bright, sentada sozinha do Espaço Alumínio, levantou os olhos de seu exemplar de *Corpo do amor*, observou toda a extensão do balcão, localizou Hootie e Eel e os deixou abalados ao sorrir para eles. Mas antes que eu me atropele nessa história, tenho que voltar para onde estava e explicar mais algumas coisas sobre Hootie e nosso pequeno grupo de amigos.

 Eu disse que ouvir uma das vozes aconchegantes da NPR falar sobre a experiência de escutar Hawthorne lido em voz alta era tudo de que eu precisava — isto é, tudo de que eu precisava para entender o intenso e inesperado dilúvio de emoções que me perseguia pela casa desde que eu olhara nos olhos injetados do sr. Turbulento, no momento em que dois zagueiros de Carbondale o carregavam rumo à saída. Eu tinha lutado tão tenazmente contra a súbita sensação de reconhecimento que, sem mediação, as imagens e eventos de minha infância tinham fluído novamente para mim numa dolorosa correnteza. O motivo de minha tenacidade frustrada era que o Turbulento me lembrava de Hootie, que passara quatro décadas num hospital psiquiátrico de Wisconsin se comunicando apenas por palavras soltas do capitão Fountain e, talvez, quando se sentia especialmente nostomaníaco, por frases como "Atraíste-me para uma relação que será a ruína de minha alma?". *A letra escarlate* e as ninharias obscuras do capitão não são loucura, são medo, o mesmo tipo de terror absoluto que transformou o Turbulento numa estátua balbuciante.

Eu queria saber mais sobre aquele medo. Agora que tinha aberto essa sutura, ele veio a mim e eu queria segui-lo até o fim. Quando entendesse as causas da paralisia de Hootie, pensei, uma camada da realidade que tinha estado fechada para mim durante quase quatro décadas afinal se tornaria visível.

Mas de maneira nenhuma era só comigo.

De vez em quando, durante as décadas desde meados dos anos 1960, esse mundo oculto — toda a questão do guru itinerante chamado Spencer Mallon, o que ele realizara, o que não realizara, o que ele significava ainda para os que o amaram e admiraram — tinha me perturbado, acordado uma dúvida e uma tristeza contínuas que grudavam em mim como uma sombra toda vez que a questão voltava à baila. Parte desse transtorno ininterrupto estava enraizada no silêncio de um único ser humano. Ela se recusava a falar comigo sobre isso, e os outros também. Eles me isolaram. Quer dizer, não gostaria de ir a extremos a respeito de algo que acontecera havia tanto tempo, mas será que isso teria sido realmente *justo*? Tudo era bom, tudo era amigável, e só porque eu não quisera ter nada a ver com esse impostor do Mallon, eles cerraram fileiras contra mim. Até minha namorada, que supostamente parecia minha gêmea!

Sabe o que aconteceu? Como um garoto idiota, pensei que estava, *disse* a mim mesmo que estava, me aferrando aos meus princípios, quando na verdade todo o negócio desse homem surpreendente que estivera no Tibete e vira alguém cortar a mão de uma outra pessoa num bar, que falava sobre o *Livro tibetano dos mortos* e sobre um filósofo chamado Norman O. Brown, que, além disso, estava ligado à magia antiga, tudo isso me dava um certo medo. Parecia um disparate completo, mas também parecia muito além do meu alcance — porque, quem sabe, poderia haver alguma realidade naquilo, afinal. Acho que eu tinha medo de, conhecendo o cara, ter que acreditar nele também.

Eel sabia exatamente como eu me sentia, isso mostrava como ela era inteligente. Ela compreendia que minha reação era muito mais complexa do que eu estava querendo aceitar, e eu estar me afastando devido a um medo que ela considerava de menor importância, para início de conversa, a fazia perder um grau considerável de respeito por mim. Já que eu não tive nenhum interesse em fingir que era um estudante universitário e, portanto, tinha ficado em casa da primeira vez em que todos os meus amigos foram ao Espaço Alumínio, eu tinha duas chances para consertar as coisas: poderia ter ido ao restaurante italiano onde eles ouviram pela primeira vez a arenga de Mallon; e poderia ter reparado meus lapsos me reunindo com todo mundo para a segunda sessão de Mallon, no apartamento da Henry Street onde Keith Hayward e Brett Milstrap moravam. Aquelas eram as minhas duas chances. Mas depois que eu disse não pela segunda vez, a porta se fechou com força, e fui abandonado sozinho do lado de fora, para onde eu havia ido e me colocado deliberadamente.

Enquanto eles seguiam Mallon, eu fazia longas caminhadas e terminava, às vezes, atirando argolas solitárias no pátio de uma escola primária. Ou tentando atirar. Lembro-me de ter errado quinze lances livres em sucessão. No próprio grande dia, domingo, 16 de outubro de 1966, fiquei no meu quarto e reli *Sobre o tempo e o rio* de Thomas Wolfe, um romance que eu amava loucamente porque parecia ter sido descrever a mim, Lee Harwell, com exatidão: um jovem brilhante e sensível obviamente destinado ao sucesso literário, ou, se não exatamente eu, ao menos a pessoa que eu seria se tivesse frequentado Harvard e viajado pela Europa, oh andarilho nessa terra, perdido, sentimental, entupido de palavras, uma pedra uma folha uma porta não encontrada.

Durante dois dias inteiros, não tinha ideia de onde ela estava. Quando tinha alguma informação, era irritantemente restrita. Era isto, precisamente, tudo o que me foi permitido entender: de um modo ou outro, em circunstâncias ocultas para mim para sempre, as coisas tinham explodido. Tinha havido uma reunião, um encontro, talvez uma espécie de cerimônia e, nesse evento, tudo tinha se arruinado de maneira dramática. Um garoto tinha sido não somente morto, mas horrivelmente mutilado, reduzido a frangalhos. Um dos boatos inevitáveis sobre esse cataclismo tinha sido o de que o garoto morto parecia ter sido estraçalhado por dentes enormes. Nos meses seguintes, de fato durante as quatro décadas seguintes, a única pessoa que eu ainda conhecia daquela época e que tinha participado do malfadado círculo de Mallon, a minha mulher, se recusou até mesmo a tentar explicar o que acontecera a todos eles.

Durante cerca de uma semana, ela simplesmente calou a boca. Os únicos detalhes que se dispôs a partilhar comigo foram os relacionados à conduta da polícia nas investigações subsequentes, a confusão e a fúria de seu pai inútil, sua impaciência com nossos professores e colegas, seu desespero com o pobre Hootie. Depois que as coisas se acalmaram um pouco e o mistério sobre o paradeiro de Hootie finalmente se esclareceu, Eel tentou visitá-lo ao menos duas vezes no Hospital Lamont, que se descobriu que era onde ele havia estado o tempo todo. Da primeira vez em que ela falou com alguém de lá, essa pessoa, quem quer que tenha sido (aparentemente, era perda de tempo descer a tais detalhes), a proibiu de fazer a visita: a situação do sr. Bly era grave demais, precária demais. Um mês depois, ela tentou novamente. Dessa vez, o porteiro a convidou a visitar o hospital e foi Hootie Bly quem a rejeitou. Usando palavras tiradas de Hawthorne, ele se recusou até a vê-la. Para sempre. A recusa continuou firme durante nosso último ano de colégio e eu suponho que finalmente Lee desistiu. Depois que partimos para Nova York, ela nunca mais falou nele.

De tempos em tempos eu pensava naquele garoto sorridente de olhos azuis e imaginava o que teria acontecido com ele. Hootie ainda era importante para mim e eu sabia que ainda devia significar muito para minha mulher, que por fim deixou de ser Eel e se tornou amplamente conhecida, em certos círculos, pelo nome que trazia desde o nascimento. Eu queria o bem dele. Depois de seis meses, eu pensava, ou oito, ele devia ter saído do hospital e retomado a sua vida. Provavelmente tinha voltado a morar com os pais. Quando se aposentassem, ele assumiria o Badger Foods, talvez o animasse um pouco. Ou sairia de Madison, casaria com uma garota bastante parecida com ele, trabalharia num escritório e teria dois ou três filhos louros e angelicais. Era de se esperar de pessoas como Hootie Bly que tivessem vidas sem grandes eventos, sem questionamentos de sua essência, mas profundamente apreciadas e verdadeiramente vividas. Se o mundo não desse certo para eles, o restante de nós não teria a menor chance.

O verdadeiro destino de Hootie permaneceu um mistério para mim até o verão de 2000, quando, em raras férias conjuntas, minha mulher e eu fomos às Bermudas. Eu tendo a não tirar férias e minha mulher prefere visitar lugares que já conhece, onde tem amigos e coisas para fazer. Ela passa muito tempo em conferências e reuniões de diretorias e tem uma vida ocupada, útil e inteiramente admirável. O casamento com um romancista pode ser tão solitário quanto ser um ela mesma, sem nem mesmo a companhia até de pessoas imaginárias. Fico feliz que Lee tenha preenchido tão satisfatoriamente sua vida e aprecio as poucas vezes em que vamos juntos a algum lugar com nenhum outro objetivo senão passear e relaxar. (Claro que sempre levo o meu trabalho e Lee viaja com seus próprios eletrônicos.) Estávamos, então, em Hamilton, almoçando agradavelmente num lugar chamado Tom Moore's Tavern, e, do outro lado do salão, eu avistei um homem da minha idade, com o cabelo louro embranquecido, um rosto bronzeado e marcante, sentado numa mesa com uma mulher atraente que se parecia bastante com ele. Se minha mulher não estivesse presente, a senhora loura, apesar de sua idade, seria facilmente a mulher mais bonita do salão. A antiga Eel continua inteiramente inconsciente disso e fica irritada se alguém menciona a sua beleza, mas, independente de onde ela esteja, Lee Truax é sempre a mulher mais bonita da sala. De verdade. Sempre.

O homem bem de vida e afável do outro lado do salão poderia ser o Hootie Bly adulto e próspero, se Hootie tivesse feito as escolhas corretas e desfrutado de um bocado de sorte.

— Querida — falei —, Hootie Bly pode estar sentado do outro lado do salão, e ele parece muito bem.

— Não é Hootie — respondeu ela. — Pena. Mas eu bem que gostaria que fosse.

— Como você pode ter tanta certeza? — perguntei.

— Porque Hootie ainda está no hospital. A única coisa de diferente que aconteceu com ele é que está mais velho, como a gente.

— Ele ainda está lá? — perguntei, horrorizado. — No Lamont?

— É onde está, coitado.

— Como você sabe?

Eu a observei medir o peixe com o garfo, depois cortar um pedaço e o empurrar com cuidado para os dentes do garfo. Outras pessoas raramente notam, mas minha mulher come de um modo muito particular. Sempre gosto de observá-la executando os rituais necessários.

— Dou o meu jeito — respondeu ela. — De tempos em tempos, as pessoas se comunicam comigo.

— É só isso que você vai me contar, não?

— Essa conversa é sobre Hootie, não sobre quem me falou sobre ele.

E isso foi tudo. Sua recusa em falar nos levou de volta ao antigo e familiar silêncio: eu não tinha nenhum direito de pedir informações já que escolhera, em primeiro lugar, não vagar pelo campus da universidade e, depois, o que era mais condenável, não conhecer e muito menos adorar Spencer Mallon. Meus amigos e até Eel só faltavam venerar esse cara. E, devo dizer, especialmente Eel. Quem vocês acham que ela pensava estar protegendo ao recusar dar o nome de sua fonte?

Chega de Mallon, pelo menos por um tempo.

■

Das cinco pessoas do nosso pequeno bando da escola Madison West, três tinham sérios problemas com os pais. Na época, eu achei que isso explicava muito da atração que tinham por Mallon; ainda acho. Pelo que meus amigos me contaram, Spencer Mallon parecia talhado para exercer uma atração hipnótica sobre um grupo de garotos aventureiros de dezessete e dezoito anos que, de um modo ou de outro, tinham sido magoados por seus pais problemáticos. Ele, com certeza, falava ao coração dos meus amigos; ele os fisgou. Ele os *seduziu* — é a isso que tudo se reduzia. E porque tinham sido hipnotizados e seduzidos, eles seguiram esse personagem obscuro até o campo do departamento de agronomia da universidade e cooperaram alegremente com o que quer que seja que acabou sendo tão destrutivo para todos.

O pai de Eel, para começar, não era nenhuma bênção, mas depois que uma morte súbita vitimou o irmãozinho dela aos seis ou sete meses, não me lembro, ele desabou de maneira espetacular. Carl Truax tinha registrado algumas patentes que provavam que um dia ele tinha sido um inventor e, quase todos os dias, se arrastava de sua cama fétida para passar algumas horas no galpão do quintal que ele chamava de sua "oficina". Na época em que a filha estava no último ano do curso secundário, o homem parou de fingir que fazia qualquer coisa lá que não fosse beber. Quando a primeira garrafa do dia se tornava apenas uma grata lembrança, Carl saía em peregrinação por tavernas e bares sujos, mendigando uns poucos dólares para comprar mais álcool. Como caras assim conseguem dinheiro é um completo mistério para mim, mas o velho quase sempre conseguia levantar dinheiro suficiente para um dia de bebedeira e ainda sobrava uns dólares. Às vezes trazia um presente para apaziguar a única pessoa que morava com ele em seu casebre, sua incrível filha, a pessoa que, quando ele estava em casa para jantar, cozinhava e fazia o possível para manter a casa limpa e em boas condições de higiene. Sua atitude em relação ao pai geralmente oscilava de uma raiva surda a um desprezo furioso.

Pouco antes de Dilly Olson ter a brilhante ideia de passarem o tempo em lugares como o Tick-Tock para posarem de estudantes da Universidade de Wisconsin e serem convidados para festas de fraternidade, estratagema que os levou diretamente a Keith Hayward, Meredith Bright e Mallon, Carl apareceu com um pôster que tinha ganhado num jogo de pôquer no bar mais sujo de toda Madison. Era uma pintura famosa de Cassius Marcellus Coolidge chamada *Um amigo necessitado*, representando meia dúzia de cães vestidos como humanos jogando pôquer. Ele tinha certeza de que ela ia adorar o pôster. Um buldogue fumando charuto usava uma pata traseira para passar o ás de espadas por baixo da mesa para um vira-lata amarelo; não era a coisa mais bonitinha que ela já tinha visto? Eel detestou aquela merda sentimental, mas os três garotos se identificaram com o pôster, se apaixonaram por *Um amigo necessitado* e falaram dias sem parar sobre ele. Eles tinham liberdade na casa e, portanto, acesso constante à obra-prima porque, uma semana depois da morte de seu bebê, a mulher de Carl e mãe de Eel, Lurleen Henderson Truax, foi embora sem suavizar o choque de sua ausência com um aviso antecipado ou um bilhete de adeus. Quatro dias depois do enterro do bebê, quando o marido estava em sua peregrinação e a filha de nove anos na escola, a mãe de Eel encheu uma mala barata do bazar São Vicente de Paulo, esgueirou-se para fora de casa e desapareceu. Lurleen tinha seus problemas, muitos problemas, e Eel sentiu falta dela como podemos sentir falta de uma colmeia de abelhas que produziam ótimo mel, mas que pareciam decididas a, algum dia, nos picar até a morte.

Depois do desaparecimento da mãe, Eel, Lee Truax, se criou sozinha. Ela se obrigava a fazer o trabalho de casa, fazia as compras e a comida, se ajudava com as tarefas da escola e ia sozinha para a cama à noite, chegando à conclusão de que tudo o que se faz tem consequências a longo prazo. Ela aprendeu que as pessoas falam de si pelo modo como agem e pelas coisas que falam. O que se tinha a fazer era prestar atenção. As pessoas se abriam, deixavam tudo à mostra e nunca se davam conta de que estavam fazendo isso.

Embora não fosse lésbica, Eel desde cedo decidiu que, já que os homens controlavam as coisas e davam as ordens, ela preferia parecer um rapaz que uma garota: pegou então a tesoura e fez um corte tipo cuia à Moe Howard, dos Três Patetas, e começou a andar de *jeans* e camisa xadrez. Vestida assim, com seu corte de cabelo estranho, parecia o ideal platônico de um rapazinho. Contanto que se tivesse tempo para olhá-la com a mesma concentração com que ela olhava para as pessoas, tudo isso, de alguma maneira, a tornava incrivelmente atraente. Se a observássemos casualmente, preguiçosamente, e nossos olhos vagassem para outro lugar, provavelmente a consideraríamos um tanto sem graça. Poderíamos até confundi-la com um garoto.

Hootie a amava, Deus sabe que eu a amava e, se os outros dois caras do nosso grupo não colocavam o mesmo tipo de emoção em sua relação com Eel, no mínimo se sentiam próximos dela de um modo confortável e descomplicado — quase como se ela fosse realmente outro garoto da idade deles, embora um garoto que desejavam proteger. Eles faziam o possível para proteger Hootie também, então não era porque ela era mulher. Metade do tempo, acho que eles quase se esqueciam de que ela não era apenas um outro garoto. Eu gostava tremendamente desses caras e confiava totalmente neles. Era com eles que eu passava a maior parte do dia e com quem andava à noite, com quem conversava ao telefone depois das aulas. Quando Boats Boatman e Dilly Olson entenderam que eu não era esnobe, apesar da desvantagem de morar numa casa bastante elegante para os padrões deles e ainda por cima ter um casal de pais intacto, eles relaxaram e começaram a me tratar como se tratavam entre si, com um bom humor rude e afetuoso. Como Hootie, como minha mulher do seu modo particular, esses dois rapazes foram destruídos, eu achava, pelo que quer que Spencer Mallon tenha feito acontecer naquele campo maldito.

Voltando um passo atrás, eu poderia também dizer que seus pais infelizes destroçaram as vidas deles ao fugir, o que os tornou vulneráveis a mercadores de sabedoria peripatética como Mallon. Ninguém nunca diz isso, mas, nos anos 1960, esses impostores estavam em toda parte, principalmente em cidades com campi universitários. Às vezes eram acadêmicos nativos que saíam dos trilhos e usavam as salas de aula como púlpitos, mas também, com a mesma frequência, apareciam do nada, precedidos por uma pequena bolha de excitação promissora criada por seguidores que tinham se convertido durante a última visita do guru/filósofo/sábio. Em geral ficavam por ali cerca de um mês, dormindo nos divãs ou camas disponíveis de seus admiradores, pedindo "emprestadas" as roupas de seus anfitriões, aceitando refeições e bebidas gratuitas, dormindo com as namoradas dos anfitriões e com outras admiradoras. Todo mundo era dono de tudo, de acordo com eles, portanto, naturalmente, eles tinham direito a todos os bens de seus seguidores. Propriedade era um conceito moralmente suspeito. Spencer Mallon dizia aos *mallonistas* que "tudo é tudo", o que estendia a costumeira atitude não possessiva até o cosmos. Mesmo aos dezessete anos, eu achava tudo isso um disparate, uma variante de absurdo especialmente propício aos predadores. Mas fui criado numa casa razoável por pessoas razoáveis.

Jason Boatman, a quem chamávamos de Boats por duas razões óbvias, era criado quase unicamente por sua mãe, Shirley. Todos nós gostávamos de Shirley Boatman e ela gostava de nós, principalmente de Eel, mas não era segredo que o leve problema de bebida que tinha antes de ser abandonada pelo marido havia desabrochado em algo muito mais sério depois disso. Shirley estava bem distante da entrega apaixonada de Carl Truax ao álcool, mas bebia uma cerveja com o café da manhã e bebericava uma garrafa de gim durante toda a tarde. Lá pelas nove da noite, estava tão bêbada que geralmente desmaiava na cadeira.

Sete anos antes da chegada de Spencer Mallon a Madison, o pai de Boats, que então administrava uma empresa de construção de barcos em dificuldades em Milwaukee e ia e vinha três ou quatro vezes por semana, anunciou que estava apaixonado por uma aprendiz em construção de barcos chamada Brandi Brubaker. Ela tinha ido da garagem de barcos da Universidade de Wisconsin para a empresa, como muitos dos assistentes e aprendizes mal pagos dele. Ele e Brandi alugariam uma casa perto do ancoradouro, no lago Michigan, e no futuro suas visitas a Madison seriam para continuar a atividade dele na equipe de remo e para ver o filho.

As visitas ao filho logo se espaçaram para uma vez ao mês, depois pararam completamente. Seu negócio se recuperou e provavelmente ele tinha menos tempo para dedicar à antiga família. A esperta Brandi logo produziu um par de gêmeas, Candee e Andee. Elas eram "adoráveis". Boats perdeu qualquer interesse que algum dia pudesse ter tido em barcos e sua construção e trocaria alegremente seu pai por qualquer pai dos outros, até pelo de Dilly Olson que havia fugido havia dez anos e nunca mais dera notícias.

Aos dezessete e dezoito anos, Jason Boatman era um garoto de aparência bastante boa até ficar ao lado de Dilly, que o fazia parecer sonso e evasivo. Que ele realmente fosse meio sonso e evasivo não perturbava a nenhum de nós, que éramos seus amigos desde o primário. Antes de seu pai abandoná-lo, Boats tinha sido bastante sociável, alegre e transparente. Ele era magro e mais para alto, o tipo de garoto bom e amigável que concorda com o que os outros querem fazer. Depois que seu pai foi embora, ele enterrou seu senso de humor e se tornou rabugento. Não falava tanto quanto antes e seus ombros se curvaram. Andava com as mãos nos bolsos, olhando para o chão, como se procurasse algo que havia perdido. Desistiu completamente da escola. Em sala, ele se sentava quase de lado na carteira e olhava para o quadro negro com a desconfiança que temos a respeito de alguém que achamos que está mentindo para nós. Sua atitude predominante era de leve ressentimento. Se fôssemos à sua casa, em vez de "oi", ele diria algo como "Já era tempo de vocês aparecerem". Ele parou de ler livros e de participar de esportes. Sua conversa ficou taciturna, quase relutante, exceto quando se queixava. As queixas expunham uma versão reconhecível do Boats de que nos lembrávamos dos tempos de primário, observador, volúvel, inteiramente presente. Essas cantilenas giravam em torno de nossos professores, dos livros que eles supunham que leríamos, do dever de casa que supunham que enfrentaríamos todas as noites, do tempo, da brutalidade dos atletas, do desleixo do zelador da escola, do embotamento de sua mãe à medida que a noite passava. Boats e Eel podiam trocar histórias de pais bêbados como um saxofonista e um baterista alternam solos. Independente da abrangência de suas lamentações sobre a situação do mundo, Boats nunca falava do pai. De vez em quando, a propósito de nada, ele sacudia a cabeça e murmurava "Brandi Brubaker", vomitando o nome da nova mulher de seu pai como um gato faz com uma bola de pelo.

A outra grande mudança que atingiu Jason "Boats" Boatman depois que seu pai partiu envolveu uma concentração feroz em roubo de lojas. Ele começou a furtar numa escala heroica. Era como um porre, só que nunca parava. Como se chama isso, uma farra? Boats continuou numa farra de furto vitalícia. Na quinta série, todos os meus amigos de vez em quando surrupiavam coisas como balas, revistas em quadrinhos, livros de bolso e material escolar das lojas da vizinhança, mas não havia consistência ou um padrão nisso. Nenhum de nós fazia isso o tempo todo e eu fazia menos que a maioria. Às vezes, Eel ou Dilly Olson não tinham dinheiro para comprar o caderno novo ou a caneta esferográfica que algum professor queria ver nas carteiras e a única maneira de conseguir o material pedido era ir até a papelaria e surrupiá-lo. Boats agia da mesma forma até cerca de um mês depois que o pai foi embora. Então, aonde quer que fosse, ele se enfiava nas lojas e saqueava o que pudesse, roubava tudo o que conseguisse carregar no corpo. Ele nos deu tantos suéteres e camisas de moletom que alguns pais ficaram desconfiados. (Claro que o pai de Eel não.) Shirley Boatman percebeu o que estava acontecendo e avisou a Boats que um dia ele seria apanhado e iria parar num tribunal. O aviso não surtiu efeito.

Eel me disse, e já naquele tempo isso fazia sentido, que Boats usava todos esses sapatos, meias, cuecas, camisetas da Universidade de Wisconsin, borrachas, cadernos, lápis, grampeadores e livros para alimentar um vazio gritante que ele tinha por dentro. Depois de Mallon aparecer e os cativar, de vez em quando ele delegava a Boats a tarefa de furtar algumas coisas. De acordo com as teorias de Mallon, Boats não estava roubando nada; ele estava apenas redistribuindo coisas. Porque tudo era tudo, ninguém, principalmente os donos das lojas, possuíam qualquer bem que eles imaginavam ser seu. Isso sempre soou a mim e a Eel como engraçado porque, se Boats realmente acreditasse nas teorias de Mallon, ele pararia de furtar no ato. No que lhe dizia respeito, toda a ideia de roubo consistia em que o que quer que ele enfiasse debaixo do casaco realmente pertencia a outra pessoa — por isso colocar coisas debaixo do casaco o fazia se sentir melhor. A sensação de uma superioridade passageira ajudava a alimentar o vazio interior. Mas, naturalmente, tudo que entrava naquele espaço cruel era consumido instantaneamente.

Já mencionei que ir até a State Street e passar um tempo no Espaço Alumínio fingindo que eram estudantes da Universidade de Wisconsin tinha sido ideia de Dilly Olson, e isso era típico do papel de Donald Olson em nosso pequeno bando. Don Olson teria sido um líder em qualquer escola que frequentasse: era um desses garotos que possuem uma autoridade natural, inata, que parece enraizada numa profunda dignidade pessoal. Sua aparência sem dúvida aumentava a já considerável autoridade que tinha. Durante o primário, ele sempre foi o mais alto de nós e, no último ano do secundário, alcançou 1,88m. Sua altura seria insignificante se ela não fosse, em certo sentido, aumentada ou destacada pelo efeito dos profundos olhos pretos, das sobrancelhas escuras e incisivas, das maçãs do rosto altas, da boca móvel e expressiva, da pele morena suave e sem marcas, do cabelo mais para comprido, chegando quase ao colarinho, e da postura irrepreensível e natural. Ele sempre estava ereto como um fuzileiro naval, mas graciosamente, como se nada pudesse ser mais normal do que uma postura perfeita.

Se Dilly Olson tivesse usado a beleza para ganhar dinheiro, se tivesse demonstrado consciência do efeito dela e prazer nesta consciência, se deixasse escapar qualquer traço de egoísmo, ele teria se destruído — quero dizer, de um modo diferente de como foi, na verdade, destruído pelo curso de sua vida. Ao contrário, ele parecia não ter noção de que era incrivelmente bonito e sentir que sua óbvia bela aparência era irrelevante para a verdadeira ocupação de sua vida. O que essa verdadeira ocupação seria ainda era um valor desconhecido. Se morássemos na cidade de Nova York ou em Los Angeles, certamente apareceria alguém para sugerir a Dilly Olson que se tornasse ator, mas morávamos em Wisconsin e ninguém que conhecêssemos jamais tinha se tornado ator ou qualquer outro tipo de artista. Nós assistíamos a muitos filmes, mas as pessoas que trabalhavam neles eram claramente produto de outra esfera mais elevada. Estavam distantes de nós, esses atores. Até o ar que respiravam era outra substância, não a coisa cotidiana que inalávamos.

Diferente de mim, Dill não lia os livros como se eles, também, fossem destinados a ser inalados e, por conseguinte, a informar os pensamentos e as ações. Ele nunca se perdia num livro, não era acadêmico ou erudito sob qualquer aspecto, e parecia que nunca poderia seguir o caminho que eu e Lee Truax tínhamos estabelecido para nós, o de ir para a universidade e procurar nosso trajeto para o futuro através do meio costumeiro de explorar um currículo. De qualquer modo, ele não tinha meios de pagar a universidade. Sua mãe e o novo namorado dela, um funcionário de cooperativa financeira, chato e alcoólatra, cujo maior sonho era o de que Donald Olson saísse de uma vez de casa, tinham comunicado a ele que não pagariam as mensalidades de uma universidade.

Parecia impossível e injusto que Dill arranjasse um emprego comum de escritório ou se tornasse vendedor numa loja, e, por outro lado, a comissão de recrutamento das forças armadas, que ansiava por devorar jovens como ele, já o tinha dispensado seus serviços devido a uma válvula defeituosa em seu coração: num momento de tédio e desespero, ele tentara se alistar, naturalmente sem contar a ninguém, e tinha sido declarado incapaz por motivos médicos até a ocasião em que foram distribuídos capacetes e armas a alunos do primário, o que surpreendeu os recrutadores do exército tanto quanto desapontou Dill por um breve tempo. À medida que o tempo passou e os protestos se tornaram mais barulhentos e frequentes, Dill soube o suficiente sobre o que acontecia no Vietnã para ficar desgostoso com a guerra e agradecido por sua classificação no alistamento.

Na verdade, o conflito do Vietnã lhe deu uma causa que ajudou a tirar seu pensamento da questão deprimente do que iria fazer depois que se formasse. A escola Madison West proibia qualquer tipo de expressão política aberta, e nosso diretor, um veterano da Segunda Guerra Mundial, provavelmente faria o possível para expulsar qualquer estudante ousado o bastante para organizar ou participar de manifestação contra a guerra dentro dos limites da escola. Não precisávamos de nossa própria manifestação, porém, porque podíamos aderir aos comícios, discussões, passeatas e eventos de multidão que estavam sempre acontecendo no campus ou em seus arredores. Em 1966, Madison também se encaminhava para a ebulição de indignação e ressentimento que eclodiu em 1968, e todos os protestos e passeatas deram a Dilly muitas oportunidades para conhecer garotas universitárias ao mesmo tempo em que realmente protestava contra a guerra.

E Boats também se importava com a guerra, porque temia ser agarrado pelo exército no dia em que se formasse no secundário, mas estava bem mais interessado nas universitárias e nas festas de fraternidade.

A menos que eu esteja enganado, parte da atração de Dilly Olson por Mallon estava na atitude deste sobre o Vietnã. Mallon deixava claro que achava que a guerra era necessária naquele momento específico — ele parecia ter um sentimento semirreligioso em relação à violência, que via como uma espécie de nascimento — embora deixasse implícito que o objetivo final dele, alcançável por meio de certa cerimônia oculta, envolvia o uso da violência sagrada como um meio de transformar a Terra de modo que a guerra do Vietnã acabaria por si só, como uma erva há muito tempo sem água. O fogo devoraria o fogo, o furacão devastaria o tufão destruidor. Era algo assim, de qualquer modo. Depois de toda essa destruição viria um renascimento cujas dimensões e natureza seriam exploradas alegremente por Mallon e seus poucos eleitos. Para o crédito desse impostor, ele disse a Dilly, Boats, minha mulher e seus outros três seguidores, Meredith Bright, Keith Hayward e Brett Milstrap, que a grande transformação e o renascimento poderiam durar apenas um ou dois segundos, e também que poderiam acontecer apenas em suas mentes, como o início de uma visão nova, de uma maneira mais verdadeira e essencial de ver as coisas. Apesar do dano que causou a todos esses jovens, tenho que respeitar sua honestidade nesse aspecto. Como todos os outros sábios e falsos profetas que vagavam pelos campi da metade ao fim da década de 1960, Spencer Mallon prometia um fim dos tempos e um novo apocalipse; diferentemente da maioria dos outros, ele admitia que o tal fim dos tempos poderia durar um só momento ou acontecer apenas como a abertura de uma janela mental. Detesto Mallon, acho que ele era um impostor que teve sorte da pior maneira possível, mas tenho que respeitar essa evidência do que me parece sabedoria. Se não sabedoria, consciência.

■

Minha namorada — Lee Truax, Eel — e seus companheiros foram à lanchonete Tick-Tock, chamada de Espaço Alumínio por causa do material estranho, brilhante, semelhante a folha de alumínio, que cobria as paredes, e, naquela pequena e improvável espelunca, uma estonteante garota loura chamada Meredith Bright convidou Eel e Hootie para sua mesa do fundo da lanchonete, onde ela estava sentada sozinha com um exemplar do livro *Corpo do Amor* de Norman O. Brown (um dos guias e professores de Spencer Mallon, nesse caso literalmente). Na entrada da lanchonete, o terrível Keith Hayward e seu colega de quarto, Milstrap, observavam a cena com ciúme e descontentamento. (Deve-se mencionar que, já nesse primeiro encontro, minha mulher e Hootie consideraram Keith Hayward estranhamente perturbador.) Fiel à sua época se não a seu tipo, Meredith tinha alguma habilidade em montar horóscopos, e descobriu-se que ela tinha convencido Mallon, seu guru e amante, a deixar que ela preparasse um horóscopo, talvez uma série de horóscopos, não sei ao certo como isso funciona, para determinar os signos mais desejáveis em seus seguidores. Segundo seus cálculos, o grupo precisava de alguém de Touro e alguém de Peixes, exatamente o que Eel e Hootie eram, para atingir seus fins. Menos urgentemente, eles também precisavam de pessoas de Escorpião e de Câncer, os signos de Dilly e de Boats. Portanto eles estavam condenados desde o início, todos eles. Estava em suas estrelas.

Tenho certeza de que isso era autêntico: não acredito que Meredith tenha montado um mapa astral falso depois de encontrar meus amigos no Espaço Alumínio. Embora tais reconhecimentos só possam parecer ilusórios para mim, acredito que Meredith Bright compreendeu que Eel e Hootie satisfaziam seus requisitos astrológicos essenciais no momento em que os localizou no final do balcão olhando para ela. Penso em como eles deviam parecer inocentes, como realmente eram tremendamente inocentes e como deviam ser atraentemente inocentes para Mallon, que devorava inocência a granel. Ao adivinhar o que precisava apenas confirmar, Meredith convocou Eel e Hootie à sua presença com um olhar convidativo e depois de pedir seus nomes, perguntou seus signos. Bingo! Na mosca! E que sorte um

Touro e um Peixes estarem sentados bem no final do balcão, sabem, vocês todos deviam vir a uma reunião às oito horas, daqui a duas noites, no salão debaixo de La Bella Capri. Por favor. Por favor, por favor, não deixem de vir. Meredith Bright realmente disse isso.

Porque não poderiam resistir a tal convite da mulher mais desejável do mundo, eles imediatamente concordaram em aparecer no salão debaixo do restaurante italiano da State Street que conheciam desde sempre. Eel me chamou para acompanhá-los, Dilly tentou me adular para me juntar a eles, mas eu não tinha olhado nos olhos expressivos e insondáveis de Meredith Bright e disse não. Não era nem que eles ainda fingissem ser estudantes da Universidade de Wisconsin, porque Meredith Bright tinha compreendido desde o início que eram do secundário. Meus amigos e minha amante, pois Lee Truax e eu dormíamos juntos desde o nosso quinto encontro, tentaram, mas não conseguiram me vender o mistério e o charme de Spencer Mallon (como descritos pela srta. Bright).

E, na próxima vez em que estávamos sozinhos, Eel me perguntou:
— Você realmente não quer ir? Vai ser tão legal, tão interessante! Esse Mallon não se parece com ninguém que você já tenha visto. Vamos, meu amor, você não quer conhecer um verdadeiro, sei lá, mago? Um sábio viajante cheio de coisas para ensinar?

— A ideia de sábio viajante me dá enjoo — eu disse. — Desculpe, mas me dá enjoo. Não, não vou na La Bella Capri escutar as sandices desse cara.

— Como é que você sabe que são sandices?

— Sei que são besteiras porque não podem ser qualquer outra coisa.

— Bem, Lee...

Isso era realmente comovente. Sua inabilidade para falar, seu silêncio prolongado expressavam uma espécie de desesperança que ninguém quer ver na namorada, na companheira próxima, na amiga íntima e amada. Ela estava me dizendo que não somente eu não entendera a questão, mas que era provável que eu nunca entendesse. Então ela perguntou:

— Você se importa se eu for?

Naquele segundo, eu poderia ter reescrito o futuro dela. Bem ali. O meu também. Mas não estava em mim. Ela queria tanto jogar fora seu tempo, sentada aos pés daquele trapaceiro peripatético, que eu não poderia objetar.

Poderia ter sido inofensivo; a única consequência poderia ter sido a lembrança de uma hora ou duas entediantes e confusas. Eu disse:

— Não, não me importo, você deve fazer o que quer.

— Sim — disse ela — devo.

Ela foi e eles foram e chegaram cedo e ocuparam uma mesa de lado e pediram uma pizza e a engoliram enquanto os verdadeiros estudantes universitários chegavam, incluindo Brett Milstrap e o perturbador Keith Hayward, que zombou deles enquanto ele e seu colega de quarto se apropriavam de uma mesa perto da frente. Logo o salão social, debaixo do restaurante, se encheu de estudantes atraídos pelo que quer que tenham ouvido sobre a estrela da noite. Às oito e dez, uma agitação de conversas e risos no alto da escadaria chamou a atenção de todos, que giraram suas cabeças em direção à porta em arco, com estuque ao estilo de gruta, ao pé da escadaria, para observar a entrada triunfal de Meredith Bright, de uma moça exuberante, misteriosamente bonita, mais tarde apresentada como Alexandra, e de Spencer Mallon que, acompanhado por seus formidáveis seguidores, ingressou no salão inferior numa comoção de belos rostos, com os cabelos louros desalinhados, uma jaqueta de safári e botas marrons gastas.

— Como — me contou depois Hootie Bly — um deus.

Só formei um retrato mental claro desse ser quinze anos mais tarde, em 1981, quando, tendo ido sozinho à primeira sessão de *Caçadores da Arca Perdida* daquele dia, vi Indiana Jones na pessoa de Harrison Ford, caminhando através de nuvens de poeira e de areia. Uma jaqueta de safári, um chapéu vistoso, um rosto marcado, nem jovem nem velho. Em voz alta, exclamei: — Meu Deus, é Spencer Mallon! — mas espero que ninguém tenha ouvido. O cinema estava com apenas um terço da lotação e eu estava no final da terceira fileira do fundo para a frente, cercado de cadeiras vazias. Muito depois, num raro momento, Lee descreveu o rosto de Mallon como "vulpino", então eu alterei o modelo de Indiana Jones um pouco, mas não muito.

Segundos após sua aparição na entrada do salão, ao pé da escadaria, Mallon separou-se das mulheres que o adoravam, conduziu-as até a mesa mais à frente, girou o encosto de uma cadeira ao contrário, sentou-se nela de pernas abertas e começou a falar de um modo encantador.

— A gente tem impressão de que ele está cantando e não falando — me disse Hootie, impressionado. — Não que o guru cantasse, mas sua voz era excepcionalmente musical, capaz de uma formidável amplitude e notável pela beleza de seu timbre, acho que poderia ser descrita assim. Deus sabe que algum dom ele tinha que ter, e uma voz extraordinariamente bonita pode ser muito persuasiva.

Mallon descreveu suas andanças pelo Tibete; falou sobre *O livro tibetano dos mortos*, a virtual bíblia dos charlatões de meados até o final dos anos 1960. Em bares no Tibete, Eel e Hootie me contaram, Spencer Mallon tinha visto duas vezes — duas vezes! — um homem cortar a mão de outro, tinha visto o sangue correr pelo bar e o homem que empunhava o machado agarrar a mão cortada e jogá-la para um cão. Tinha sido um aviso, um sinal, e ele tinha vindo explicar seu significado.

Depois que se abriram um pouco, Hootie e minha namorada relataram que, apesar das mãos cortadas e dos rios de sangue, a sensação tinha sido a de ouvir música, mas música com um significado fluindo através dela. — Ele faz você ver coisas — disseram os dois, embora achassem difícil descrever sua mensagem quando não estavam na presença do guru. — Não consigo repetir nada do que ele disse — falou Hootie; Eel disse: — Desculpe, mas como você não estava lá, não há meio de eu fazer você entender o que ele nos disse.

Depois ela acrescentou: — Porque ele disse aquilo para *nós*, entende?

Ela estava deliberadamente me excluindo, me colocando no lugar mais afastado de uma linha que tinha traçado na areia. Eles tinham sido escolhidos, meus quatro amigos, alçados a uma altura tão grande que já quase não me viam. Mallon lhes tinha feito um sinal para que ficassem depois que os estudantes da Universidade de Wisconsin saíssem e, quando eles e as duas namoradas, espetaculares como assistentes de mágico, ficaram sozinhos no salão inferior, pela primeira vez sem Hayward e Milstrap, o sábio lhes falou que eles o ajudariam a finalmente realizar uma determinada coisa, uma ruptura, não tenho certeza do que disse, mas seria um avanço de qualquer modo, o apogeu de todo o seu trabalho até então. Ele achava, esperava que sim. Os vasos tinham sido estilhaçados, disse, e centelhas divinas sobrevoavam o mundo caído. As centelhas divinas ansiavam por serem reunidas: e, quando se reunissem, o mundo caído se transformaria numa gloriosa tapeçaria. Talvez eles tivessem o privilégio de testemunhar a transformação, em qualquer sentido, qualquer que fosse a manifestação, pelo tempo que durasse. O pequeno bando da escola Madison West parecia essencial a Mallon; ele precisava deles... Era assim, uma sensação de imanência, urgência, promessa.

— Confie em mim — disse ele, talvez para todos, mas especificamente para Dill. — Quando a maré subir, você estará ao meu lado.

Olson me contou isso em particular certa ocasião e eu não achei que ele estivesse se vangloriando: pela primeira vez, Dilly parecia estar em paz consigo mesmo. Suponho que foi quando eu comecei a ficar com medo. Ou talvez eu queira dizer alarmado. O que esse cara misterioso queria dizer afinal com "quando a maré subir"? Que maré e como ela iria "subir"?

Antes de se separarem, Mallon disse a meus amigos para o encontrarem dali a duas noites e lhes deu o endereço do apartamento de Hayward e Milstrap em Gorham Street. Durante os dois dias seguintes de aulas, meus amigos tremeram de excitação, e depois de eu ter recusado duas vezes o convite de minha namorada para me juntar a eles e mergulhar na toca do coelho branco, fui excluído de sua expectativa crescente. Eles cessaram fileiras contra mim. Eu tinha perdido minha última chance. Mas claro que não queria de forma alguma persegui-los pela toca do coelho branco adentro. O que eu realmente queria era convencer ao menos Eel de que ela e os outros estavam sendo explorados por um belo charlatão que podia ter dito que estava interessado em causar grandes transformações através de meios ocultos, mas que sem dúvida buscava objetivos mais terrenos.

De fato, mesmo antes da reunião em Gorham Street, a reputação do guru começara a se esgarçar. A beldade chamada Alexandra, uma das acompanhantes de Mallon em sua primeira aparição, procurou Hootie no Tick-Tock (onde eles iam agora toda tarde, direto da escola) e tentou preveni-lo contra sua ligação com o homem. Que pena — então Hootie já amava seu herói, e as histórias de Alexandra sobre sua amoralidade e hipocrisia o magoaram, em favor de Mallon. Hootie achou que ela tinha inventado a maior parte da história; a possibilidade de que, de algum modo, Spencer tivesse levado essa dama de olhos grandes, cabelos revoltos, parecida com uma cigana, às lágrimas histéricas, impressionou demais Hootie. E que Mallon tivesse sido expulso de um alojamento ou dois de fraternidades soava como um exagero ou realmente uma mentira — de qualquer modo alguém estava mentindo, pensou, provavelmente os membros da fraternidade, porque estavam zangados com Mallon por ele ter se mudado de lá. Quando a mulher furiosa avisou a Hootie que Mallon provavelmente tentaria se mudar para onde uma pessoa de seu grupo morava, ele enrubesceu de excitação e torceu para que fosse para a casa dele! E, de fato, pouco tempo depois da reunião na Gorham Street, Spencer Mallon realmente acabou passando algumas noites no porão do Badger Foods, o pequeno armazém de esquina dos Bly.

Não que eu soubesse do paradeiro de Mallon, porque eu não sabia. Eel, com quem eu tinha passado quase todas as noites da semana e dos fins de semana havia um ano e meio, continuava a se sentar ao meu lado nas aulas, mas, fora isso, agia como se tivesse embarcado num cruzeiro de luxo do qual eu, inexplicavelmente, me recusara a participar com ela. De noite, mal me concedia cinco minutos ao telefone. Eu tinha perdido, quase literalmente, o barco, e Eel estava tão entretida com os detalhes da viagem que sobrava pouco tempo para mim.

Tudo que eu soube sobre a sessão em Gorham Street foi que minha namorada terminou sentando ao lado de Keith Hayward, diante de uma mesa comprida, enquanto Mallon falava sem parar.

— Ele foi incrível, mas você não ia entender, então nem vou tentar — disse-me ela. — Mas, cara, nunca mais vou ficar tão perto de Keith Hayward. Sabe, aquele cara sobre quem te falei, com o rosto estreito e a testa franzida? E as marcas de espinhas? Ele realmente não é boa coisa.

Será que ele tinha tentado uma cantada? Pelo menos para aqueles que tinham olhos, Eel era tão bonitinha que não dava para censurá-lo.

Ela se zangou com a minha pergunta.

— Não, seu idiota. Não é o que ele fez, é o que ele é. O cara é assustador. *Realmente* assustador. Ele ficou zangado com uma coisa. Bem, Spencer deu uma chamada nele por não tirar os olhos de cima da sua namorada, aquela Meredith, que, por falar nisso, não o merece. Hayward não gostou de ser recriminado por aquilo, de jeito nenhum, eu não sei, acho que ri por ele ter se zangado e então ele ficou zangado *comigo* e eu olhei pra ele e os olhos do cara pareciam dois buracos negros. Não estou brincando. Poças negras, com coisas horríveis nadando lá no fundo. Tem alguma coisa errada com

Hayward. E Spencer também sabe disso, mas ele não percebe como aquele idiota é realmente doente.

Achei que provavelmente ela estava certa sobre Hayward, pelo menos de algum modo. Eel tinha percepções mais claras e rápidas sobre as pessoas do que eu e sem dúvida ainda tem. Na praia de Rehoboth, em Delaware, uma vez ela prestou um serviço delicado à sua organização favorita, a Confederação Americana de Cegos, com o qual fiquei totalmente abismado quando mais tarde ela o descreveu para mim. O que ela realizou lá equivalia a uma detecção psíquica e foi completamente bem sucedida. De qualquer modo, soube pelas memórias do detetive Cooper como Lee tinha avaliado Hayward corretamente e hoje me apavora que ela tenha passado cinco minutos na companhia dele. Naquela ocasião, ele não parecia tão perigoso, apenas desequilibrado, desesperadamente infeliz, provavelmente introvertido e amargo por esse motivo. Muitas pessoas são assim e muitas delas teriam parecido perturbadas a Eel Truax nos seus dezessete anos; por outro lado, Keith Hayward era tão doente quanto ela o descrevera para mim, para Mallon e para todos no grupo. Apenas Hootie acreditou no que ela dizia, e claro que ninguém prestou atenção no que Hootie pensava.

■

Na reunião de Gorham Street, Spencer Mallon contou duas histórias a seus seguidores, e eu as reproduzirei aqui como me foram contadas.

História 1

Poucas semanas depois do começo do novo ano letivo, Mallon passou algumas semanas trocando de alojamentos de fraternidade e repúblicas de estudantes próximos à universidade, em Austin, Texas. Embora nada de natureza fora do comum ou iluminadora ainda tivesse acontecido, ele sentia a presença de algum evento extraordinário. (E, de fato, algo muito extraordinário aconteceu, embora não tivesse relação com a história que ele queria contar.) Na manhã em questão, ele pisou na calçada quente, de pedras, da East 15th Street e foi até seu café favorito, o Frontier Diner. Logo percebeu que um homem de terno e gravata o estava seguindo pelo outro lado da rua. Por algum motivo, talvez a formalidade de sua roupa, o homem o fez se sentir intranquilo, quase ameaçado. Não podia negar que parte de sua intranquilidade estava na sensação inteiramente irracional de que, apesar da aparência, aquele homem não era de fato um ser humano. Mallon se meteu por uma rua lateral e andou depressa até o próximo cruzamento, onde encontrou o homem esperando por ele, ainda do outro lado da rua.

Mallon achou que não tinha escolha: atravessou a rua para confrontar seu perseguidor. O homem de terno cinzento recuou, de cara fechada. Quando Mallon chegou do outro lado da rua, o homem tinha dado um jeito de desaparecer. Mallon não o tinha visto se enfiar numa loja ou atrás de um carro estacionado, não o tinha visto fazer nenhum outro movimento. Num segundo, o homem que apenas parecia humano (Mallon pensava) andara para trás com uma expressão de desprazer; no segundo seguinte, tinha sido absorvido pela parede de tijolos claros do prédio atrás dele.

Será que Mallon tinha desviado o olhar, nem que fosse por um segundo?

Ele deu a volta e continuou em direção ao café. Depois de virar a esquina e retornar à 15th Street, sentiu uma agitação atrás dele e, com os nervos formigando, olhou por cima do ombro. Meio quarteirão atrás, a figura não inteiramente humana de terno cinzento parou subitamente e olhou fixamente para a frente.

— Por que você está me seguindo? — perguntou Mallon.

O ser de terno enfiou as mãos nos bolsos e sacudiu os ombros. — Já lhe passou pela cabeça o que mais poderia estar seguindo você? — A não ser por sua característica estranhamente mecânica, a voz soava quase perfeitamente humana.

— Você tem noção de como essa pergunta é inútil?

— Tome cuidado, senhor — disse a figura. — Eu fui sincero.

Mallon se virou e andou depressa, embora não corresse, para a lanchonete. O tempo todo sentia o homem às suas costas, mas, toda vez que olhava para trás, seu perseguidor não estava à vista.

Dentro da lanchonete, caminhou direto até o fim do balcão, passando pelas cabines, ignorando as cadeiras vazias. Marge, a garçonete, perguntou-lhe o que estava acontecendo.

— Estou tentando despistar uma pessoa — respondeu ele. — Posso passar pela cozinha?

— Spencer — disse ela —, você pode passar pela minha cozinha a hora que quiser.

Mallon saiu num beco largo onde um ajuntamento de latas de lixo estava junto à parede à direita. Uma das latas, prateada enquanto as outras eram escuras, parecia ter sido comprada naquela manhã. Um cartão amarelo com algumas palavras escritas estava colado na tampa brilhante.

Sabia que o cartão tinha sido deixado ali para ele. Embora uma névoa tóxica parecesse pairar em torno do cartão, Mallon não conseguiu se afastar sem ler as palavras. Descolou o cartão da tampa brilhante e ergueu-o para poder ler. Em tinta azul escura que parecia ainda úmida, as palavras no cartão eram: DESISTA ENQUANTO É TEMPO, SPENCER. NOSSOS CÃES TÊM DENTES LONGOS.

História 2

Um ano mais tarde, Mallon tinha ido para Nova York, uma cidade que raramente visitava, e logo ficou com pouco dinheiro e ainda menos o que fazer. Os estudantes da Universidade de Columbia, que pareciam tão promissores quando começara a trabalhar com eles, se mostraram diletantes desinteressados. Um admirador prestativo lhe arranjou uma carteira de estudante falsa e, enquanto o restante do seu dinheiro se esvaía, ele passava os dias na biblioteca percorrendo a literatura de mistério e do sobrenatural. Quando, em sua pesquisa, encontrava um livro especialmente útil, procurava ver se tinha sido consultado na última década; caso contrário, ele o retirava informalmente da biblioteca.

Vagando pelas estantes um dia, teve a impressão de perceber uma estranha luz se infiltrando pelas longas prateleiras de livros. A luz parecia vir de algum lugar perto do centro da biblioteca. A princípio, ele não prestou atenção, já que ela era fraca e intermitente, não mais que uma indistinta pulsação rosada ocasional. Um espetáculo peculiar para uma biblioteca, talvez, mas coisas peculiares aconteciam muitas vezes na Universidade de Columbia.

Quando a pulsação se tornou mais forte e perturbadora, Mallon começou a andar em meio às estantes, procurando sua origem. É importante registrar aqui que nenhum dos estudantes que passavam pelas estantes observava o brilho pulsante rosa alaranjado. O brilho conduziu Mallon pelas estantes em direção aos elevadores, tornando-se mais vibrante à medida que ele andava e, finalmente, o levou à porta de metal fechada de uma sala de estudo. Não podia haver dúvida de que a sala de estudo era a fonte da cor brilhante, pois ela escoava pelo alto, pelos lados e por baixo da porta de metal. Pela primeira vez na vida, Mallon ficou em dúvida sobre sua missão. Pareceu-lhe que havia se aproximado do mistério definidor de sua vida — a grande transformação que, somente ela, poderia dar à sua existência o sentido que ele sabia que ela devia possuir —, e a própria importância daquilo com que tinha se deparado o paralisava.

Dois estudantes que vinham pela passagem estreita fora da sala de estudo o olharam com estranheza e perguntaram se havia algum problema.

— Vocês por acaso veem uma coloração no ar em volta dessa porta? — perguntou Mallon, referindo-se à pulsante e oscilante cachoeira de luz radiante rosa alaranjada que fluía na direção deles.

— Coloração? — perguntou um dos estudantes. Os dois se viraram para olhar a porta da sala.

— Uma coisa brilhante — disse Mallon, e a cachoeira de luz radiante pareceu dobrar de intensidade.

— Você precisa descansar, irmão — disse o rapaz, e os dois foram embora.

Quando não estavam mais à vista, Mallon juntou toda a sua coragem e deu uma batida leve na porta. Não houve resposta. Ele bateu de novo, com mais força. Dessa vez, uma voz irritada gritou: — O que é?

— Preciso falar com você — disse Mallon.

— Quem é?

— Você não me conhece — respondeu Mallon. — Mas, ao contrário de todo mundo nesse prédio, vejo uma luz saindo da sua sala.

— Você vê uma luz saindo da minha sala?

— Vejo.

— Você estuda aqui?

— Não.

Pausa.
— Você é professor, pelo amor de Deus?
— Não, não sou.
— Como você entrou na biblioteca? Você é funcionário?
— Uma pessoa me deu uma carteira de estudante falsa.

Mallon ouviu o homem dentro da sala afastar a cadeira da mesa. Passos se aproximaram da porta.

— Bem, qual é a cor da luz que você está vendo?
— Uma cor de suco de morango misturado com suco de laranja — respondeu Mallon.
— Acho melhor você entrar aqui — disse o homem.

Mallon ouviu o barulho da fechadura e a porta se abriu.

Isso é tudo? A história acabou quando o cara abriu a porta?
Você vai ver. Tudo para quando a porta se abre.

Cerca de uma semana depois, no sábado 15 de outubro de 1966, os oito — Mallon, Eel, Hootie, Boats, Dill Olson, Meredith Bright, Hayward e Milstrap — foram para o campo da escola de agronomia no final de Glasshouse Road, pularam o muro de concreto e fizeram um ensaio que pareceu satisfazer a Mallon. Naquela noite, foram todos para uma festa na Beta Delta, sede da fraternidade a que pertenciam Hayward e Milstrap. Eu não fui convidado e só soube da festa depois. Naquela noite, quando finalmente encontrei Eel, perto de meia-noite, ela se encontrava num estágio de embriaguez além da incoerência. No dia seguinte, estava com uma ressaca forte demais para conseguir falar comigo e, à noite, ela e o restante do grupo condenado seguiram Spencer Mallon de volta ao campo da escola de agronomia.

Então houve apenas silêncio; surgiram boatos de uma "missa negra", de um "ritual pagão", disparates do gênero, inflamados pelo desaparecimento de um rapaz e pela descoberta do cadáver de um outro horrivelmente mutilado. Parecia que Brett Milstrap tinha desaparecido da face da Terra, e o corpo cruelmente lacerado era o de Keith Hayward. Durante um tempo, policiais andaram por nossas casas, pela escola, por todos os lugares aonde íamos, fazendo as mesmas perguntas inúmeras vezes. Atrás deles vieram repórteres, fotógrafos e homens de ternos escuros e cabelos muito curtos, que ficavam por perto, observando e tomando notas, e cuja presença nunca foi explicada. Lee ficou na casa de Jason por uma ou duas semanas, recusando-se a falar com qualquer pessoa exceto Hootie e Boats e aqueles que conseguiam forçá-la a falar. Mallon fugira, os três concordavam nesse ponto, e Dill Olson tinha seguido na sua esteira; Meredith Bright tinha partido com pressa, empacotado suas roupas e acampado no aeroporto até conseguir um voo de volta para sua casa no Arkansas, onde a polícia a interrogou durante horas, dia após dia, até ficar claro que ela não tinha quase nada para contar.

A polícia nunca pegou Mallon e Dilly, que evitaram o interrogatório sem ao menos tentar enfrentá-lo: depois de se recuperar em Chicago por um tempo curto (na verdade, no mesmo apartamento da Cedar Street que eu comprei muitos anos depois, situado num prédio do outro lado da rua de minha casa atual), eles foram fazer o percurso dos campi, como uma dupla. Mallon se *apossou* de Dill, de certa forma ele *incorporou* Dilly, naturalmente com a total cooperação de sua vítima. Olson amava Mallon também, tanto quanto minha namorada e Boats amavam, e suponho que tenha ficado satisfeito em seguir seu ídolo pelo país, fazendo o que lhe fosse pedido. Minha informação sobre o destino de Dill Olson veio de Lee, que tinha algum tipo de contato intermitente, oscilante, embora confiável, com ele. Nunca pude saber os detalhes disso, claro, já que eu perdera o barco definitivamente e, portanto, tinha sido poupado da experiência misteriosa que veio a definir suas vidas. Havia um círculo mágico, e eu estava além de sua periferia.

Aqui estão os que estavam dentro do círculo e o que eles acabaram fazendo:

Hootie Bly, ficamos sabendo, tornou-se um residente permanente da ala psiquiátrica do Hospital Lamont, onde passou a se comunicar apenas com citações de Hawthorne e explosões de palavras desconhecidas do dicionário do capitão Fountain.

Antes da formatura, Jason "Boats" Boatman abandonou a escola e se tornou um ladrão profissional em tempo integral. Isso foi o bastante? É possível que isso tenha sido o bastante para ele?

Dilly Olson entregou a vida ao homem que informalmente adotou como pai e foi isso que ganhou com sua entrega: uma imitação de vida de segunda mão, uma existência deprimida como aprendiz de feiticeiro, sobrevivendo das migalhas que caíam das mãos do mestre, vestindo-se com as roupas que o mestre não queria mais e dormindo em sofás de estranhos com as garotas magoadas que seu mestre descartava. Anos depois, Lee me contou que Mallon se aposentara, mas Don Olson continuava como o substituto do feiticeiro ou como o novo modelo aprimorado, ou qualquer coisa parecida. Nesse intervalo de tempo, ele tinha aprendido muito, tendo digerido *O livro tibetano dos mortos*, o *I Ching*, e as obras de Giordano Bruno, Raymond Lully, Norman O. Brown e sabe Deus quem mais, e o ofício de guru itinerante, afinal, era tudo que ele conhecia. Mesmo assim. Quando penso no garoto heroico que ele foi um dia...

Sobre Meredith Bright e Brett Milstrap eu não soube nada, mas presumivelmente cada um tinha uma história para contar, se eu conseguisse encontrá-los.

E, claro, a última personagem dentro do círculo era minha mulher, Lee Truax, a mulher mais bela em qualquer lugar onde entrasse, abençoada com inteligência, coragem, excelente saúde, uma casa formidável, uma carreira maravilhosa como membro de diretoria, conselheira e mediadora da nobre Confederação Americana de Cegos. Seu marido a amava, mesmo que sua lealdade literal fosse imperfeita, e a base de seu não desprezível sucesso, o livro que o lançou, *Os agentes da escuridão*, tivesse sido a tentativa dele de lidar com o evento insondável do campo e, portanto, poderia ser considerado um tributo à mulher a que era dedicado. (Quase todos os seus livros foram dedicados à sua mulher.) Graças a esse marido, eu próprio, tinha e sempre teria dinheiro bastante para nunca ter que se preocupar com suas finanças. No entanto, Lee Truax tinha sofrido também cruelmente e, embora seu sofrimento tivesse se manifestado inicialmente apenas aos trinta e poucos anos, desde quando ele tinha aumentado e aprofundado, ela compreendera imediatamente que sua origem era o grande evento de Mallon no campo.

■

Lá estavam eles, minha mulher e os amigos de então, ainda em seu círculo sagrado; e aqui estava eu, de fora, depois de tantas décadas passadas, ainda desconcertado com tudo que lhes acontecera.

Uma voz conhecida da NPR tinha trazido Hawthorne até mim e, depois de Hawthorne, Hootie Bly, ainda enterrado naquele maldito hospital psiquiátrico. Por causa de Hootie, tudo mais havia transbordado. O cão de caça esbelto andando na neve, o esmalte descascado de nossos trenós, toda a paisagem urbana da zona oeste de Madison, um copo d'água brilhando como o símbolo de tudo que não podia ser conhecido, toda aquela definição esquiva... Os rostos dos que foram meus amigos mais íntimos, que compartilharam tudo comigo até o momento em que me recusei a segui-los no discipulado: seus belos rostos resplandeciam diante de mim. Metade de sua incandescência era o que significávamos uns para os outros, e a outra metade provinha exatamente do que eu nunca soubera, nunca entendera.

Por que eles, cada um a seu modo, não só saíram dos trilhos como se lançaram em vidas tão distorcidas? Por um segundo, o quarto balançou e tudo em minha vida pareceu estar em jogo.

Eu precisava saber: assim que esse reconhecimento me atingiu, eu soube que temia o que pudesse surgir do esforço de descobrir o que realmente tinha acontecido lá no campo. No entanto, *eu precisava saber* e minha necessidade era mais forte que o medo do que brotasse do conhecimento que eu pudesse descobrir. Durante todo esse tempo, admiti para mim mesmo, eu tinha tido inveja deles por seja o que fosse que tivessem *visto* lá, apesar dos danos que isso lhes causara, danos diferentes a cada um deles.

Seu olhar direto tinha esmaecido sob a minha mão e, embora eu tivesse ficado fascinado com as temíveis revelações do detetive Cooper sobre a família Hayward — duas estrelas negras! Transmissão genética direta de uma terrível psicopatologia! E esse pobre, velho e brutal detetive levando seus segredos para um túmulo ensopado de cerveja! —, eu realmente não queria gastar um ano ou mais de minha vida escrevendo sobre tudo aquilo.

Sinceramente, eu achava que estava além da minha alçada. Meu agente e meu editor falavam com tato sobre um livro de não ficção, mas, em pé na minha cozinha, enxugando lágrimas assustadas do rosto, a última coisa que passava pela minha cabeça era a possibilidade de escrever sobre meu mundo perdido, meus amigos destroçados, perdidos, e sobre o que quer que fosse que minha mulher tivesse escondido de mim. (Até para me proteger.) Não, me dei conta, eu não tinha que escrever sobre aquilo. De fato, eu não queria que esse material ainda quente e respirando, apenas vislumbrado, passasse por todos os gestos familiares e às vezes trabalhosos necessários para a escrita. Naquele instante, todo aquele esforço parecia mecânico e fabril, industrial. O que eu vislumbrei tinha passado depressa para a invisibilidade como uma lebre branca rastreada através da neve alta... Eu queria a experiência de seguir a lebre sempre desaparecendo, não a experiência de transformar a perseguição em escrita.

Então, ótimo. Talvez eu não tivesse um livro. O que eu realmente tinha, um projeto que tinha vindo embrulhado em necessidade, parecia infinitamente melhor.

A primeira coisa que fiz, quando me acalmei o suficiente para usar um teclado, foi mandar um e-mail para Lee, em Washington. Era seu passado, assim como meu, se eu pretendia abrir uma cortina que ela insistira em manter fechada, ela merecia saber disso. Durante o resto da tarde, em vez de fingir trabalhar, eu me atualizei com meus filmes do Netflix (*Wall-E* e *O Cavaleiro das Trevas*) e, de hora em hora, verificava meu celular para ver se havia mensagem. Na verdade, não esperava que Lee respondesse imediatamente, mas às 18:22, no meu horário, 19:22 no horário dela, ela respondeu dizendo que seria interessante ver até que ponto eu chegaria. (Lee usa vários sistemas de reconhecimento de voz e, embora suas tentativas iniciais resultassem em muitos erros de grafia e de palavras, agora suas mensagens geralmente não têm erros.) E ela estava respondendo tão depressa, explicou, porque tinha acabado de saber de uma coisa que podia ser útil para mim. Donald Olson tinha tido problemas alguns anos atrás e, na verdade, ela tinha sabido que ele sairia da prisão em um ou dois dias e sem dúvida ficaria grato se tivesse um lugar para ficar em suas primeiras noites de liberdade. Se eu quisesse, poderia encontrá-lo para almoçar em algum lugar de Chicago e, se ele estivesse aceitável, poderia convidá-lo para ficar em nosso quarto de hóspedes. Ela estaria de acordo, afirmou.

Respondi com um e-mail agradecendo a informação sobre nosso amigo de tanto tempo e dizendo que, se ela realmente não se importava, provavelmente eu faria o que ela havia sugerido. Como, se eu ousasse perguntar, ela tinha sabido sobre a situação de Olson? E como eu poderia entrar em contato com ele?

Você sabe que eu tenho as minhas fontes, respondeu ela. *Mas não se preocupe em escrever para Don. Tenho a impressão de que ele prefere entrar em contato com as pessoas do que o contrário.*

Espero que ele me procure então, escrevi. *Como vão as coisas? Está se divertindo?*

Ela respondeu: *Ocupada, ocupada, ocupada. Reuniões, reuniões, reuniões. Às vezes eu me sinto muito cansada, mas tenho muitos amigos da CAC no Distrito de Columbia que parecem dispostos a ouvir as minhas queixas. Por favor, me avise o que acontecer em relação a Don Olson.*

Eu digitei *t.b., t.b.*, usando nosso velho código que significava tudo bem, tudo bem.

Depois, por uns dois dias, eu li, assisti a filmes, fiz caminhadas e esperei o telefone tocar. Um dia ele tocou.

tristezas de hootie

Dois ou três anos depois de tudo ter acontecido e de eu ter sabido de tudo que haveria de saber um dia sobre o que tinha sucedido aos meus amigos no campo de agronomia da universidade e estar prestes a começar um livro novo que nada teria a ver com isso, naquele momento ímpar de deriva psíquica quando uma centena de pequenas ideias desperta e começa a sussurrar, me veio a possibilidade de uma história. Ela se referia apenas indiretamente à história principal de Mallon e meus amigos, que me foi dada em uma série de fragmentos. Mesmo bem no começo, eu soube que nunca quis realmente transformar tudo aquilo numa ficção clara ou num gênero indefinido chamado "não ficção criativa". Seria uma história que se equilibraria sobre o muro estreito entre a ficção e a memória, baseada numa série de confidências que Howard "Hootie" Bly me fez durante o período em que esteve morando na mesma rua que eu no então maltratado hotel Cedar. Nos últimos meses em que residiu no Cedar, Hootie encontrou o amor de sua vida e futura companheira e, juntos, eles se mudaram para um subúrbio rico ao norte. Passávamos muito tempo juntos, Hootie, eu e minha mulher, e também eu e Hootie separadamente, e, por fim, de pedaço em pedaço, nas muitas conversas particulares que tivemos, ele me contou o que tinha acontecido em 15 de outubro, o dia anterior ao grande evento — o dia do "ensaio".

Com apenas algumas pequenas mudanças, pensei, eu poderia fazer alguma coisa interessante da história engraçada e não resolvida de Hootie. Era sobre a preparação para algo fora de alcance para sempre. Pela primeira vez, a ideia de trabalhar tão perto da verdade literal me empolgou, então deixei de lado meu novo romance e passei cerca de três semanas escrevendo o que chamei de "Tristezas de Tootie". "Tootie" era Hootie, claro, Spencer Mallon era "Dexter Fallon", Dill Olson era "Tom Nelson" e assim por diante. Quando eu terminei, a história me pareceu bastante boa, mas eu não tinha a menor ideia do que fazer com ela. Encaminhei-a para David Garson, mas ele nunca disse uma palavra a respeito. Achei que ele, a seu modo, estava sendo educado. A única alternativa que eu via era ela haver desaparecido no ciberespaço profundo. De qualquer maneira, as chances de publicação do longo conto no The New Yorker pareceram inexistentes. Então, arrastei a pasta da minha área de trabalho para o arquivo "Histórias" e praticamente a esqueci.

Na época, não percebi que desisti tão facilmente da história porque sua publicação nunca havia sido a questão. Escrevê-la era a questão. Eu queria escrevê-la — queria habitar o ponto de vista de Howard Bly aos dezessete anos — porque dessa maneira e de nenhuma outra seria possível para mim me juntar a Eel e aos outros por ao menos uma parte da jornada que eu havia me recusado a fazer. A imaginação me permitiu acesso a algo da experiência que o restante deles havia compartilhado. As partes da história passadas no hospital se basearam no que eu vi em minhas visitas ao Lamont com Donald Olson, antes o heroico Dill.

Quando tive coragem de dar uma cópia a Hootie, ele levou dois ou três dias para ler e voltou com um meio sorriso que eu não soube identificar. Ele se sentou e disse: — Cara, e eu que pensei que Mallon fosse mago. É como se você estivesse lá, bem lá comigo.

Portanto, Howard Bly está falando aqui, praticamente como fez comigo, sobre a maneira como a primeira parte de sua vida continuou penetrando seu longo segundo ato, as décadas que passou naquele hospital. Mais ainda que a maioria das pessoas, Hootie foi marinado em sua própria história. Acho que ele sabia que tinha que esperar até estar em dia consigo mesmo antes de poder começar a se encontrar com as pessoas em quem pensava com tanto amor durante os longos dias na enfermaria.

Os nomes voltaram às formas originais. Acredito que não vou precisar citar a procedência das palavras excêntricas do primeiro parágrafo.

Tristezas de Hootie

Nem edentado nem ursídeo, nem creodonte nem zíngaro, Howard Bly sabia que era um ser imperfeito, sempre se esforçando para imitar as maneiras e os hábitos daqueles que amava e admirava, para não dizer idolatrava, como no caso de Spencer Mallon. Deus sabe que ele precisava do homem, do mais que homem, da *maravilha heroica* que Mallon era.

E foi exatamente aí que entrou o livro do capitão Fountain. O Capitão Fountain transformou a vida de Howard Bly pelo simples mecanismo de demonstrar a ele a existência de um código secreto que, se totalmente compreendido, com toda certeza revelaria a estrutura desconhecida e escondida do mundo, ou ao menos do que é chamado de realidade.

Ele topou com o grande livro ao remexer uma caixa velha no porão da loja. Nessa época, Troy e Roy, que certamente teriam estragado tudo, não eram mais um problema, tendo sido convocados para servir no ano anterior e mandados para o Vietnã, onde todos os jogos ultrassecretos de soldado e atirador de elite deles sem dúvida foram úteis, pelo menos até Roy ser morto.

O conteúdo da caixa deixava claro que ela pertencia a Troy. Uma faca enferrujada, um rabo de esquilo, setas velhas, uma bússola quebrada, fotos de mulheres nuas tiradas de revistas coloridas. (Roy teria mais mulheres nuas e alguns isqueiros Zippo quebrados). Comprimido contra um dos lados da caixa estava um livro fino de capa dura e branca que Roy sem dúvida tinha comprado num de seus raros impulsos de autoaperfeiçoamento. Ele tinha desejado expandir seu vocabulário, certamente porque alguma propaganda o havia convencido de que as mulheres se excitavam sexualmente com palavras difíceis. Hootie não ligava para isso. Ele não acreditava nisso também, pelo menos no que dizia respeito às garotas de Madison West. De qualquer modo, ele não queria pegar nenhuma das garotas populares de sua escola. Algumas vezes, embora mal pudesse admitir isso para si mesmo, ele pensava em apertar Eel em seus braços, em se deitar na grama com ela. Abraçando e sendo abraçado. Os lábios de Eel junto aos seus. Era vergonhoso, sim, ele sabia, seus amigos o achariam detestável e o "Gêmeo" de Eel ficaria enraivecido; magoado também, o que era muito pior.

Howard nunca imaginou que as palavras do livro do capitão Fountain pudessem fazer Eel desejá-lo. Ele considerava o livro do capitão muito mais que uma poção sexual. O cintilar plano e pétreo das palavras na página o deixou apaixonado, pois ele havia encontrado uma espécie de derradeiro cobertor de segurança: um vocabulário conhecido somente, imaginava, por padres de uma ordem secreta desconhecida.

Ó morfema [palavra reduzida a seu elemento básico],
morfologia [trata da estrutura das plantas e dos animais],
morígero [obsequioso],
mornança [demora],

Ó nabla [antiga harpa hebraica],
nacela [espécie de cesta ou barca],
Ó pelota [bola pequena]!

Meredith Bright... Meredith Bright o amava porque ele parecia um anjo. Ela sussurrou essa informação em sua orelha ruborizada no final da assembleia em Gorham Street, colocou as mãos longas e frias uma de cada lado do rosto dele, inclinou-se sorrindo de tal modo que seu próprio rosto se tornou um letreiro dourado e exuberante e, numa voz suave que mergulhou fundo no seu estômago e voou até a ponta de seus nervos, disse: *Hootie, você parece um lindo anjo de porcelana e é por isso que eu te amo.*

Ninguém entenderia seu sentimento por Eel, nem mesmo Eel, mas ele estar totalmente apaixonado por Meredith Bright fazia sentido para todo mundo. Também, todos sabiam que ela gostava dele. Juntamente com Eel, Hootie era um de seus favoritos. Claro que Spencer Mallon era o favorito especial de Meredith Bright, era o homem que ela havia escolhido como escolheria uma estrela de cinema como Tab Hunter ou um cantor famoso como Paul McCartney, e os dois iam para cama juntos e faziam coisas de sexo — sobre o coração de Hootie se arrastava certa imagem secreta que o fazia se derreter feito um boneco de neve em dia quente. Na imagem secreta, Howard Bly estava deitado numa cama estreita espremido entre Spencer Mallon e Meredith Bright. Ao se enlaçarem, os braços deles o envolviam num duplo abraço. Seu rosto era pressionado contra os seios maduros e viçosos de Meredith Bright, e o peito plano e musculoso de Spencer Mallon era pressionado contra a parte de trás de sua cabeça.

Lá embaixo, algo estava acontecendo que ele não podia definir ou descrever, mas vinha envolto em imagens de grandes tempestades e cortinas esvoaçantes.

Surgiam:
 lalação [fala de bebê]
 lalomania [loquacidade mórbida]
 leito [cama]

Seguidas de perto por:
 magenta [vermelho vivo arroxeado]
 mancebo [aquele que vive em mancebia]
 mugidor [que berra]

E:
 prurítico [caracterizado por coceira]

Isso, também, se tornou parte do segredo escondido atrás das palavras mais obscuras, para não dizer no coração de textos sagrados. E dentro de Spencer Mallon, a quem Hootie amava como nunca havia amado antes. Que foi a razão de a "história" de segui-lo por um corredor de hotel até chegar a duas portas e ter que adivinhar qual das duas era a dele ter sido tão inquietante. Se acertasse, lá estaria Spencer Mallon bem na sua frente — cuidando de tudo. Mas se escolhesse a errada... será que alguma vez ele disse o que aconteceria se batesse na porta errada?

(*Seria devorado por um tigre.*)

Tempos atrás, Howard Bly tinha visto uma pessoa devorada por um tigre. Não precisava ver de novo. Um deles haveria de habitar o país dos cegos, dissera Spencer, e deveria ser ele, Howard Bly. No lugar onde ele vivia não havia nada para se ver de qualquer maneira.

Por causa de Spencer Mallon, Howard Bly nutria um ódio especial por portas. Por horas a fio, o atendente de nome Ant-Ant Antonio Argudin se escondia agachado atrás de uma porta que tinha escrito SOMENTE FUNCIONÁRIOS, onde fumava seus cigarros fedorentos e, adivinhe o que mais, Howard nunca bateu nessa porta. E adivinhe o que mais, Howard Bly viveu no hospital por quarenta anos, sabia o que havia atrás da porta dos FUNCIONÁRIOS e não tinha medo. Um cômodo verde desbotado com mobília quebrada e um cinzeiro que não era para ser usado... uma mesa feia com uma cafeteira, revistas em outra mesa velha. Revistas masculinas. Revistas para homens. Howard as tinha visto, mas não as olhara. Era para lá que eles iam, os atendentes — Ant-Ant, Robert C. (de Crushwell), Ferdinand Czardo, Robert G. (de Gurnee) e Max Byway — quando queriam ficar sozinhos.

No dia 16 de outubro do ano de 1966, Mallon tinha conseguido abrir a porta, e o que aconteceu depois disso foi tão terrível que Howard se cercou com as pedras sagradas de suas palavras, e elas o mantiveram a salvo em meio à luz rosa alaranjada, tempestuosa e fétida que desceu. Até que uma esfera feita de sentenças apagou tudo da cabeça de Howard Bly e o despachou exultante por uma centena de histórias que o confortaram, zombaram dele, o torturaram, o mimaram e lhe mostraram a única maneira que o permitiria continuar.

■

Presente. Em cena Spencer Mallon, sentado numa caixa de papelão no porão da loja, balançando as pernas (embaixo de si) e se inclinando para a frente sobre um braço tão definido que os músculos projetavam sombras. Limpando os olhos com a manga da camisa enquanto entrava atabalhoadamente, sem ver, na Sala de Jogos, o velho e gordo Howard Bly não teve problema nenhum em visualizá-los como eles eram e estavam lá naquele dia. Alto, de aparência atlética, Dilly-O estava no chão, encostado a uma parede baixa de caixas de produtos enlatados, os joelhos junto ao peito, a cabeça caída sobre eles. Os cabelos escuros de Dill, mais compridos que os dos outros, jogados para frente por cima das orelhas emoldurando seu rosto jovem de durão. Entre os lábios, um cigarro de um pacote de Viceroys, havia pouco escondido atrás da caixa registradora, lançava uma coluna reta, imperturbável, de fumaça branca.

Dilly-O, você era um deus! Era sim!

Com uma camiseta do time de remo da Universidade de Wisconsin, calça branca de pintor suja e tênis, Boats agachou-se no chão encarando

Mallon, esperando alguma indicação do que iriam fazer naquele dia. Com seus sentidos recém-despertados, o pequeno Howard estava dolorosamente consciente do quanto Boats desejava se tornar o discípulo favorito de Mallon.

■

Spencer Mallon estava inclinado olhando suas pernas se movimentarem para frente e para trás como pistões... Ele passou a mão no rosto, depois por entre os cabelos perfeitos.

— Certo — disse. — As coisas estão ficando quentes. Meredith desenhou um mapa e ele diz que a hora e o dia ideais são daqui a apenas dois dias. Sete e vinte da noite, domingo, 16 de outubro. Nós ainda teremos luz, mas ninguém estará por perto.

— Perto de onde? — perguntou Boats. — Você encontrou um lugar?

— O campo de agronomia, na universidade, no final da Glasshouse Road. Bom local. Excelente local. Amanhã à tarde quero que a gente vá até lá fazer um ensaio.

— *Ensaio*?

— Quero que a gente faça tudo certo. Alguns de vocês, cabeças de bagre, mal sabem ouvir.

— Quando você disse "mapa" — perguntou Boats — você queria dizer um tipo de mapa de navegação?

— Astrológico — respondeu Mallon. — Tomando como base o nosso grupo. O dia e a hora do nascimento são quando ficamos juntos pela primeira vez no La Bella Capri.

— A Meredith fez um mapa astrológico? — perguntou Eel. — Sobre nós?

— Ela é uma astróloga muito experiente.

Ele sorriu para seus seguidores. Para Howard, o desespero interno do homem imediatamente encolheu para um nível mais tolerável.

— Eu ainda sinto certa estranheza em confiar nessa coisa para falar a verdade, mas Meredith estava absolutamente confiante nos seus resultados, então estamos marcando sete e vinte, duas noites a partir de hoje. O que acham de fazer o nosso ensaio às quatro horas? Todo mundo tranquilo quanto a isso?

Todos concordaram. Parecia que somente Howard sentia que Mallon ainda estava pouco a vontade quanto ao uso da astrologia.

— A Meredith vai ao ensaio? — perguntou Howard.

— Acho bom que vá — disse Mallon.

A observação dele foi acompanhada de risos.

Mallon disse:

— Quero vocês em grupo amanhã. A coisa pode ficar braba.

— Como assim? — Boats fez a pergunta por todos.

Mallon encolheu os ombros. — Ei, por outro lado, essas coisas costumam não dar em nada. E isso pode acontecer também.

— Você já fez isso muitas vezes?

Por um momento o desconforto apagou a ansiedade de Mallon. — Você pensa que a minha vida gira em torno do quê? Mas desta vez, bem, desta vez eu acho que estou mais perto do que nunca.

— Como você pode saber? — perguntou Boats, com um eco aflito e silencioso de Howard Bly.

— Posso ler os sinais, e eles estão em toda a nossa volta. — Seu desconforto aumentou novamente e afetou sua postura, sua expressão e até o ângulo de suas pernas.

— O que você quer dizer com sinais? — perguntou Boats.

— Você tem que ficar de olhos abertos. Olhar para as pequenas coisas destoantes.

Com um choque de surpresa, o velho Howard, que havia passado para uma cadeira na Sala de Artesanato, percebeu que se Boats e Dilly-O alguma vez se encontrassem agora, eles nunca, de modo nenhum, falariam do que aconteceu no campo — porque não seriam capazes de concordar sobre aquilo. Ele quase desejou que um deles, talvez Boats e Dill juntos como antigamente, viesse a Madison vê-lo. Depois desse tempo todo, que, no entanto, tinha passado num minuto, ele encontraria uma maneira de falar com eles.

— Tem uma coisa que eu preciso falar com vocês. Uma coisa que eu deveria ter percebido há muito tempo. — Mallon fechou a boca repentinamente, olhou para baixo, para as pernas pendentes, depois levantou o olhar e os encarou um a um. O estômago de Howard gelou e, embora ele não soubesse disso, o mesmo aconteceu com o de Eel.

Não, não, não, pensou Howard.

— Quando a nossa cerimônia terminar, eu terei que ir embora. Quaisquer que forem os resultados. E lembrem-se, a coisa toda pode acabar sendo um total fracasso. Uma das coisas que podem acontecer é... simplesmente nada.

— Mas, e se alguma coisa acontecer... — disse Dill.

— Então eu *terei* que sair da cidade! — Mallon deu uma risada nota dez das dele, achando graça de si mesmo de um jeito triste e encantador ao mesmo tempo. Para dois de seus jovens discípulos, ela parecia contaminada de insegurança. Ele estava olhando para si mesmo num espelho secreto.

— Vejam bem — disse Mallon — não existem manuais de instrução para o que estamos tentando fazer.

Ele tentou rir e, ao menos para Howard Bly, apenas conseguiu parecer adoentado. — Mas vocês sabem que tudo é tudo, não sabem? Se cuidarmos uns dos outros, nada de ruim vai acontecer.

A coisa está piorando a cada palavra, pensou Howard. Olhando em volta, viu que somente Eel parecia estar tão abalada quanto ele. Os outros dois aceitavam com o entusiasmo de sempre as garantias de Mallon.

— Tudo é tudo — disse Dill.

Exatamente o que isso quer dizer? Howard se perguntou.

Spencer Mallon estava olhando diretamente para Eel e Eel estava tentando não se mostrar constrangida.

Ah, meu Spencer, meu querido, meu queridíssimo, não seja esta pessoa, seja você mesmo.

— Uma vez, em Katmandu — disse Mallon — ouvi uma linda mulher com uma voz incrível, densa, cantar uma canção chamada "Skylark", que significa "cotovia".

Essa parte, realmente, essa parte era demais para o velho Howard, quase acabava com ele.

Mallon ainda estava com os olhos fixos em Eel. — Nós estávamos num barzinho informal que tinha um pequeno palco. O jeito como ela cantou "Skylark", me descompensou e eu chorei. É, de qualquer modo, uma música

61

linda. Quando a apresentação acabou, subi para falar com ela e, depois de algum um tempo, ela foi pra casa comigo. Fiz amor com aquela mulher até o sol nascer no dia seguinte.

— Bom pra você — disse Eel, surpreendendo Howard com essa exibição de tranquilidade.

Ele aprumou as costas e pôs a mão no coração. — Eel, você é a minha cotovia. Você vai se levantar cantando e vai navegar no azul, cantando uma canção longa e contínua que hipnotizará todo mundo que a ouvir.

Eel disse: — Não fale assim comigo.

Eel era capaz de derramar lágrimas, quem havia de imaginar?

■

Na tarde anterior, como se pegou recordando, Hootie Bly tinha ido ao Tick-Tock Diner em companhia de sua querida amiga Eel. Mas quando chegaram no interior do cubículo da State Street que era seu local de encontros favorito no campus, o rosto e os cabelos luminosos de Meredith Bright não brilhavam nas paredes metálicas. Ela também não ocupava nenhum lugar no balcão ou numa cabine. Considerando a animadora possibilidade de que Meredith poderia, afinal de contas, entrar a qualquer momento, eles pegaram dois lugares no final do balcão, perto da janela.

Pediram *cherry cokes*, que era só o que podiam pagar. Instantes depois, um cara magro com tufos de pelo nas bochechas e uma vassourinha vermelha brotando do queixo saiu da terceira cabine ao longo da parede e se aboletou ao lado do jovem Howard. Um segundo e meio de busca e sua memória identificou aquele ser como um dos estudantes universitários que tinham comparecido à reunião no La Bella Capri e ao encontro na Gorham Street.

— Ouçam — disse ele, apoiando-se nos cotovelos e falando de uma maneira conspiratória intensificada por um braço pousado sobre os ombros de Howard —, não sei por que estou fazendo isso, não sei se vão me agradecer ou o quê, mas preciso falar: tenham cuidado com seu amigo Mallon.

— O que você quer dizer com isso? — perguntou Howard.

— Mallon não é um cara em quem se possa confiar.

Agressivamente, Eel perguntou: — Por que não?

— Certo, se vocês vão dificultar... — E o rapaz barbado se virou para ir embora.

— Espere — disse Eel. — Eu apenas perguntei, só isso.

O rapaz virou-se novamente. — A minha intenção é boa, tá? Mallon é um vigarista. Ele vai pra sua casa, pega discos, camisas, e se você diz que não está gostando, ele responde "tudo é tudo", como se fosse uma resposta razoável.

— Então o que ele ganha estando aqui? — perguntou Eel.

— Sexo — respondeu ele —, caso você ainda não tenha percebido.

Eel respirou fundo e piscou os olhos alguma vezes.

O rapaz riu. — Mais a oportunidade de divulgar suas besteiras por aí e agir como um herói. Um cara corta a própria mão no Tibete e isso faz de alguém um filósofo? Talvez, se você for um lunático. Além disso, duvido que qualquer dessas coisas tenha acontecido. Pensem nisso, é só o que eu tenho a dizer. E o mantenham fora do seu quarto ou de qualquer lugar onde vocês morem. O cara é um ladrão.

— Não precisamos nos preocupar com isso — disse Eel. Sua voz era dura e falhava de um modo estranho. — Quando ele está conosco, Boats faz toda a roubalheira pra ele.

— Bem, se isso te faz feliz... — O rapaz encolheu os ombros. O modo como fechou a boca fez com que a vassourinha ruiva do queixo se projetasse para frente. Então ele pulou de onde estava sentado e, com uma sugestão de pressa que sugeria ofensa, retornou à sua cabine.

— Eu não disse que isso me faz feliz — Eel confidenciou a Howard daquela época.

— Na verdade, o que ele faz quando não está com a gente? — perguntou o pequeno Howard.

— Ele vai pra lá e pra cá — respondeu Eel, por alguma razão parecendo um tanto amarga. — Na noite passada, por exemplo, ele foi jantar no Falls. Sei disso porque me levou junto.

Incapaz de conter seu desapontamento, Howard disse: — Spencer te levou para jantar no Falls?

Falls era um dos melhores restaurantes de Madison, entre os dois ou três bem no topo. Até aquele momento, o jovem Howard supunha que ninguém do seu grupo, assim como ele, jamais tinha visto sequer o interior do lugar.

— Eu ia te contar — disse Eel, se mexendo no banco. — Correu tudo bem a partir do momento em que comecei a me sentir à vontade.

Estranho, pensou Howard; ele nunca tinha visto Eel parecer menos à vontade do que agora.

— O que você comeu?

Eel encolheu os ombros. — Um peixe. Ele pediu um bife.

— Por que Spencer te levou pra jantar fora? Como isso aconteceu? Ele está dormindo no meu porão, pelo amor de Deus.

— Ele teve uma briga com a Meredith, ou coisa parecida, e então me chamou. Eu disse tudo bem. O que mais poderia dizer? Sinto muito ter te deixado com ciúmes, Hootie, mas foi isso o que aconteceu.

— Não estou com ciúmes — disse Howard, olhando para baixo, para o canudo vistoso no canto do seu copo pela metade. — Como você conseguiu que seu pai te deixasse ir?

— Ele nem reparou que eu tinha saído.

— Tudo bem.

— Quis dizer que os nossos pais são todos avariados; o seu é o melhor do grupo.

— Obviamente porque você não tem que morar com ele — respondeu Howard, lembrando-se do ataque de raiva e indignação da manhã só por causa da falta de um pacote tamanho família de batatas fritas Lay's de uma caixa que deveria conter uma dúzia. O fato de Spencer Mallon ter aberto a caixa e afanado o pacote de batatas deixou o estômago de Howard embrulhado.

Boa parte de Howard Bly ansiava pela simplicidade dos dias antes da chegada de Spencer Mallon, quando ninguém roubava sacos de batatas fritas do porão e ninguém se esgueirava para dentro do prédio altas horas e, meio bêbado, ia dormir lá embaixo num colchão que tinha que sumir de vista toda manhã. Agora parecia que Spencer Mallon também tinha arrumado um jeito de atrapalhar sua relação com Eel, o que era matéria de grave importância.

— E sobre o que vocês conversaram?

— Na verdade, ele não estava com vontade de falar. Ele disse que eu o fazia se sentir melhor.

— Isso é ridículo — exclamou Howard, horrorizado porque estava começando a suspeitar por que poderia não ser.

Eel o surpreendeu irrompendo numa sequência de palavras e frases que fluíam tão depressa que ele mal podia compreendê-las. — Você tem a sensação de que Spencer na verdade não é mais ele mesmo ultimamente? Eu não sei mais o que pensar. — Algo vital e submerso passou pelo rosto de Eel. — Estou totalmente confusa. Não estou nada feliz. O que aconteceu com Meredith, por exemplo? Mas por que estou te perguntando isso? Você é inútil. — Então, como se o insulto tivesse sido imediatamente esquecido, o rosto ardente voltou-se para o dele. — Quer saber? Ele é um babaca.

— Acho que Spencer está com medo de alguma coisa — disse Hootie. — Talvez esteja preocupado que essa coisa não vá dar certo.

— E daí se não der? Há anos ele anda assim, por aí à toa. — E ali estava, florescendo diante dele, o ressentimento que Howard havia notado antes. — Se você quer saber, as únicas agitações que estão acontecendo neste país e que valem a pena são as que têm a ver com o Vietnã e com os direitos civis. Spencer Mallon não tem nada a ver nem com uma nem com a outra.

Hootie não pôde dizer nada a respeito.

— E quer saber? O cara não é bom nem naquilo que faz. Ele veio pra cá pensando em ter um punhado de estudantes universitários espertos em torno dele, e acabou com quem? Com quatro secundaristas idiotas, mais dois, somente dois garotos de fraternidade que têm algo de errado, principalmente Keith Hayward.

— Você se esqueceu de Meredith Bright — disse Hootie. — E você não é idiota, Eel. Por favor.

— Tá certo, ele acabou com três secundaristas idiotas, dois doentes mentais e uma loura que comprou todas as suas besteiras.

— Veja bem, Eel — disse Howard, esperando, antes de qualquer coisa, reavivar a antiga convicção deles. — Eu e você acreditamos nele, realmente acreditamos. Tudo bem, Dilly quer que Mallon o adote e Boats quer ser seu guarda-costas para sempre, ou coisa parecida, mas nós somos *diferentes*, não somos? Somos o motivo de Meredith ter voltado ao Espaço Alumínio; — ela queria falar com a gente! Com a gente! E Dill e Boats, eles estão super impressionados com Spencer, que é a resposta às preces deles ou algo assim, mas eu e você, nós apenas o amamos. Nós nem mesmo o vemos da mesma

65

maneira como eles o veem. Eu a vejo olhar para ele, Eel, eu sei. Você faria qualquer coisa que ele pedisse, não faria? *Qualquer coisa.*

Eel acabou com a cabeça, concordando, sugerindo emoções complexas demais para Hootie ler. Por um segundo ele até pensou que Eel talvez fosse chorar, e um terror extremo tomou conta dele.

— Afinal, o que aconteceu? Ele fez alguma maldade com você no restaurante?

Eel pulou do banco. A discussão tinha terminado.

■

E, no dia seguinte ao encontro tenso no porão, Howard pensou que tinha visto uma das criaturas agentes que haviam seguido Mallon pelas ruas de Austin.

Como se emanasse de seus poros, o fedor acre de um pesadelo pairara ao seu lado, escurecendo tudo diante dele. As sombras se adensavam. A água parecia jorrar da torneira e o tubo de pasta de dentes pareceu inchar em protesto quando o espremeu. Sua boca tinha mais gosto de sangue que de Colgate. De volta ao quarto, o veneno dentro dele contaminou a visão de sua janela, a de uma rua deserta estendida como uma casca de ovo sobre um vazio fremente.

Era sábado, graças a Deus.

Howard enfiou as pernas num *jeans*, meteu o pescoço pela gola de uma camiseta Badger vermelha e brilhante e deslizou os pés dentro de um mocassim. O ensaio aconteceria naquela tarde e um desassossego composto de medo e impaciência o fez agarrar uma rosca e uma caixinha de leite no armário e sair pela porta lateral sem ainda nem ter mordido a comida. Inclinada em relação à State Street, a Gorham Street oferecia o mesmo espetáculo de lojas fechadas e estacionamentos vazios em frente delas.

Brotando dos poros, seu sonho terrível contaminava qualquer coisa em que seus olhos batiam. Cobras gordas espreitavam das sombras profundas das sarjetas. A rosca que devia ser doce, crocante por fora e macia como bolo por dentro, esfarelava na boca como gesso.

Por horas, pareceu-lhe, ele havia sonhado com Keith Hayward dirigindo por um deserto à noite. Ao lado da estrada o mato crescia pontuado por cactos altos ocasionais. Um ar quente e seco soprava do sonho sobre o sonhador. Um universitário de boa aparência, como os estudantes de intercâmbio suecos que às vezes surgiam no Espaço Alumínio, estava recostado no banco do carona do carro esporte vermelho. De modo improvável, seu nome era Maverick McCool. Se seu nome fosse Maverick McCool, principalmente se você se parecesse com um estudante de intercâmbio sueco, as garotas, mesmo as parecidas com Meredith Bright, provavelmente ficariam pela calçada, rezando para que você aparecesse na janela.

A intromissão abrupta de Meredith Bright em seu devaneio trouxe com ela a informação de que o carro vermelho era o Skylark dela. Keith Hayward devia ser proibido até de tocar no carro de Meredith. Do choque dessa repulsa tinha vindo o verdadeiro horror do sonho, o conhecimento do que estava na mala do carro.

Keith Hayward havia assassinado Meredith Bright, desmembrado seu corpo, enchido dois sacos pretos de lixo com seus restos mortais e enfiado os sacos na pequena mala do Skylark. Inconsciente da carga que levavam, Maverick McCool ria de alguma coisa dita pelo monstruoso Keith Hayward. Cada pedaço da imagem na mente de Howard falava que Hayward já havia assassinado certo número de pessoas e tencionava ir acumulando vítimas por um longo, longo tempo — e o risonho passageiro seria a próxima vítima! Pobre McCool! Uma onda de horror gelada e suja despertara Howard. Em pânico, seu primeiro impulso tinha sido o de pegar o telefone e ligar para Meredith Bright. Howard jogou as pernas para fora da cama, mas, antes de se levantar, se deu conta de que não sabia o telefone dela. Ofegante, deitou-se novamente, sentindo-se como se tentasse soprar o terrível sonho do seu corpo para o ar da manhã.

Vinda de nenhum lugar específico, a expressão *assassino em série* pareceu penetrar em sua mente. Com ela veio a memória de manchetes de jornal e histórias de noticiários da TV sobre o maníaco de Milwaukee que chamavam de "o matador de mulheres". Quantas mulheres ele havia matado e, de acordo com o chefe de polícia de Milwaukee, transformado em *trapos sangrentos*? Cinco? Seis? *É um homem que mata as mulheres e transforma os corpos delas em trapos sangrentos*, tinha dito o detetive, qualquer que fosse o seu nome, Hooper, Cooper, alguma coisa parecida. *Vocês acham que nós deixaríamos um monstro desses ficar solto?* Infelizmente, permitiram que fizesse exatamente isso, e ele tinha ficado livre, o monstro, para empilhar mais corpos até morrer de velho ou se aposentar e ir para a Flórida.

Adiante, uma figura virou a esquina, entrou na Gorham Street e se tornou uma silhueta que mal se via na claridade da luz do sol.

O terror lançou suas raízes nas entranhas de Howard. Keith Hayward tinha acabado de penetrar na luminosidade no começo da Gorham Street e agora, rápido como um furão, começava a se mover na direção dele. Amedrontado demais para recuar, Howard esperou pelo ataque do inimigo. Abriu a boca para gritar.

Um segundo mais tarde, a forte luminosidade revelou que o homem que avançava para ele não era Hayward, mas alguém muito mais amedrontador: um dos "cães" sobre os quais Mallon os havia advertido. Num terror tão grande que não conseguia nem gemer, Howard arrastou os pés para trás, tropeçou neles e caiu com força sobre a calçada. A dor queimou seu quadril esquerdo, e ele sentiu o traseiro como que golpeado por uma marreta. Ofegante de dor e de medo, apoiou-se num dos cotovelos e percebeu que não havia ninguém diante dele.

Na calçada iluminada pelo sol, soaram passos. Pernas de calça cinzentas e dois sapatos de amarrar pretos e bem engraxados. Os joelhos se dobraram e o dono deles se curvou sobre Howard, que olhou para cima, para o rosto de um homem comum de seus trinta e tantos anos com a cabeça coberta por cabelos densos e escuros, mas muito curtos. Um divertimento cruel brilhava em seus olhos azuis claros.

Howard estendeu o braço direito, mais ou menos esperando que o homem o ajudasse a se levantar. O homem curvou-se mais e, sem som, articulou as palavras *Sinto muito, garoto*. Howard abaixou o braço e tentou fugir para trás, mas seus pés ainda estavam emaranhados e seu tornozelo direito latejava. O homem se agachou e pousou as mãos nos joelhos.

— Alguma coisa o assustou? — Sua voz era baixa, macia e não exatamente humana.

Howard fez que sim com a cabeça.

— Você provavelmente deveria prestar atenção nisso — disse o homem. A débil qualidade metálica no centro de sua voz a fazia soar como se fosse projetada de algum lugar de dentro dele e não formada em sua garganta.

— Você estava no banheiro das garotas da Madison West? — perguntou Howard.

— Eu vou aonde tenho vontade de ir — disse o homem, novamente soando como se um homenzinho dentro dele falasse com um megafone. — Feche os olhos agora, filho.

Aterrorizado, ele obedeceu. Por um segundo, o ar bem na frente de Howard Bly se tornou tão quente quanto o vento do deserto de seu sonho. O som de passos transformou-se em algo mais suave e abafado que se afastou.

Não, ele pensou na época; no hospital, fingindo olhar a primeira página de uma velha brochura de *Os sonhadores da lua*, de L. Shelby Austin, que encontrou na Sala de Jogos, o velho Howard abanou a cabeça diante de sua estupidez.

Ant-Ant Antonio levantou os olhos de uma das mesas de quebra-cabeças e Howard Bly velho dirigiu-lhe um olhar vazio e disse: — Portmanteau redivivus. — Se Hayward tivesse cortado Meredith de acordo com o plano, poderia ter escondido seu corpo num *portmanteau*, mas teria que ser um redivivo para fazer isso agora.

— Seu Bly, você é o cara — Ant-Ant lhe disse.

Como Ant-Ant esperava que ele balançasse a cabeça concordando, Howard fez isso.

Embora tivesse pensado que contaria tudo a Mallon, naquela tarde o jovem Howard não descreveu seu pesadelo nem falou sobre a aparição repentina do "agente" na calçada. A altivez habitual de seu herói não conseguia esconder a vibração intensificada de seus nervos e de sua corrente sanguínea. Howard continuava convencido de que somente ele e Eel tinham observado a ansiedade de seu herói. Será que aquilo significava que teriam que protegê-lo?

Ao mesmo tempo, ele também teria que se proteger de Keith Hayward. Tudo bem, Hayward não havia assassinado Meredith Bright. No entanto, Howard pensou, algo dentro dele tinha escurecido e murchado tanto que poderia facilmente se tornar um daqueles caras que viajavam pelo país matando estranhos. Ou algum daqueles demônios que se escondem como aranhas nas teias de seus terríveis apartamentos deles partindo para pegar suas vítimas. Antes, quando todos estavam na quinta ou na sexta série, tinham prestado a atenção que os adultos lhes permitiam ao matador de mulheres.

O jovem Howard queria controlar a mistura de medo e repulsa que Keith despertava nele. A ideia de que suas suspeitas pudessem colocar Hayward em alerta o fez sentir como se estivessem bombeando piche quente para dentro de seu estômago.

■

Quando todo mundo que queria participar do ensaio já tinha se reunido, como combinado, na esquina movimentada da University Avenue com North Francis, no limite do campus, mas não dentro dele, Howard procurou ficar tão longe quanto possível de Hayward, que foi para perto de Mallon no começo da caminhada, tagarelando como um macaco.

Brett Milstrap ficou do outro lado de Hayward e de vez em quando fazia um comentário. Milstrap parecia estar se divertindo. Na verdade, sempre parecia se divertir quando estava junto do companheiro de quarto. Basicamente, o cara estava usando Hayward para escorar seu próprio ego. Uma vez Eel disse a Hootie que Milstrap parecia um aluno que tinha acabado de colar numa prova, o que Hootie achou brilhante. Nem mesmo a camisa polo amarela e a calça cáqui que estava usando, clássicos do guarda-roupa dos alunos do curso preparatório, conseguiam disfarçar a falsidade central do seu ser. E ele amava ser aterrorizante do seu próprio jeito especial, não era possível deixar de perceber isso. Não admirava que fosse o melhor amigo de Hayward.

Por outro lado, a boa vontade de Spencer em tolerar a companhia de Keith Hayward confundia Hootie. A doença interior do universitário parecia tão óbvia que Howard se perguntava se Mallon não estava querendo simplesmente ficar de olho nele. Talvez estivesse tentando neutralizar esse terrível assassino em formação. Nesse caso, o que iria acontecer com o resto deles quando Mallon fosse embora?

Pensar na deserção de Mallon fazia Howard ter vontade de sair cambaleando pela calçada.

Depois de alguns quarteirões, Hayward deve ter se cansado de tentar impressionar Mallon, porque se virou para Milstrap e fingiu contar algo confidencial enquanto o guru seguia adiante. Carregando bolsas de compras cheias de material roubado, Dilly-O e Boats vinham caminhando atrás. Eel, que confiava tanto em Hayward quanto Howard, dirigiu a este um meio sorriso meio careta que dizia que ele não estava sozinho em sua repugnância ao inimigo mútuo. Ele se apressou, deu um tapinha no ombro de Eel ao passar por ela e se adiantou até Mallon, que interrompeu uma intensa conversação com Meredith Bright e olhou para ele.

— Você tem alguma pergunta?

— Por que você não pegou o carro da Meredith?

— Acho que nós todos não caberíamos nele — disse Meredith.

Mallon a ignorou. — Temos que permanecer juntos agora. Acho que isso é parte do combinado.

— O campo fica muito longe?

Mallon sorriu. — A uns dois quilômetros talvez.

— Tudo bem — respondeu Howard, ciente de que Meredith estava ouvindo a conversa com uma expressão de impaciência.

— Sinto que você tem mais alguma coisa em mente — disse Mallon.

Meredith Bright virou a cabeça para o outro lado.

— Você quer falar sobre isso em particular?

Hootie fez que sim.

Mallon cochichou alguma coisa com Meredith que, parecendo aborrecida, passou para trás deles, mas não o suficiente para se juntar a Eel.

— Então, qual é o problema?

Ele retomou o foco. — Tive um pesadelo com o Keith — disse, e subitamente se deu conta de que não queria contar para Mallon todo o seu sonho.

— Aha — fez Mallon.

— Sei que não se pode deduzir nada a partir de sonhos — começou ele.

— Hootie, meu garoto, você tem muito que aprender.

Isso, pensou Howard, vai ser como nadar contra a correnteza. — Tudo bem. Sonhei que ele matava pessoas. Sei que isso não quer dizer que ele faça isso de verdade, mas tive esse sonho, em primeiro lugar, porque acho que tem alguma coisa de errado com ele.

— Creio que sim — disse Mallon. — Você e Eel vivem levantando isso.

— *Tem* alguma coisa de errado com ele — insistiu Howard.

Na Sala de Artesanato, fingindo agora estar interessado na segunda página de *Os sonhadores da lua*, o Howard mais velho, mais gordo e grisalho, balançou a cabeça.

— Co-com certeza estamos adorando o livro, não é, Howard? — perguntou o abelhudo do Ant-Ant ao passar por ele.

— Trapaceiro — revidou Howard, informando ao ignorante do Ant-Ant-Anthony que ele era um charlatão.

— Eu sei — disse Mallon ao garoto angelical que era Howard e que gostava do apelido Hootie. — E você sabe que eu sei.

— Ele é doente por dentro — disse Howard. — Eu acho que ele gosta de ferir as pessoas. — Decidiu não ampliar esse comentário com referências a corpos desmembrados e malas de carros. Se viesse a saber de Maverick McCool, Mallon riria dele até voltarem à State Street, e ele se sentiria envergonhado demais para falar com seu herói novamente.

— Algumas vezes, Hootie, você me espanta.

— Então você também sabe — disse ele, lutando para não demonstrar quão profundamente a condescendência de seu herói o havia machucado.

— Por que você o deixa ficar conosco?

— Precisamos de corpos quentes. Com Keith temos uma pechincha de dois-em-um, porque Milstrap vai a qualquer lugar que ele for. Sim, o cara é diferente, eu sei disso. Você se lembra do que eu disse a ele no nosso encontro?

— Ele é pior do que você pensa — disse Howard, chateado por Mallon se recusar a levá-lo a sério. — Eu não aguento ficar no mesmo ambiente que ele. Eu não aguento *olhar* para ele.

Mallon agarrou o braço de Hootie, levou-o para outro lado da calçada e empurrou seu ombro contra uma vitrine. Por um meio segundo de pânico repentino, talvez menos, Howard imaginou ter visto Brett Milstrap dentro da loja olhando para eles através das grandes vidraças. Isso era impossível — lado a lado com Hayward, Milstrap vinha passando naquele exato momento e deliberadamente os ignorou.

Mallon se curvou e falou direto no ouvido dele. Sua voz era suave e rápida: — Tenho levado os problemas de Hayward em consideração e darei o meu melhor para usá-los amanhã à noite.

— Usá-los?

— Em nosso favor. Você não acha que o que há dentro desse garoto infeliz também existe no mundo oculto?

O jovem Howard não pôde falar. O velho Howard sentiu seus olhos comicharem.

— Nós queremos deixar que o mundo oculto nos dê o privilégio de ver tudo sobre ele. Será contido, será seguro: sei palavras mágicas para prender e desprender, são antigas, são todas bem testadas, fazem o que se espera delas, essas palavras mágicas. Creio que existe uma boa chance de que a exposição a essa força possa atingir Keith e corrigi-lo.

O jovem Howard abanou a cabeça; o velho Howard pressionou as mãos sobre os olhos, como Mallon em Gorham Street. — Ele não pode...

— Pela primeira vez na vida, ele vai sentir de perto essa força louca girando dentro dele. Você não acha que isso pode mudar um homem?

— Alguma vez você já viu algo assim acontecer?

Mallon se aprumou e olhou para frente. A uns nove metros de distância o grupo tinha dado uma parada. Meredith e o pequeno bando estavam olhando para trás, na direção deles. Hayward, cochichando com Brett Milstrap, tinha virado de costas.

— Estamos detendo as coisas — disse Mallon. Howard pensou que ele queria dizer *Não vamos deixar Meredith lá sozinha*. Eles começaram de novo a andar para frente.

A voz de Mallon tinha voltado ao registro usual e estava cheia da antiga autoridade. — Não, não exatamente, mas vi coisas como essa.

— Qual a coisa mais estranha que você já viu?

O olhar de Mallon voltou-se para ele de novo e Howard disse: — Não me fale sobre aquele negócio de ver a mão de um homem ser cortada num bar.

Spencer Mallon colocou uma das mãos ao lado do rosto e deu uma olhada furtiva para frente. Keith Hayward parou de cochichar com seu colega de quarto e lançou um olhar sombrio sobre eles.

— A coisa mais estranha — disse Mallon. Ele sorriu. — Geralmente, o mais perto que se chega é ao sentimento de que algo *quase* aconteceu, de que o véu tremeu por um segundo e você esteve perto de ver o que havia do outro lado. Ou de que alguma força extraordinária estava pairando quase ao alcance da vista, perto o suficiente para quase ser tocada, mas você não foi bastante bom para segurá-la, ou bastante forte, ou bastante concentrado, ou algo no ambiente bagunçou as coisas. Isso é o que acontece na maioria das vezes.

Mallon levantou os olhos para o quarteirão à frente, para os outros, e a maioria agora olhava para trás com uma curiosidade não disfarçada. Dill parecia beirar a raiva. Mallon fez um sinal com os dedos para que continuassem andando.

— Mas quatro, cinco anos atrás, quando eu estava em Austin, uma coisa estranha aconteceu. E aquele foi realmente o lugar mais estranho a que minhas investigações já me levaram. Foi mais ou menos na época em que o agente deixou um bilhete para mim na lata de lixo, lembra? Eu disse que uma coisa extraordinária me aconteceu lá, mas não entrei em detalhes.

— Eu me lembro — disse Howard, ofendido por Mallon poder pensar que fosse possível ele ter esquecido.

— Eu também não mencionei que estava morando com uma garota, Antonia. Ela se parecia um pouco com a Alexandra; você se lembra dela do La Bella Capri? Antonia foi a primeira mulher que eu conheci que se considerava uma bruxa, uma wiccana. Então, um dia eu e Antonia estávamos deitados na cama dela. Eram cerca de cinco horas da tarde, e devíamos nos levantar e sair para encontrar umas pessoas, mas ela disse *Por que você e eu não tentamos fazer alguma coisa por aqui?*

— Fomos para a sala e ficamos lado a lado sobre o tapete, nus. Ela estava queimando umas folhas de louro, murta e cipreste numa tigela, então despejou um pouco de óleo de qualquer coisa noutra tigela, uma grande, com outras ervas secas esmagadas dentro. Acendeu sete velas. Então cantou algo que eu não tinha ideia do que fosse, mas que soava perfeitamente apropriado. "Tudo bem" eu disse "O que fazemos agora?" "Dê a sua melhor tacada, apenas isso", disse Antonia.

"Porque eu achava que não fosse acontecer nada, comecei a citar a primeira coisa que me passou pela cabeça, uma passagem que eu tinha memorizado alguns dias antes da *Universalis Philosophiae* de Campanella. Eu sei latim, como você sabe. E grego. De qualquer modo, estou recitando na boa e velha língua mãe do Império Romano algo sobre respirar o Espírito do

Mundo e ouvir música planetária e noto um odor denso e poderoso vindo das ervas queimando — na realidade, cheirando como sexo mais morte, se isso faz algum sentido! Eros e Thanatos, como os antigos gregos chamavam. Estou ficando excitado novamente, *muito* excitado. As palavras ainda estão saindo da minha boca, e de repente fica claro para mim que o que eu estou fazendo é uma outra forma de sexo, uma espécie de sexo de corpo inteiro. Antonia está gemendo ao meu lado e eu estou bem no ponto em que eu acho que não dá para segurar mais nem um segundo, e então é como se o chão fugisse debaixo de mim e eu não estou mais naquela sala.

"Estou numa planície escura. Fogueiras queimam no horizonte. O céu está vermelho. Tudo acontece tão depressa que eu não tenho tempo de ficar com medo. Então compreendo que *algo está lá comigo*, só que eu não sei o que é. Não posso vê-lo, só sei que está perto. Este ser tremendo, monstruoso, é grande, invisível, e está realmente, realmente interessado em mim. Posso ouvi-lo se virando para dar uma olhada em mim e de repente fico tão amedrontado que praticamente desmaio... e, antes de uma piscada, estou de volta à sala da Antonia. Ela está ajoelhada no chão, curvada para a frente. Parece estar rezando para Alá. O que não seria má ideia, pensando bem. Há um cheiro forte e estranho na sala, como o de cobertores velhos e cinzas frias.

"Perguntei se Antonia estava bem, mas ela não me respondeu. Eu me abaixei e esfreguei suas costas. Ela levantou a cabeça, que estava coberta de sangue; seu rosto todo estava ensanguentado. Afinal era só o nariz que estava sangrando, mas ela parecia ter sido cortada com uma faca ou espancada. Novamente perguntei se ela estava bem. Ela abanou a cabeça. — 'O que aconteceu?' eu perguntei. Cheguei a perguntar: 'Você o viu?'"

Spencer riu, aparentemente de sua própria tolice.

— E o que foi que ela disse? — perguntou Howard.

— Ela disse "Dê o fora da minha casa e não volte nunca mais", foi isso o que ela disse. Você tem que admitir, Hootie, que foi uma experiência estranha de verdade.

— Você sabe o que aconteceu com ela?

— Ela teve a sua própria viagem, foi isso o que aconteceu, e ela não conseguiu segurar. Nesse exato momento, você está pensando "Porque ele há de querer fazer isso de novo? Não foi suficientemente terrível para ele?", estou certo?

— Bem... — disse Hootie. — Não foi.

— Aquilo veio de mim, dá pra você perceber? Eu *produzi* o que vi: uma imagem de pura força sexual. Tudo bem, ela parecia bem sinistra, mas a mulher que estava comigo era uma *bruxa*, pelo amor de Deus! Você não acha que ela acrescentou alguma coisa na poção para me manter sob o seu feitiço? Não funcionou e se voltou contra ela, e isso foi tudo. No nosso caso, agora, acho que algo muito mais *abrangente* vai acontecer. — Mallon pousou as mãos nos ombros de Howard e abaixou sua bela viseira até centímetros do rosto do rapaz.

Na sala de Artesanato, o velho e gordo Howard Bly virou-se para a parede para evitar que o atendente o visse chorando.

— Ei, todo mundo — disse o sádico Ant-Ant Anthony. — Vejam o sr. Ga-Garoto Vocabulário. Ele está tendo um di-dia e tan-tanto. Não é mesmo, sr. B-Bly?

Décadas atrás, Spencer Mallon estava dizendo: — E vamos encará-lo, Hootie. Embora você talvez não saiba, eu terminei aqui... está tudo acabado, mais ou menos. — Seu hálito cheirava a feno recém-cortado. — *Eles fogem de mim, os que em algum momento me buscaram*, caso você já tenha lido Thomas Wyatt. Foi o que ele escreveu, para não falar da diversão que todos nós vamos ter daqui a um dia e meio.

— Diversão? — perguntou Howard.

— Espere só. Eu tenho uma pequena surpresa reservada para todos vocês. Vou tornar os seus sonhos realidade. — Ele riu e despenteou os cabelos superlisos de Hootie.

Pelo resto do caminho até o campo da agronomia, Howard Bly teve que lidar com as perguntas que Boats e Dill disparavam contra ele.

Ele disse: — Não era coisa importante o que conversamos.

Ele disse: — O que eu queria saber, eu descobri. Ele também não confia em Hayward.

Ele disse: — Mas sim, eu confio nele. Ele realmente está tentando aprender coisas novas, vocês sabem.

Ele disse: — Sim, é um tanto assustador. Ele já viu coisas realmente estranhas.

Ele disse: — Não, não faço ideia do que seja a surpresa.

Olhando para trás na calçada, frustrado, ele avistou uma total impossibilidade. A uns nove metros de distância, Brett Milstrap estava no meio da calçada acenando para que todos voltassem. Não parecia um aluno que tinha acabado de colar na prova, mas cansado e desesperado, com sua camisa amarela brilhante e suas calças cáqui. Parecia ter ao mesmo tempo a idade que realmente tinha e ser décadas mais velho. O único problema era que Brett Milstrap agora estava subindo a University Avenue lado a lado com seu companheiro de quarto e único amigo, Jack o Estripador. Hootie olhou em volta e viu que, junto com o restante do grupo, os companheiros de quarto tinham dobrado a próxima esquina e não estavam mais à vista. O mesmo aconteceu com Boats e Dilly. Aparentemente, Milstrap estava retornando numa pressa danada para encabeçar a expedição a partir da retaguarda. Não fazia nenhum sentido.

Eel voltou-se ao dobrar a esquina e pediu-lhe para apertar o passo, pelo amor de Deus.

— Ei — exclamou Hootie e olhou para trás sobre seu ombro e viu que a figura suplicante tinha desaparecido. — Milstrap está lá na frente?

— Bem na frente com o seu melhor amigo.

O grupo entrou por uma série de ruas menores novas para Hootie e seus amigos. As casas foram ficando mais e mais afastadas. Finalmente eles alcançaram a Glasshouse Road, mais larga e vultosa, onde as residências desapareceram completamente. Reta como uma flecha na direção de um gramado plano e comprido que devia ser o destino deles, lá estava a rua de pior reputação de Madison. Todos os negócios rejeitados pelos setores mais convencionais da cidade pareciam ter se estabelecido lá. A RUDY'S TATUAGENS era ladeada por dois bares degradados inclinados para a direita com fileiras de motocicletas encostadas do lado de fora. Continuando, em ambos os lados, até o final da rua, ficavam o Empório de Mágica do Pedro, a Quadrinhos de Monstros, a Armas Capital, a Casa de Penhores Badger, a Armas Badger, a Escola de Artes Marciais Scott Myers, o Mundo das Facas e Lâminas, o Tiro ao Alvo do Hank Wagner, o Salão da Meia-Noite da Scuzzy, a Chicotes e Correntes, o Boudoir da Betty, lojas com letreiros proclamando COURO: TODOS OS COUROS e ARMAS VENDA OU ALUGUEL e uma loja sem nome com uma vitrine com marcas de sujeira e forrada de capas de revistas exibindo mulheres e homens nus. Esses negócios ocupavam pequenos prédios de um andar, mais ou menos do tamanho do Espaço Alumínio, mas em pior estado. Na extremidade da Glasshouse, dois bares, CERVEJARIA DOWNBEAT e CASA DE KO-RECK-SHUN, ficavam um em frente ao outro.

Logo depois do final abrupto da rua, estendia-se uma enorme e brilhante faixa verde que parecia ter vindo de um mundo bem mais generoso e expansivo. Quando Howard a olhou, por alguma razão pensou no que Mallon havia dito sobre seu colégio e o imaginou de pé sobre o tapete verde com os braços abertos, declamando em grego antigo.

Num acordo comum embora não verbalizado, o grupo se deslocou para o meio da rua. Na maior parte de sua extensão, a caminhada pela Glasshouse Road parecia uma viagem através de uma cidade fantasma. Uma música baixa e indistinta, vinda dos bares dos motoqueiros, pairava, juntamente com um zunzunzum quase inaudível de conversação. Embora as luzes brilhassem nas janelas das lojas de armas, não entravam nem saíam fregueses. Hank Wagner parecia ter tirado o dia de folga no tiro ao alvo e ninguém parecia interessado em colecionar revistas pornográficas. Num dos bares de motoqueiros atrás deles, uma voz rosnou uma maldição. Com som de madeira estalando, alguma coisa se quebrou. Vários cachorros, ou coisas que soavam como cachorros, começaram a murmurar em linguagem de cachorro. O pequeno grupo se juntou mais, com Spencer Mallon e Dilly-O, vigilantes e de ouvido atento, na dianteira.

— Não olhem para trás — alertou Mallon. — *Não olhem para trás.*

Hootie se viu imprensado entre Eel e Keith Hayward, vindo não se sabe de onde. A mão de Hayward caiu sobre o ombro dele como uma garra de metal.

— O silêncio te dá dor de barriga, cara de bebê? — murmurou Hayward.

Hootie se desvencilhou dele com um arrepio.

Então, vozes encheram o ar, junto ao som de pés calçados com botas batendo no pavimento. Motocicletas voltavam à vida, rugindo. O pequeno grupo no meio da rua gelou e então, rapidamente, começou a se desviar para a direita, para longe do tumulto das motocicletas.

— Vamos passar por aqui — disse Mallon, soando mais nervoso do que provavelmente queria parecer. — Vamos para cima da calçada. — Ele estendeu a mão para Meredith Bright e puxou-a para o seu lado.

Com Mallon na liderança, o pequeno grupo subiu na calçada. Hayward tinha corrido para trás de Howard Bly, que primeiro percebeu somente o rosto fino, devastado, se abaixando na direção do seu ombro direito, exalando um hálito tão azedo que parecia ter sido reciclado duas vezes. Um braço magro cercado de cabelos escuros e espetados como cerdas agarrou-o pela cintura. A mente de Hootie ficou branca de repulsa.

— O pequeno Hootie tá tum medo, o pequeno Hootie tá tum medo das motocicletas grandes e malvadas — sibilou Hayward.

Em pânico de tanta repugnância, Hootie lutou contra o braço ossudo que o pressionava contra o corpo de Hayward, e sentiu que ele cedia. Hayward havia perdido o interesse nele e agora passava por Meredith em direção à frente do grupo. As motocicletas partiram para algum outro lugar e seu rugido se extinguiu por trás deles. Howard percebeu algum tipo de briga acontecendo na calçada da Casa de Ko-Reck-Shun. Mallon, Meredith, Dill e agora Keith Hayward o impediam de ver. Ele reuniu toda coragem que tinha e se aproximou do lado livre de Mallon, sentindo o toque de Hayward queimá-lo através das roupas. Howard podia ouvir o Monstro (nome que Eel lhe dava) relinchar sua risada idiota *ha, ha, ha,* enquanto passava ao lado do grupo, perguntando-se o que seria tão terrível para divertir Keith Hayward, perguntando-se também por que Eel não estava à vista em lugar nenhum. Quando Howard alcançou o lado seguro de Mallon, ambas as questões foram respondidas. Eel estava na calçada da decadente Casa de Ko-Reck-Shun, rígida de vergonha e raiva, sendo repreendida por um velho totalmente bêbado que obviamente tinha acabado de sair do bar.

Howard Bly levou um instante para perceber que o velho acabado era Carl Truax, o pai de Eel. Suas roupas ainda não estavam em farrapos, mas estavam disformes e encardidas, e suas bochechas barbadas se dobravam sobre a boca molhada e a língua trêmula. Ele estava tentando gritar, mas sua voz se erguia apenas à altura de um sussurro mole e vacilante:

— Lee, sua miserável, que diabo você está fazendo *aqui*? Era pra você estar na escola!

Numa voz pequena e dura como uma noz, Eel respondeu:

— Hoje é sábado, seu idiota.

Howard Bly por pouco não desmaiou — que humilhação, que coragem!

— Vou te levar pra casa e te dar uma surra, sua tonta. Sou seu pai, pai da famosa, maldita Eel, e vou mostrar pra Eel quem é que manda. Vou te deixar azul de pancada, vou te fazer sangrar pelos ouvidos, passa pra cá essa bunda infeliz que eu vou já...

— O senhor está bêbado demais para fazer qualquer coisa com qualquer pessoa, senhor, e certamente não vai machucar Eel, nem agora nem nunca mais — interferiu Mallon. — Agora cale a boca e vá para casa ou volte para dentro do bar. A escolha é sua.

O velho deslizou na direção dele, murmurando: — Certo, a escolha é minha, seu babaca maldito. — Ele tentou acertar um amplo *looping* na cabeça de Mallon, mas este se desviou com facilidade. Com as roupas maltrapilhas dançando em seu corpo magro, o pai de Eel deu uma volta bamboleando e tentou uma combinação frouxa de *jab*-cruzado que não chegou próximo ao seu alvo móvel. Keith Hayward ainda estava relinchando *ha ha ha*.

Mallon se esquivou de mais um golpe inofensivo e lançou a Eel um olhar de pura e bela perplexidade. — Eu não quero bater nesse cara.

— Pode nocautear o velho, eu não dou a mínima.

— Foda-se — exclamou Dilly-O. Ele correu para o meio da briga, chegou por trás do velho e o pegou por baixo dos braços. Então o girou para o outro lado da calçada e o empurrou pela porta aberta de volta para dentro do bar.

— É a primeira vez que alguém é jogado *para dentro* desse lugar — disse Brett Milstrap.

— Como é que você sabe? Você já esteve na Casa de Ko-Reck-Shun? — perguntou Mallon, com os olhos atentos na porta. Gargalhadas bêbadas e preguiçosas soaram lá dentro.

— Bem, sim, uma vez — respondeu Milstrap. — Eu estava bêbado de verdade, e uns caras me levaram para lá. Talvez alguém tenha me amarrado... — Ele fechou a boca e fez movimentos de apagar o quadro-negro com a mão direita. — Oô...

— Devia ter ido à Scuzzy — disse Eel, demonstrando, se não uma total recuperação do constrangimento, pelo menos o desejo de enfrentá-lo.

— Você está brincando?! Nós vínhamos da Scuzzy.

— Como você está se sentindo, de verdade? — perguntou Mallon. — Se você quiser, podemos levar seu pai para casa para termos certeza de que nada vai acontecer com ele.

— Ele vai chegar bem em casa com as próprias pernas. Só não vai se lembrar de nada disso.

— Você deve estar um pouco abalada — disse Mallon. — Vamos lá, reconheça.

— Não, vamos lá você — respondeu Eel. — Quero ver o nosso campo.

— Então dê uma olhada nele. — Ele estendeu o braço na direção das barreiras de concreto do final da rua, fazendo a comédia de presentear a todos com a faixa brilhante de relva sobre a qual Howard o havia imaginado recitando em grego antigo.

Ao se voltar para olhar na direção que Mallon apontava, essa versão aumentada do pequeno grupo estava se declarando, ocorreu a Howard, pronta para qualquer expansão de consciência que pudesse estar por vir. O grupo era corajoso — corajoso até o fim. Era surpreendente como Mallon conseguia amontoar todas essas camadas em sua comédia, em seu gesto de lhes oferecer o campo.

Na Sala de Artesanato, as lágrimas saltaram dos olhos de Howard quando também ele olhou para o campo ofuscante onde suas vidas foram submetidas a um dano tão grandioso. Ele o viu por inteiro e o viu puro, pois na sua imaginação o campo permanecia intocado por tudo que *os* havia tocado.

O campo diante deles, aquele campo inundado do sol dos últimos minutos, quando não era mais que um campo irregular que pertencia ao Departamento de Agricultura da Universidade de Wisconsin...

■

O campo da agronomia, na realidade uma pradaria enorme e complexa, era limitado em dois de seus lados por estradas estaduais e em sua extremidade mais distante por uma densa floresta pertencente ao departamento florestal. Próximo à estrada que mergulhava à grande distância para a direita, uma longa fileira de dispositivos de metal similares a refletores solares inclinavam-se sobre pequenos quadrados de gramíneas variadas. Logo atrás dos refletores brilhantes se erguia uma fileira de caixas vermelhas de madeira com tampas abertas e escoradas. O espaço de grama cintilante do campo, um total de talvez uns oitenta mil metros quadrados, se espalhava sobre o terreno como um enorme cobertor, elevando-se aqui e ali em pequenas dobras, pontas e ondulações, em outros lugares desaparecendo dentro de dobras mais profundas ou terrenos pantanosos feitos talvez pelo homem, mas havia muito absorvidos pelo tecido da pradaria.

— Sei por que você o escolheu — disse Meredith.

— É? Por que foi que o escolhi?

— Diga para ele, Hootie — pediu Meredith, colocando a mão branca e fria atrás de seu pescoço suado. — Você e Eel são bons de ver as coisas.

Hootie olhou de lado para Eel, que estava se remexendo de impaciência.

— Porque a gente pode se esconder numa daquelas coisas que parecem vales. — Ele pensou em ficar de pé num dos pequenos vales. — Então a gente teria que olhar para cima, para a encosta do morro, só que é muito baixo para ser um declive de verdade. Você nos quer olhando para cima. Spencer, você esteve mesmo em West Point?

Mallon sorriu, surpreso.

— Estive, Hootie, estive sim. E é com orgulho que digo isso.

— Mas você não disse que estudou na Universidade da Califórnia, em Santa Cruz? — perguntou Eel, agora parecendo indignada e não mais impaciente. — Onde você conheceu o cara que escreveu *Corpo do amor*?

— Há alguma razão para estarmos perdendo tempo desse jeito? — perguntou Hayward.

— Você está duvidando dele? — perguntou Meredith, tão pálida que parecia quase sem sangue.

— Todas essas perguntas — disse Mallon. — Vamos guardar esse espírito para quando pudermos realmente usá-lo. Não vamos desperdiçar energia no jogo da dúvida.

— Por que a dúvida tem que ser um jogo?

— Eel, você não está vendo... — Meredith foi incapaz de falar mais alto que um sussurro.

Mallon silenciou-a com um olhar. — A dúvida mina a boa energia. Sobretudo, Eel, você não quer duvidar de mim. Neste exato momento, um instante depois deste exato momento, vamos entrar juntos neste campo estupendo e precisamos estar unidos, uma só força, porque nada disso vai funcionar a menos que todo elemento em nossa cadeia, até em nível molecular, esteja direcionado de modo inabalável para nosso objetivo comum. Temos que ser como um raio *laser*, gente, para ultrapassar o nível de consenso perceptual, isso é que é preciso. Você acha que está aqui por acidente?

Quando olhou em volta para seu círculo de seguidores, fixando em cada um deles o seu olhar, Spencer Mallon pareceu, ao menos para Howard Bly, um meio metro mais alto que eles todos.

— Keith, você está aqui por algum tipo de seleção aleatória? Brett, e você?

Hayward abanou a cabeça. — Nã-não, de jeito nenhum.

Milstrap disse: — O que você mandar, chefe. — Equilibrado numa perna, a mão nos quadris, Milstrap estava completamente restaurado ao seu ser desagradável. Hootie se perguntou o que teria acontecido de errado com ele e como tinha se consertado tão depressa.

— Vocês dois, Meredith e os garotos aqui, vocês nos dão equilíbrio; entendeu, Eel?

Eel engoliu em seco.

— Sabem o que eu estudei em West Point? Entre outras coisas, *química*. Isso pode te surpreender, Eel, mas no fundo eu sou um cientista. Em Santa Cruz, além de filosofia, eu estudei psicologia. Também uma ciência. Dados, dados, dados... você leva milhares e milhares de horas fazendo pesquisa com animais de laboratório e então interpreta os dados. No instante em que ouvi falar sobre vocês quatro, soube que seriam perfeitos para este nosso experimento.

"E agora, Eel, se você e seus amigos estiverem prontos, se todos nós estivermos prontos, entraremos no nosso campo e encontraremos nosso vale perfeito. "Quer saber, provem que estou certo — vocês *me* mostrarão onde ele está."

Com bem mais zombaria que da primeira vez, ele estendeu os braços na direção do campo, convidando Eel a demonstrar a perfeição de seus métodos de pesquisa. Aquilo seria um experimento do mesmo modo que aqueles envolvendo os refletores solares e as caixas de madeira enfileirados do lado direito do campo.

— Droga, eu faço isso — disse Dilly. — Ele caminhou até a barreira de concreto que marcava o final da Glasshouse Road, aproximadamente na altura da cintura, jogou sua bolsa de compras por cima da barreira e depois passou uma perna de cada vez sobre ela. Seguindo logo atrás, Boats saltou por cima com bolsa e tudo.

— Vem logo, Eel — disse Dill. — Vamos mostrar pra ele onde é o lugar.

Desajeitada, Eel passou sobre o muro de concreto. Mais desajeitado ainda, Hootie veio depois e, enquanto ele limpava a poeira de concreto da camisa, Mallon saltou no topo da barreira e depois pulou, tudo com um só movimento gracioso. Ele estendeu a mão para Meredith, que sentou seu bumbum vestido de *jeans* no topo da barreira e girou as duas pernas ao mesmo tempo.

Keith Hayward tentou imitar a agilidade fácil de Mallon. Quase caiu de cima da barreira, mas se equilibrou a tempo e pulou. Brett Milstrap subiu no estilo de Dilly-O, uma perna de cada vez, mas com menos agilidade. Ele murmurou: — Arranhei as joias de família. — Quando Boats e Keith Hayward começaram a rir, Hayward cortou a risada e encarou o garoto mais novo.

— Vamos mostrar pra ele a que viemos — disse Dill, pronto para começar.

Ele gesticulou para seus amigos e os dirigiu ao centro do campo. Gramíneas e flores silvestres se embaralhavam nos seus pés. Vários tons de verde se estendiam diante deles, juntando-se em áreas baixas cobertas por fileiras irregulares de cenoura-brava e lírios. O campo parecia maior depois de entrarem nele. Em algum lugar à distância, abelhas zumbiam no ar parado.

Howard olhou para Mallon, que seguia atrás deles junto de Meredith Bright. Sua ansiedade inicial parecia ter se dissipado. Ele estava sorrindo para si mesmo e parecia satisfeito de estar no campo com eles e genuinamente curioso para ver se, sem ajuda, seus seguidores mais jovens poderiam localizar o lugar que ele havia escolhido. Keith Hayward e Bert Milstrap caminhavam devagar, sete ou oito metros atrás, cochichando. Hayward flagrou Hootie olhando para ele e lançou-lhe um olhar tão sombrio, ameaçador e ressentido que o garoto se virou no ato, como se espetado por uma vareta pontuda.

Se ele se virasse novamente, Hayward o estaria encarando ainda e isso seria perturbador demais — como olhar para um corpo de água escura e ver algo grande e indefinido se mexendo lá dentro. Ele e Dill estavam bem na frente da pequena coluna que prosseguia através do campo, o que era bom. Boats e Eel vinham alguns metros atrás. Depois de um intervalo maior, Mallon e Meredith Bright caminhavam à frente de Hayward e Milstrap, que se demoravam e atrasavam como crianças rebeldes.

Dilly hesitou e Howard apontou uma moita de lírios que cobria o começo de uma ondulação na paisagem. A ondulação continuava através do campo e a vegetação em torno dela crescia mais densa e variada — margaridas amarelas, amoreiras, tremoceiros e rosas silvestres que pareciam miniaturas de bolas de beisebol duras.

— Puxa, Hootie, a Meredith tinha razão — disse Dilly-O. — Você é bom mesmo para ver as coisas.

— Pra mim é um pouco brumoso — respondeu Howard. — Mas se você está procurando um lugar que te deixe fora do alcance da vista, este aqui é melhor do que aquele em que você estava pensando. Certo, Eel?

— Bingo — disse Eel.

— Eu não estava pensando em outro lugar, só estava *pensando* — disse Dill. — Você entende o que eu quero dizer, não é, Spencer?

— Vai lá embaixo e me diz se é bom mesmo — disse Spencer, contornando a pergunta. — Você disse "brumoso"?

— Hum... nebuloso — respondeu Howard Bly, começando a corar.

Mato e flores silvestres disfarçavam a profundidade e o comprimento verdadeiros da depressão no terreno. Da extremidade do campo na Glasshouse Road, ela parecia somente uma ondulação do terreno com mais vegetação. Estreita e rasa onde o grupo entrou, gradualmente a depressão do terreno foi se tornando mais profunda e larga à medida que prosseguiam. Quando chegaram a um ponto pouco adiante do meio do caminho, a parede de vegetação à esquerda se erguia quase até o topo da cabeça de Howard, e a densa combinação de gramíneas e mato crescendo ao longo de toda a crista suave escondia todos eles. Para a direita, a borda oposta tinha afundado num canal de terra côncavo onde a relva tinha queimado e ficado marrom. Os carros que corriam na estrada distante eram pontos coloridos em movimento.

Eel e Dill olharam para Mallon. Ele estava brilhando como uma tocha.

— Uma vez lá dentro — disse ele —, podemos simplesmente mudar o mundo.

■

Mallon pediu que Dill pegasse a tinta branca e o pincel na sacola e as usasse para marcar um círculo de aproximadamente dois metros de diâmetro na terra marrom e irregular que cobria a elevação baixa e comprida diante deles. — Boats, dê uma mão para ele. Quero que esse círculo fique bem circular, se é que você me entende. O círculo é a forma mais perfeita da natureza e o nosso não vai funcionar bem se ficar com a forma de uma ameba.

— Onde você quer que ele fique? — perguntou Dill

— Ele tem que ficar onde tem que ficar. Todos vocês, olhem para o chão e encontrem o círculo. *Encontrem o círculo.* Ele já está aí. Vamos apenas pintar sobre ele para ter certeza de achar o lugar certo amanhã à noite. Portanto, todo mundo comece a olhar. Vocês vão vê-lo na grama morta, vão vê-lo na terra; olhem bastante tempo e ele vai saltar diante de vocês. Se foram capazes de encontrar este lugar sem eu os guiar, devem ser capazes de achar o círculo.

— Você quer que a gente olhe...?

— Eu darei a nós todos um minuto. Quando o minuto acabar, todo mundo vai apontar o lugar onde achou o círculo. Tudo bem, comecem a olhar.

O velho Howard fixou os olhos nas páginas de L. Shelby Austin e se lembrou de quando procurou algo que ninguém nunca seria capaz de encontrar. No chão irregular, nenhum círculo esperava para ser descoberto. Spencer estava errado, o jovem Howard admitiu para si mesmo. Talvez não a respeito de tudo, claro que não a respeito de tudo, mas nesse caso em particular, esse do círculo imaginário, ele estava viajando. Lá estava ele, o fato irredutível. O maldito círculo não existia. Ele *ainda* pensava que era verdade. Nada em L. Shelby Austin poderia mudar seu pensamento, não que L. Shelby Austin, autor de *Os sonhadores da lua*, desse a mínima. Howard se lembrava de ter olhado para a Eel e ter sido incapaz de ver se a fé dela era forte o bastante para sustentar a crença no círculo mágico.

Podia ser uma coisa ou outra. Eel estava dando um tremendo espetáculo de concentração, testa franzida, olhos apertados, músculos do ombro em tensão, a coisa toda.

No passado distante, Mallon gritou: — Tempo esgotado!

Três braços dispararam, o dele, o de Dilly-O e o de Keith Hayward, seus dedos indicadores, por algum tipo de milagre, apontando todos aproximadamente para o mesmo pedaço de terra. Meia batida de coração depois, todos os outros, Howard Bly entre eles, pularam a bordo, e quatro outros braços voaram à frente de seus donos desonestos.

Meredith Bright guinchou: — Estou vendo, Spencer! Está bem ali! — O jovem Howard pensou *Ela queria ver, foi isso*; pela centésima, pela milésima vez, o velho e gordo Howard, na Sala de Jogos, pensou *Ela estava fingindo, como eu*.

Triunfante, Mallon ordenou que Dill e Boats pintassem o círculo branco sobre o já existente que eles haviam localizado através do que ele chamou de "adivinhação psíquica". Os dois rapazes tiraram as latas pequenas e os pincéis largos das sacolas, levantaram as tampas e começaram a tentar traçar um círculo decente sobre o chão sem tratamento. A relva, morta e quase morta, absorveu a tinta, mas deixou uma sombra branca luminosa o suficiente para ser vista. A terra, entretanto, se recusou a receber a tinta e, em vez disso, encheu os pincéis de grumos. Mallon mandou-os despejar a tinta. Se precisassem de mais, trariam no dia seguinte. Dando passos lentos para trás, um na direção do outro, derramando rios brancos e finos das latas, Boats e Dill traçaram um círculo razoavelmente aceitável que completaram rodando lado a lado e respingando o restante da tinta no chão.

— Perfeito — disse Mallon. — Agora peguem as cordas.

Os rapazes tiraram as cordas das sacolas e as ajeitaram em frente ao círculo. Elas serviriam, disse Mallon, principalmente como símbolos de confinamento, mas, se fosse necessária uma contenção real com as cordas, ele precisaria que os rapazes dessem o melhor de si. Eles pareciam nervosos e inseguros, mas sinalizaram que sim.

— Velas — disse Mallon. — Fósforos.

Dill e Boats tiraram de dentro das sacolas uma vela de cera branca e uma caixa de fósforos de cozinha para cada participante, Mallon inclusive.

Mallon arrumou o grupo aqui e ali na depressão do campo segundo um padrão que havia planejado em sua mente e confirmado, disse ele, em textos de magia antiga. Ele ficou no centro do padrão, de frente para o impreciso círculo branco e de costas para a vegetação alta. Com três metros de distância entre eles, Boats e Dill ficaram diante dele e um de cada lado, como guarda-costas vigilantes. De uma posição bem à esquerda de Boats, Howard, Eel e Meredith Bright olhavam para Mallon e para o círculo, Eel e Meredith, por alguma razão, parecendo estar tão pouco à vontade com a mútua proximidade que tentavam o tempo todo se afastar; tão bem juntos que pareciam formar um grupo de dois em separado, Hayward e Milstrap ficaram numa posição similar à direita de Dill. Uma vez em seus lugares, eles deveriam riscar os fósforos e acender as velas. Hoje, iam fazer de conta que executavam essa parte.

— Depois que as velas estiverem acesas, vamos nos manter em silêncio por tanto tempo quanto eu julgar necessário — disse Mallon. — Quando chegar a hora de romper o silêncio, começarei a recitar alguma coisa em latim. O que me vier à mente. Vocês não entenderão uma só palavra, e isso estará perfeitamente correto. De qualquer modo, concentrem-se, absorvam tudo o que puderem. Vocês são parte da matéria prima também e eu vou precisar do seu total envolvimento. Por isso, ouçam com atenção, como se sua vida dependesse disso. Porque pode ser que dependa!

Isso também requeria ensaio. Fingindo que segurava uma vela acesa, Howard Bly espiava seu herói e algoz imóvel como uma estaca a sussurrar um encadeamento apressado de palavras que ele não poderia compreender mesmo que fossem audíveis porque pertenciam a uma língua espetacularmente morta. Como ordenado, ele se concentrou o mais que pôde sem fechar os olhos. Depois de alguns minutos, Howard começou a sentir que a seu pequeno grupo tinha se juntado certo número de estranhos. Não foi mais que uma sensação, mas era forte demais para se ignorar ou rejeitar. Porque eram invisíveis, os estranhos se tornaram mais presentes para ele depois que fechou os olhos. Um por um, depois em grupos de dois ou três, eles passearam por ali e cercaram Mallon e seus seguidores. Howard podia sentir isso acontecendo: era como ser cercado pouco a pouco por mais e mais fantasmas. Mas essas presenças não eram fantasmas. Exatamente do mesmo modo, a vela pequena e grossa que segurava ligeiramente acima da cabeça começou a queimar, pois ele podia *sentir* o tremeluzir tremeluzir tremeluzir de sua chama pequena e luminosa. Embora invisível para os olhos abertos, era uma chama real e não fantasmagórica.

Do mesmo modo que via a chama da vela cintilando, Howard sabia que os estranhos em volta deles não eram humanos. Ele havia visto um daquele tipo na Gorham Street. Eel tinha visto um no banheiro de mulheres na Madison West. As criaturas ficaram esperando Mallon e seu grupo na Glasshouse Road, mas, em vez de assustá-los, os tinham induzido a entrar no campo. Agora elas pareciam (lhe ocorreu) cachorros em pé, humanos: cachorros com roupas humanas bonitas, mas antiquadas, bonés de caça, casacos cintados, fraques, *smokings*, chapéus de coco, chapéus de feltro. Cerca de metade deles pareciam ser *weimaraners*, mas um bom número de buldogues e *setters* irlandeses figuravam no meio da multidão. Alguns fumavam charutos. Eram muito semelhantes aos cachorros do grande pôster de Eel, exceto por parecerem melancólicos e irritáveis e não tranquilos. Eles faziam Hootie se sentir extremamente desconfortável, pois entre os que tornavam aquelas coisas-cachorro tão mal-humoradas estava ele, o único que podia vê-las.

E por que as criaturas haveriam de impeli-los para o campo como cães pastores conduzem seu rebanho? Howard podia ler a resposta na atitude vigilante deles: os agentes, como Mallon os chamava, queriam ver até onde eles chegariam.

Mallon não fazia ideia de que os cachorros haviam se reunido em torno deles. A ansiedade parecia tê-lo abandonado por completo e ele aparentava estar totalmente à vontade e, ao mesmo tempo, tão carregado de emoção que quase tremia. A incompatibilidade radical entre esses estados fazia Howard temer que Spencer Mallon se dividisse ao meio ou fosse flutuando para longe e não voltasse nunca mais.

Exatamente quando essa apavorante noção penetrou sua mente, o jovem Howard Bly percebeu uma coisa estranha em sua visão periférica — um movimento como o de uma echarpe branca soprada através do campo. Mexeu a cabeça para olhar mais de perto e, por um segundo ou menos, teve a impressão de ver algo pequeno, branco e angustiado, não uma echarpe, torcer-se para fora da relva marrom, cerca de um metro à direita do círculo branco de tinta, e girar para cima até, num estalo, tornar-se invisível. Em torno dele, a atmosfera ardeu em chamas: a paisagem pareceu inchar enquanto a forma branca voava e desaparecia. Tão depressa tinha vindo e ido embora, que ele se questionou se a havia visto realmente. Então concluiu que com certeza a tinha visto, à sua maneira, e que a coisa branca e atormentada parecendo uma echarpe estava fugindo do que quer que fosse que havia feito o mundo ondular e inchar quando a perseguia. A desgraçada da coisa branca tinha *atravessado uma fronteira*, havia *escapado* para dentro desse mundo.

Imediatamente veio uma segunda percepção, a de que a chama, invisível mas real, havia se dissipado, e que as criaturas-cachorro tinham ido embora — todas de uma vez, sua invisibilidade tornando-se ausência. Por um momento, essa ausência foi sentida como mais ameaçadora que sua presença.

Mallon abaixou os braços e disse que haviam feito tudo que podia ser feito naquele dia. Ele achava que o ensaio tinha corrido bem, na verdade muito bem. Ele realmente achava; Howard ainda podia sentir a excitação contida nele pulsando por baixo de sua calma exterior.

— Vão todos para casa e tenham um bom jantar, se isso estiver nos seus planos. E agora vem a surpresa que eu prometi a vocês. Hootie, Eel, Boats,

Dill? Esta noite vocês poderão ir a uma festa de fraternidade. Keith e Brett arrumaram para todos nós irmos hoje à noite à festa Beta Delta, e vai ser incrível. Cerveja de graça, *rock* ao vivo, três garotas para cada cara, três caras para cada garota. Menos você, Meredith! Muita diversão garantida para todos. Keith e Brett, agradecemos a vocês por tornarem um sonho realidade. Entende o que eu quero dizer, Hootie?

— Sim — respondeu Howard. — Incrível. — Isso agora era outro mundo, pensou ele, um mundo que ele mal conhecia.

Parecia que mais ninguém tinha visto o atormentado farrapo branco voar sobre a relva morta. Ninguém além dele tinha sentido a presença dos agentes ou segurado uma vela com uma chama invisível. *Então o que eu fiz, eu acreditei que era eu*, o velho Howard disse para si mesmo. *Hootie disse para Hootie: o que você viu lá não era nada a não ser você mesmo, e Hootie acreditou no que ele disse.*

Dill foi para casa jantar. Howard e Eel foram para casa com Boats, cuja mãe ainda estava sóbria para fazer um dos pratos favoritos deles, macarrão com queijo. Ela derramou a massa amarela nos pratos deles, colocou uma tigela de batatas fritas e garrafas de coca-cola geladas na frente deles e ficou olhando enquanto comiam, fumando cigarros encadeados e rindo da maneira como eles engoliam a comida. A mãe de Boats sempre tinha gostado de Eel.

— Ei, onde está seu namorado? — perguntou ela. — Geralmente vocês dois andam tão juntinhos.

— É, bem, ele nos dispensou — respondeu Eel. — Ele está tão acima disso tudo e é tão *cético* que vai sair perdendo, e Deus sabe que eu não dou a mínima.

— Sim, claro — disse a mãe de Boats. — Certo. Então vocês vão a uma festa hoje à noite, ou vão só sair por aí como sempre?

A mãe de Boats, Shirley Boatman, tinha sido muito bonita, e a pergunta agressiva tinha um tom melancólico.

— Quem sabe as duas coisas — respondeu Boats.

— Vocês deviam ir um pouco mais a festas. De qualquer maneira, onde é essa festa?

Boats e Eel continuaram comendo. A mãe dele tirou cubos de gelo da bandeja do freezer e renovou sua bebida com cinco centímetros de Seagram's e uma quantidade equivalente de soda.

— Ei, vocês não precisam se preocupar que eu vá atrapalhar a diversão de vocês ou coisa parecida. — A cinza na ponta do seu cigarro caiu dentro do copo e se desintegrou ao bater num cubo de gelo. Ela mexeu a bebida com o dedo e quase toda a cinza desapareceu.

Ela deu uma tragada no cigarro e soprou uma coluna de fumaça em ângulo por cima da mesa e sobre a cabeça deles. — Quem está promovendo este baile, afinal?

— São só uns garotos. E, mãe, só gente velha ainda fala "baile".

Preenchendo um silêncio repentino, Eel disse: — Tudo o que eu sei é que a festa é na Langdon Street.

— Langdon Street. Quando eu era uma garota do ensino médio, todos nós falávamos em ir a festas de fraternidade, mas nenhum de nós jamais foi. Em primeiro lugar, nossos pais não teriam deixado. Minha mãe e meu pai? Eles teriam pregado a porta do meu quarto. Só vou dizer o seguinte: não beba demais e não faça papel de bobo. Eel e Hootie, estou falando com meu filho. Vocês vão se comportar bem que eu sei.

— O que você espera de mim é que eu me comporte como um idiota? Puxa, mãe, obrigado.

— Você quer saber o que eu *espero*? Principalmente, Boats, eu *espero* que você mantenha suas mãos dentro dos seus bolsos. Não pegue nada que não pertença a você. Não é o mesmo que surrupiar bala do mercado. Custa dinheiro pertencer a uma fraternidade. Uma vez lá dentro, eles cuidam uns dos outros.

— Tudo o que você quiser, mãe — disse Boats.

— Lembre-se: se você se meter em encrenca, vai ter que sair fora sozinho. — Ela se virou para Howard Bly: — E Hootie, sua mãe disse que tudo bem você jantar aqui hoje à noite, mas ela não quer que você fique fora até muito tarde. E me perguntou se eu sabia alguma coisa sobre alguém estar passando a noite no porão de vocês.

Os três garotos olharam para ela em choque. Para o pequeno Howard Bly, era como se tivessem revelado que o adorado Spencer Mallon era a coisa branca e atormentada que se contorceu para cima e para longe.

— Ah — fez Shirley. — Vejam bem, eu não sei o que está acontecendo, eu não *quero* saber o que está acontecendo, mas se aquele pervertido que vocês todos amam tanto está dormindo no seu porão, é melhor tirá-lo rapidinho de lá.

Naquela noite, Howard não conseguiu levar Spencer para um canto quando eles se reuniram do lado de fora da Beta Delta, que não era exatamente na Langdon Street, mas descendo por uma passagem entre duas outras casas de fraternidade. Era uma estrutura de ripas de madeira urgentemente necessitada de nova pintura que ficava na extremidade mais afastada de um pequeno estacionamento asfaltado com entrada privativa para ela e mais duas casas igualmente insignificantes. A parte de trás da casa dava diretamente para um deque de madeira sobre o lago Mendota e um píer comprido e instável.

Hayward e Milstrap conduziram Mallon e o grupo através da porta principal até um salão ou sala de estar com um mobiliário de couro gasto arrumado em torno de uma lareira apagada. Um garoto com camisa havaiana, *shorts* e sandálias levantou os olhos do jogo de paciência e gritou: — Diabos, quem são essas *crianças*, Hayward?

Hayward respondeu: — Ajudantes pra cozinha.

— Você é que devia ser ajudante de cozinha, seu babaca — disse o garoto.

Howard só conseguiu falar em particular com Spencer depois que Hayward os levou para baixo, para uma grande sala vazia com um palco de um lado e um bar do outro. Quando dois jovens chamaram Hayward e Milstrap de um portal em arco, Howard se virou para Mallon e descreveu o seu dilema. Estava com receio de que Mallon se zangasse ou se recusasse a sair do porão e ficou hesitante, misturando as palavras.

— Nenhum problema — disse Mallon. De qualquer modo, ele não tinha intenção de voltar para a loja naquela noite; ia ficar com Meredith. Tinha havido um pequeno problema com a mina, mas a barra estava limpa novamente. As mulheres, você sabe, são todas um pouco piradas. Por falar nisso, não havia nenhum motivo pra contar isso pra Eel, certo?

Mina? Barra limpa? Pirada? Aquele cara estava falando que língua?

— Certo — respondeu.

Teve vontade de dizer: — Esquece amanhã, esquece a coisa toda, meu querido, você pode saber que está sendo vigiado, mas você não sabe o que você está enfrentando. Preste atenção no que eles te disseram. Pare enquanto ainda é tempo.

Como poderia dizer essas coisas para Spencer Mallon? Impossível. Por um momento Howard Bly pairou à beira da tentativa de fazer o que não era possível fazer e, no fim daquele momento, toda escolha foi tirada dele. Os dois rapazes da fraternidade que estiveram conferenciando com Keith e Brett os estavam mandando formar uma única fila. Os rapazes os olharam tão atentamente quando passaram sob o arco que talvez estivessem tentando memorizar seus rostos. Howard estava certo de que prestaram uma atenção especial a Eel e a ele. Enquanto Milstrap conduzia o grupo para dentro de uma cozinha vazia, Howard olhou para trás e pensou ter visto Keith Hayward meter cédulas dobradas dentro do bolso.

Milstrap explicou que tinham sido colocados para dentro mais cedo para evitar a fiscalização na porta. Mallon e Meredith tudo bem, claro, mas, para os membros do Beta Delta, os estudantes de colégio tinham sido contratados para ajudar na cozinha. Quando isso virar uma festa comum, só cerveja, nada de comida, bem, sinto muito, mas não me amolem, certo? Então Hayward tinha esquecido de avisar dessa parte. Grande coisa, hein? Oficialmente, era para eles esperarem na cozinha até meia-noite e então sair e começar a limpar a Sala BD lá atrás. Na realidade, podiam esperar até a Sala BD ficar bem barulhenta — talvez uns quinze minutos depois que a banda começasse a tocar — e depois disso podiam fazer o que quisessem. Se eles fossem legais com os betadeltas, os betadeltas seriam legais com eles. Sirvam-se à vontade, só não vomitem nem desmaiem.

Mallon e Meredith Bright saíram com Hayward e Milstrap. Por pouco menos de uma hora, os alunos da Madison West ficaram ali pela cozinha sem serem perturbados. Então, ouviu-se barulho de vozes no local da festa, uma guitarra começou a tocar um *blues* em ritmo sincopado, vozes femininas e masculinas aumentaram de volume como numa festa e o pequeno bando deixou a cozinha e se infiltrou na Sala BD. A sala estava à meia luz. Girando, corpos animados enchiam o salão. Instantaneamente, a multidão os separou.

Howard percebeu que nunca havia estado numa festa nem remotamente parecida com aquela, nem qualquer um de seus amigos. No colégio, festas grandes ocupavam casas inteiras e sempre era possível escapar para um lugar mais calmo e com menos gente, ou sair para o gramado. Ouviam-se discos e torcia para alguém ter dado um jeito de trazer cerveja. Ali, por outro lado, todo mundo se comprimia num só lugar, e todos gritavam. A banda era a coisa mais alta que ele tinha escutado na vida: sentia o baixo reverberar dentro do peito, e o som vibrava à medida que atravessava seu corpo. Todo mundo, até quem dançava, segurava um grande copo de plástico cheio de cerveja que espirrava na roupa das pessoas e no chão. A música alta, pesada e muito alegre ecoava nas paredes e perfurava seus ouvidos. Tentando chegar ao bar, Howard se movimentou pela beira da pista de dança, esgueirando-se pela multidão e se espremendo entre pessoas que sequer notavam que ele estava lá. Quando finalmente conseguiu chegar ao bar, Eel estava bem na frente dele, com as mãos estendidas para pegar dois copos de 500 ml do garoto que manobrava as torneiras de chope. Foi um daqueles instantes inesperados em que ele se viu dolorosamente consciente de que Eel era uma garota, uma garota de verdade, e não um rapazinho tão perfeito que fazia Howard pensar nela mais ou menos e somente como outro cara. Pior ainda, ela estava belíssima. Surpreendentemente, como que para consolá-lo da dor profunda que acompanhou aquela percepção, Eel se virou e lhe deu um dos copos cheios até a boca de chope espumante.

Ele se afastou para o lado e avistou Dill dançando com uma garota muito bonita de cabelos louros, lisos e longos, óculos enormes e maravilhosas pernas brancas. Dill estava rindo como um idiota. Então a multidão se fechou na frente deles e Howard viu o malicioso Keith Hayward sussurrando no ouvido de outra estudante. O sentimento de que Hayward estava falando dele encheu Hootie de repulsa, e, no mesmo instante, ele rodopiou para longe.

Ele e Eel ficaram juntos por uma meia hora, entornando cerveja e deixando a música martelar dentro deles. Quando estava bêbado o bastante para esquecer suas inibições, Howard girou para dentro da multidão e começou a dançar sozinho de maneira selvagem, jogando os braços e balançando no ritmo. Rindo, uma universitária chegou para o lado para lhe dar espaço e, em segundos, ela e outra garota se mexiam na frente dele, sendo ao mesmo tempo seus pares e sua audiência. Um sujeito atarracado com os braços cabeludos veio para junto das garotas e começou a fazer gestos bregas de quem está remando, depois apertou o nariz e fingiu se afogar. Era um amigo de Hayward, mas Howard não conseguiu se lembrar de como sabia disso. Alguém passou para ele outra cerveja de 500 ml, a sua terceira, e Howard esguichou um pouco dentro do nariz, rindo do cara cafona que era amigo de Keith Hayward. Ah, é isso! Eles tinham conversado, por isso é que ele sabia.

Com as mãos na cintura da garota loura, Dilly sorriu para ele e ergueu o punho no ar. Quando Howard copiou o gesto, o cara cafona agarrou sua mão e o fez rodopiar, fazendo com que ele risse mais ainda. Quase toda a sua cerveja caiu no chão. Por um segundo, ele vislumbrou Eel conversando com dois caras que pareciam jogadores de futebol americano. Eel o fez rir, e ele riu uma deliciosa risada de Eel, enquanto observava um homem compacto de terno cinza atravessando seu campo de visão.

Enfraquecidas pelo choque, as pernas de Howard se dissolveram por baixo dele. Antes que tivesse tempo de se derreter numa poça no chão molhado, alguém o pegou pela cintura e o colocou em pé. Suas pernas voltaram, embora parecessem de pau.

A música perdeu a força. Para ele, ela havia se tornado indistinta já há algum tempo, embora não tenha conseguido perceber o momento do declínio. As pessoas que dançavam tinham se tornado borrões. Alguém na frente dele ajudou-o a se sentar numa cadeira. Os jogadores de futebol americano de Eel apareceram por ali, mas Eel não estava com eles. Então ele, também, estava descendo o corredor e sendo conduzido através do portal para dentro de um quarto pouco iluminado com colchões e travesseiros enormes em vez de sofás e cadeiras. O cara cafona de braços cabeludos o instalou sobre um dos travesseiros gigantescos e tinha acabado de se estender ao seu lado quando Spencer Mallon irrompeu no quarto, arrancou o cara de cima do travesseiro, afundou sua bota no estômago dele e ajudou Howard a se firmar sobre os pés. — Espero que você esteja gostando do seu primeiro baile de fraternidade, Hootie — disse e foi andando com ele de volta ao trepidante salão de festa.

— Só gente velha fala "baile" — Howard o informou.

No enorme salão depois do corredor, a banda fazia um intervalo. A multidão tinha voltado a se concentrar no bar, do qual irradiava pelos dois lados do salão e se emaranhava novamente em frente do palco. Howard percebeu que Spencer Mallon o havia soltado e andou, não com tanta instabilidade quanto antes, até um sofá velho e arqueado junto à parede, sentando-se perto de um garoto bêbado que vestia um *short* de madras. O garoto bêbado o examinou e disse: — Shane, volte! Volte, Shane!

Inspirado, Howard disse para o garoto que somente gente velha falava aquilo. Então ele olhou para o outro lado do salão e se esqueceu do garoto de *short* de madras.

Do outro lado da pista de dança vazia, um homem de terno cinza estava curvado sobre Eel, esparramada sobre um pufe azul bebê colado com fitas adesivas. Um rapaz de fraternidade tocou o braço do homem, mas ele não lhe deu atenção. O rapaz agarrou-o pelo cotovelo e gritou alguma coisa. Sem nenhum movimento aparente a não ser o de se aprumar um pouco, o homem de terno arremessou o rapaz de fraternidade para trás, no chão cheio de copos espalhados e manchas de cerveja, sacudindo os braços até cair num emaranhado confuso de cotovelos, joelhos e pés. Dois outros rapazes de fraternidade tinham notado o voo do irmão, que no momento jazia no chão molhado do bar, aparentemente sangrando um pouco no nariz e nos olhos. Um dos que haviam visto o homem derrubar o irmão tinha o tórax largo e a cabeça quadrada de um jogador de futebol americano, e o outro era simplesmente tão grande que parecia invulnerável a uma agressão. Estes dois se voltaram para o cão, o agente: o anjo assassino, na avaliação alcoolizada de Hootie. Ele queria dizer *Deixem o cara, vocês não devem se meter com ele, não importa que sejam tão grandes*. Eles iam morrer, Hootie sabia; seriam feitos em pedaços sangrentos. O terror acovardou-o de tal maneira que fechou os olhos.

Quando os abriu, os dois gigantes betadeltas estavam levantando o amigo aturdido e ensanguentado e a criatura de terno tinha desaparecido como os seres invisíveis que haviam supervisionado o ensaio de mais cedo. Hootie se perguntou se realmente tinha entendido alguma coisa.

Quando ele se lembrou de que Mallon ia deixá-los no dia seguinte, a tristeza novamente tomou conta dele. O betadelta de *short* de madras falou alguma coisa sobre bebês e foi embora. Por entre as lágrimas, Howard viu uma Eel borrada se aproximar de um Boats borrado e agarrá-lo pelos ombros. Como ele, ela estava em prantos; derramados, ele compreendeu, pela mesma razão.

Mallon disse:
Um dia, provavelmente num futuro distante e certamente quando menos esperar, você se verá num espaço anônimo, totalmente impessoal, e a escolha mais importante de sua vida estará diante de você. Você estará numa viagem de negócios, ou de férias, saindo de um elevador ou entrando no vestíbulo de um hotel. Pode ser em qualquer lugar, mas vamos ficar com essas possibilidades neutras e agradáveis. E não vai acontecer assim, mas digamos que vai. Digamos... digamos que por alguma razão você sabe que eu estou no Nepal bem na época, ou sabe que eu estou no hospital. Ou que estou morto! Por qualquer que seja a razão, eu fui embora, não posso estar ali, mas estou ali de qualquer modo. Você me vê atravessando o vestíbulo, ou pegando o elevador do lado. Não pode ser ele, você diz para si mesmo, Spencer não pode estar aqui, e ainda assim, a despeito de todas as razões contrárias, sou eu com certeza e você sabe. Portanto, a pergunta é: o que eu estou fazendo ali? Porque você pode ver, certo como o diabo, que eu estou fazendo alguma coisa, *eu não saí só para dar um passeio, estou indo para algum lugar. E a próxima pergunta é ainda mais importante: Por que você me vê? Será que eu simplesmente entrei no seu campo visual por acidente? O quanto isso é provável? Não, existe uma razão para você ter me visto, e tem que ser alguma coisa muito importante.*
Então você vai atrás de mim — você não diz nada, apenas me segue para ver aonde estou indo. Porque eu não estou apenas indo ali, estou levando você comigo — é o seu objetivo também, não só o meu. E no segundo em que você começa a me seguir, eu apresso o passo e torno mais difícil para você fazer o que tem que fazer.
Está claro que tudo isso é uma espécie de parábola? Parábolas não significam uma coisa e apenas uma coisa, você sabe, e essa é a razão pela qual as pessoas ainda discutem a respeito delas dois mil anos depois.
Eu o faço andar em volta do quarteirão, me escondo nos becos, entro nas lojas e saio pela porta dos fundos, mas você dá um jeito de ficar na minha cola não importa o que eu faça. No final, você está de volta ao vestíbulo do hotel, de modo que pode dizer que o seu destino é o lugar de onde partimos.

Eu chego lá antes de você, e, quando você entra no vestíbulo, me vê no elevador um momento antes de a porta se fechar. Você espia o ponteiro subir e o vê parar no quinto andar. Será que eu saltei lá, ou foi outra pessoa? Não há tempo para discutir isso — o próximo elevador desce e abre as portas, você pula dentro dele e aperta o cinco e o botão para fechar a porta antes que outra pessoa entre. O elevador sobe se arrastando, mais devagar é impossível, mas finalmente chega ao cinco, as portas se abrem e você sai, tentando olhar em ambas as direções ao mesmo tempo. Estou caminhando à sua direita e viro no final do corredor. Você sai correndo porque não quer que eu desapareça por uma porta sem que você veja por qual foi.

Uma porta bate no segundo em que você chega à curva do corredor. Você vira a esquina correndo e conclui que eu devo ter desaparecido por uma das duas primeiras portas do lado interno. Há portas do lado externo também, mas, se eu tivesse entrado por uma delas, você a teria visto se fechando.

Tudo bem, nesse ponto você tem que fazer uma escolha. Mas agora você se vê diante de um dilema. O significado da sua escolha se torna claro para você cerca de um segundo depois de você se virar e encarar aquelas duas portas, e uma imensa quantidade de coisas depende de sua decisão.

Se você bater na porta do meu quarto, eu a abrirei e o convidarei a entrar para uma longa conversa. Tão longa quanto você o desejar. Você terá feito exatamente o que devia ser feito e sua recompensa é poder me perguntar o que quiser — eu responderei todas as perguntas que você tem feito a si mesmo, todas as perguntas que o afligiram. E, acredite, haverá muitas perguntas — uma vez que você tenha tido tempo de pensar sobre tudo o que fizemos e estamos para fazer, você estará transbordando de perguntas. As respostas que você terá serão as explicações de que precisava, de que realmente esteve faminto por toda a sua vida.

Mas você percebeu um segundo atrás que, se escolher o quarto errado, uma catástrofe pessoal terrível acontecerá com você. Esta percepção apavorante lhe veio do nada — adivinhe, a de que há consequências em tomar a decisão errada, e nesse caso as consequências podem ser realmente horríveis. E o que faz a coisa pior ainda é que a catástrofe não vai acontecer a você pessoalmente, embora ainda assim ela vá ser pessoal, mas a alguém que você ama. Se você tomar a decisão errada, algo terrível vai acontecer a uma pessoa a quem você quer de todo o coração. Pode ser uma deficiência devida a um

derrame cerebral, uma mutilação horrenda por um acidente de carro; pode ser uma morte lenta horrível, com gritos de dor e fezes em todos os lençóis.
Então você tem que fazer a escolha. O quanto você está disposto a apostar? Vamos dizer que você tenha uma intuição sobre qual é a porta certa, uma espécie de instinto visceral. Você pode confiar nesse instinto?
Difícil, não?
Mas essa história acaba quando você abre a porta. Não importa se você conseguiu adivinhar qual é o meu quarto, qual porta eu fechei atrás de mim. Você põe a mão na maçaneta, você bate, está tudo terminado. Fim da história. Ao escolher uma, você escolhe a outra também. Entende por quê? Essas duas consequências estão unidas pelos quadris, são gêmeas siamesas. Mesmo se você escolheu a porta com a dama por trás dela — todas as perguntas respondidas, sua vida solucionada — ainda é verdade que você deu permissão ao tigre para pular. Você deu seu consentimento à catástrofe, você convidou a tragédia e o horror a entrarem. Você teve sorte, só isso.

Mallon disse:
Toda missão secreta requer um bom ladrão.

Mallon disse:
Confie em mim. Quando a maré subir, você estará ao meu lado.

Mallon disse:
Um de vocês habitará o país dos cegos.

Mallon disse:
Acho que você vai se levantar cantando, vai navegar no azul. Cantando uma canção longa e contínua, tão bonita que vai arrebatar todos que a ouvirem.

Mallon disse:
As palavras criam liberdade, também, querido Hootie, e eu acho que as palavras é que vão salvá-lo.

donald olson

Chicago, começo do verão

Esparramado num banco de encosto alto, Don Olson ocupava toda a extremidade mais distante do comprido balcão do Mike Ditka's. Enquanto o braço esquerdo protegia seu drinque, o indicador direito espetava o ar. Permanecia com a cabeça voltada para o barman. O barman o ignorava.

— Aí está ele, o cara de quem te falei. Você leu um livro chamado *Os agentes da escuridão*, não? Oitenta e três, certo? O ano em que saiu? Capa da revista *Time*?

— Boa memória — comentei.

Parado na frente dos dois homens na extremidade, o barman parecia concentrado em passar palitos de aipo por uma corrente de água fria. Isso ia ser ainda mais terrível do que eu temia. Desejei nunca ter falado com o cara. As pessoas nas mesas olhavam para Olson e depois para mim. Os caras ao fundo olhavam direto para frente. Talvez estivessem assistindo televisão antes, mas o que estavam olhando agora, com cautela e apreensão crescentes, era o antigo Dilly-O.

— Eu te fiz uma pergunta, amigo. O nome Lee Harwell significa alguma coisa pra você?

— Senhor — respondeu o barman —, em 1983 eu tinha oito anos.

— Como é passageira essa bagatela que é a fama — disse Olson. — Vem cá e dá um beijo no papai.

Então agora esse cara era o meu papai? O cheiro de suor, de falta de banho e de fumo se intensificaram quando que me aproximei e prendi a respiração ao abraçar meu velho amigo. A barba grisalha e mal aparada cobria a face de Olson. O cheiro ruim era um dos motivos por que todos tinham ido para a outra extremidade do bar. O outro motivo devia ser o que ele dizia ou fazia. Olson me apertou por mais tempo que o normal.

— Cara, deixa eu te pagar um drinque, hein? Não é uma boa ideia?

— Bastante boa — respondi e pedi uma taça de *pinot grigio*.

— *Pinot* para o meu irmão e outra *margarita* aqui. Ei, Lee. — Um tapa no ombro. — Quero que você saiba... Estou realmente grato por isso.

Ele se inclinou para trás, sorrindo.

— Será que devemos pegar uma mesa?

— Vamos — falei, vendo os ombros do *barman* baixarem alguns centímetros.

— Qual você prefere? Aquela? — Olson apontou uma das duas mesas vazias nos fundos do salão.

Eu tentava conciliar o homem desleixado e gasto diante de mim com sua versão de dezoito anos e também com o homem que Jason Boatman me descrevera uma vez no saguão do Pfister. Olson tinha a exata aparência de alguém que tinha acabado de sair da prisão. A bravata de prisioneiro o fazia parecer falso, potencialmente perigoso.

— Aquela está boa. — Senti uma necessidade instintiva de manter Olson apaziguado.

O salão inteiro relaxou quando nos sentamos à mesa do fundo.

Olson estava de frente para a porta, de guarda em relação a alguma coisa que nunca iria acontecer, e os outros clientes voltaram às suas conversas, seus hambúrgueres, suas risadas. Uma garçonete baixinha, de cabelos castanhos e uma beleza extraordinária trouxe nossas bebidas numa bandeja reluzente e as colocou na mesa com uma olhadela para mim e nenhuma para Olson. Ela trazia à memória as rainhas do cinema dos anos 1940 como Rita Hayworth e Greer Garson. Também provocava outra lembrança, mais aguda, mais imediata e carregada de sentimento.

— Este lugar é ótimo, não é? Achei que você fosse gostar.

— Gosto bastante dele.

— Com certeza já esteve aqui.

— Acho que sim.

— Lugares como este são tão comuns na sua experiência que você nem lembra se já esteve aqui? — Os olhos de Olson se movimentaram e por um momento inspecionaram a entrada do bar. Então rapidamente retornaram sua atenção para mim.

— Estive aqui uma vez, Don. Mais ou menos uma semana depois da inauguração. Viemos jantar.

— Eles servem boa comida aqui, não é?

— A comida é boa. É excelente. É ótima.

— Certo, entendi. Ei, posso te oferecer alguma coisa? Um tira-gosto, talvez?

O Ditka's ficava na East Chestnut, a cinco quarteirões ao sul da minha casa na Cedar Street, não tão perto que a chegada de Olson parecesse uma intromissão — exceto por todas as maneiras em que parecia precisamente uma intromissão.

— Vamos dividir um coquetel de camarão. — Nesse momento ele deu outra olhada breve e brusca para a entrada, mas o que temia ou esperava não apareceu.

— Olha, acabei não almoçando — admiti. — E agora são quase quatro horas. Vamos pedir um almoço atrasado ou um jantar adiantado, o que você acha? Por minha conta, por favor, Don. Sei que ultimamente você não tem tido muita sorte.

— Hoje eu estou com sorte. Para falar a verdade, eu poderia comer uma vaca inteira.

— Então escolheu o lugar certo.

Ele acenou para a garçonete e, quando o olhar azul-acinzentado dela o notou, ele fez uma mímica de ler um cardápio.

Ela veio até nossa mesa com dois cardápios grandes e Don Olson, lamentavelmente, segurou-a pelo pulso. — O que tem de bom aqui, amor?

Ela sacudiu a mão e se livrou de Olson.

— O que você sugere?

— Costeleta de porco.

— Costeleta de porco é a especialidade da casa?

— Ela vem com maçãs com canela, pimentas verdes e molho.

— Isso aí pra mim. Me traz primeiro umas lulas fritas. Bem crocantes, pode ser?

Pedi um hambúrguer com queijo roquefort e outra taça de vinho.

— Outra *margarita* também, amor. Com Corona. Você já leu um livro chamado *Os agentes da escuridão*?

— Acho que não.

— Foi este cara que escreveu. Com licença, eu sou Don Olson e esse é meu amigo Lee Harwell. Qual é seu nome? Deve ser tão bonito quanto você.

— Meu nome é Ashleigh, senhor. Com licença, vou fazer seu pedido agora.

— Espere, por favor, Ashleigh. Quero fazer uma pergunta importante pra você. Pense e me dê uma resposta sincera.

— Você tem trinta segundos.

Olson olhou para a entrada, levantou o queixo e fechou os olhos. Levantou a mão direita e apertou o polegar contra o indicador. Era uma paródia de critério cuidadoso, ridícula de se presenciar.

— Uma pessoa tem o direito de transformar as vidas de seus amigos em entretenimento por dinheiro? — Ele abriu os olhos, a mão ainda levantada naquela posição de consumidor de rapé.

— Não é preciso permissão para se escrever um romance.

— Cai fora — disse Olson.

Ashleigh se virou e foi embora.

— Dez anos atrás, essa putinha iria pra casa comigo. Agora ela nem me olha duas vezes. Pelo menos, também não quis olhar pra você.

— Don — falei —, sua atenção não está aqui. Você chegou a porta de entrada talvez umas cinco ou seis vezes desde que nos sentamos. Está com medo de que alguém possa chegar? Há alguém te seguindo? Você obviamente está em guarda.

— Certo, quando você está na cadeia, aprende a ficar de olho na porta. Você se torna um pouco nervoso, um pouco paranoico. Em algumas semanas, eu vou voltar ao normal.

Ele checou rapidamente a entrada de novo.

— Afinal, quando você saiu?

— Peguei um ônibus pra cá hoje de manhã. Sabe quanto eu tenho no bolso? Vinte e dois dólares.

— Don, eu não lhe devo nada. Vamos deixar isso claro.

— Harwell, eu não *acho* que você me deva alguma coisa, podemos deixar *isso* claro? Apenas imaginei que talvez vocês pudessem estar dispostos a me ajudar um pouco, você e sua mulher. Ela sempre foi tão legal, você sempre foi um grande cara, e vocês estão numa situação um milhão de vezes melhor que qualquer outra pessoa que eu conheça.

— Deixa a minha mulher fora disso.

— Ô, cara, essa foi pesada — disse Olson. — Eu adorava a Eel.

— Todos os outros também. O que você quer dizer com te ajudar um pouco?

— Vamos deixar os negócios pra depois do almoço, tá bem? Estou pensando no tempo em que todos nós estávamos por cima, nosso pequeno grupo. E você e a Eel eram "os gêmeos". Porque vocês realmente se pareciam muito, nisso você tem que concordar comigo.

— Prefiro que você pare de chamá-la de "Eel" — falei.

Era como se ele não tivesse ouvido.

— Cara, ela deve ter sido uma das garotas mais incríveis de todos os tempos. — Pela primeira vez desde que estávamos sentados à mesa, Olson pareceu capaz de se afastar de sua obsessão com a porta e participar por inteiro da conversa.

Eu me lembrei de uma coisa que amainou meu súbito ataque de raiva.

— Nos velhos tempos, quando queria implicar com ela, eu a chamava de Escoteiro.

O rosto de Olson se enrugou num sorriso.

— Ela era como a garota daquele filme, sabe...

Descobri que não me lembrava de nada sobre um filme que estava inteiro na minha memória no momento anterior. Ultimamente, esses vazios e apagões mentais pareciam acontecer com frequência crescente. — Aquele, com aquele ator...

— É, ele era um advogado...
— E Escoteiro era por causa da filha dele, Scout...
— Diabos — disse Olson. — Pelo menos você também não consegue se lembrar.
— Eu conheço o filme, mas não me lembro dele — admiti, frustrado, mas não mais de mau humor. Nosso esquecimento comum tinha nos posto no mesmo patamar; e essa prova do envelhecimento de Olson servia, embora paradoxalmente, para trazer de volta o rapaz franco e atraente que Dill havia sido. Cheio de doçura, o passado desabrochou diante de mim.

Ao mesmo tempo, falamos:
— *O sol é para todos*. — Desatamos na risada.
— Preciso perguntar — disse eu. — Você foi acusado de quê?

Durante um segundo, Olson olhou para o teto, deixando ver um pescoço magro e enrugado que parecia um vegetal orgânico incomestível de uma loja de produtos naturais.

— Fui acusado e condenado por cometer crime de atentado violento ao pudor contra uma moça. — disse ele. — A suposta vítima tinha dezoito anos e participava de um programa informal de estudos comigo. Durante dois anos, eu trabalhei com sobrenatural erótico. Comecei com um grupo de dez ou doze, ele encolheu para uns seis, sabe como são essas coisas, e no fim éramos só eu e Melissa. Chegamos a um ponto em que conseguíamos prolongar o ato ao infinito. Infelizmente, ela mencionou a proeza à mãe, que ficou completamente pirada e envolveu a universidade, e o resultado foi que os policiais do departamento de vícios de Bloomington me arrancaram do meu lindo quarto sublocado sem aluguel e me levaram para a delegacia.

Nesse ponto, os olhos de Olson se movimentaram novamente do meu rosto para a entrada.

— Indiana é o estado mais virtuoso da União.

Don Olson retornou para mim, seu velho amigo, e para a conversa, mas dessa vez sem o efeito de trazer de volta à vida uma época perdida.

— Você ficou numa prisão estadual de Indiana? — perguntei.

— No começo fiquei em Terre Haute, depois fui mandado para Lewisberg, Pensilvânia. Depois de seis meses, eles me mandaram para cá, para Illinois. Pekin, a cidade. Eles gostam que a gente fique sem estabilidade.

Mas posso fazer meu trabalho na prisão do mesmo modo que em qualquer outro lugar.

A lula chegou. Começamos a espetar pedaços de lula frita e colocá-los na boca. Don Olson se inclinou para trás na cadeira e gemeu de prazer.

— Deus, comida de verdade novamente. Você não faz ideia.

Eu concordei: eu não fazia ideia. Então perguntei:

— O que você quer dizer com o seu trabalho? O que você podia fazer na cadeia?

— Falar com os outros prisioneiros. Mostrar pra eles outro modo de pensar sobre o que tinham feito e sobre onde estavam. — Olson recomeçou a comer, mas não deixou que isso atrapalhasse suas explicações. Pedaços de lula frita e de massa de vez em quando saíam de sua boca. Suas olhadelas para a entrada pontuavam as frases. — Na verdade, era como assistência social.

— Assistência social.

— Mais a velha mágica do vodu — disse Olson, ondulando os dedos à sua frente. — Sem o barulho da fritura, você não consegue vender o peixe.

Ashleigh voltou e retirou o prato de Olson sem chegar muito perto para não ser puxada. Ao retornar com uma bandeja pequena, mas bem carregada, ela deslizou os pratos na nossa frente com a destreza de um crupiê.

Olson cortou a enorme costeleta de porco e levou um pedaço reluzente à boca.

— Maravilha! — disse e mastigou um pouco. — Cara, esse pessoal sabe cozinhar um porco. — Ele parou de sorrir o tempo suficiente para engolir. — Quando nós todos nos apaixonamos por Spencer Mallon, a Eel estava lá, junto com Hootie e Boats e eu. Por que você não estava, eu nunca entendi. Você ficou de fora, mas deve ter ficado sabendo de tudo.

— Na verdade, não — falei. — Mas isso é uma das razões pelas quais eu pedi que você viesse aqui.

Olson acenou para a garçonete pedindo mais bebidas e aproveitou a oportunidade para olhar a porta de entrada novamente.

— No meu modo de ver, você que se manteve de fora naquela época. Na verdade, pelo que lembro, você ficou meio irritado com o que nós estávamos fazendo.

— Eu não entendia o objetivo de fingir ser estudante universitário. Principalmente Hootie, pelo amor de Deus! E o guru de vocês cheirava a merda para mim. — Durante alguns segundos, observei Olson comer. Depois cortei o hambúrguer gigantesco ao meio e dei uma mordida na meia-lua suculenta. — Mallon jogou uma maldição em todos vocês, incluindo minha mulher.

Os olhos divagadores de Olson se voltaram depressa para meu rosto e lá estava ele de novo, inteiramente presente. Era como ligar uma grande bateria, como observar uma estátua ganhar vida.

— Jesus, você ainda está estranho com relação a isso. Isso ainda te aborrece. — Ele abanou a cabeça, sorrindo. — E você realmente acha que existe diferença entre uma bênção e uma maldição? Eu ficaria espantado se você achasse.

— Por favor — reagi, um pouco surpreso com sua intensidade. — Não me venha com essas merdas do Mallon.

— Chame como quiser — respondeu Olson, concentrando-se então em sua nova *margarita*. — Mas eu diria que o mesmo princípio se aplica a mim. E a Eel.

— O nome dela ainda é Lee Truax.

— Que seja.

Fiz uma pausa para comer o hambúrguer gigante enquanto vigiava Olson. Tentei imaginar até onde ele iria.

— Suponho que a bênção de Mallon seja o motivo pelo qual você foi para a prisão.

— A bênção de Spencer me permitiu fazer exatamente o que eu queria nos últimos quarenta anos, sem contar o tempo da prisão.

Algo me chamou a atenção.

— Pekin é uma prisão federal. — falei. — Como é que um condenado por crime sexual vai parar lá?

— Provavelmente não vai. — Olson sorriu um sorriso torto. Outra olhadela por cima do meu ombro. — Pensando bem, provavelmente não foi Melissa Hopgood que conseguiu me mandar para lá. Vamos dizer que foi um cálculo financeiro errado.

— A Receita Federal? — Fraude no imposto era muito sem graça para o homem que um dia foi o heroico Dill.

Olson fez uma grande encenação para saborear sua porção de costeleta. Eu o vi chegar a uma conclusão um momento antes de engolir.

— O erro foi que o mecanismo que usávamos para fazer dinheiro extra era muito duvidoso.

Ele riu e levantou as mãos, como se dissesse *Ei, você me pegou!*

— Melissa conhecia o garoto. Descobrimos que ele era uma espécie de facilitador importante. De uma família grande e séria. Grandes quantidades de dinheiro entravam no país, muito dinheiro saía. Se eu o ajudasse com uma questão de distribuição, ganharia o bastante para deixar a estrada e me estabelecer em algum lugar. Pensei em talvez escrever um livro. — Ele piscou para mim. — A história da mágica erótica era verdade, por falar nisso, e a Melissa realmente foi contar para a gorda Maggie Hopgood sobre todos os orgasmos que tinha, mas ela falou alguma coisa sobre o esquema de distribuição e foi por isso que os rapazes me levaram embora naquela manhã fria.

— Tráfico de drogas.

— Digamos que meu esquema de ficar rico depressa não deu certo. De agora em diante, eu me limitarei ao trabalho honesto e à bondade dos amigos.

— É aí que entram os negócios de que vamos tratar?

Don Olson pousou o garfo e a faca. Seu prato agora só tinha um osso, um pedaço de cartilagem e manchas marrons.

— Há um minuto você disse que ainda estava curioso em relação a Spencer Mallon e os velhos tempos.

Eu não disse nada.

— Você tentou fazer a Eel lhe contar o que aconteceu naquele dia no campo?

Mantive meu silêncio.

— Isso não me surpreende. É um assunto e tanto. Vocês devem ter passado muito tempo com a polícia.

— Eles estavam interessados no que eu sabia sobre Keith Hayward. Se ele tinha inimigos, coisas desse tipo. Tudo que eu sabia era que minha namorada o detestava. Coisa que eu não estava disposto a dizer.

— Hootie também o detestava.
— Mais tarde, Spencer alguma vez falou sobre Hayward?
Agora foi a vez de Olson deixar a pergunta no ar.
— Pesquisei um pouco e surgiram umas coisas bem interessantes — continuei. — Você se lembra de ter ouvido falar sobre um matador de mulheres por volta de 1960?
— Hayward não poderia ser o matador de mulheres — disse Olson com firmeza. — Ele tinha interesses inteiramente diferentes.
— Não estou dizendo que era ele. Mas ele tinha uma ligação com os assassinatos e tenho a impressão que teve ao menos algum tipo de influência no que aconteceu lá no campo.
— Peça a conta à estonteante srta. Convencida — sugeriu Olson. Ele olhou para cima e fitou o teto durante alguns segundos. — Para me refazer eu preciso de mil dólares. — Ele riu. — Claro, a quantia depende de você.
— No caminho para casa podemos parar num caixa eletrônico. E claro, a quantia depende de mim. — Acenei para a garçonete e fingi escrever no ar. Ela trouxe a conta e eu lhe entreguei o cartão de crédito. Olson se inclinou para trás e cruzou os braços. Não tirava os olhos do meu rosto. Deve ter sido difícil para ele evitar olhar para a entrada. Depois de acrescentar uma gorjeta e destacar o recibo, eu me levantei e olhei para o chão por algum tempo. Olson continuava a me olhar.
Olhei-o nos olhos.
— Eu lhe dou quinhentos.
Olson se levantou sem tirar os olhos dos meus. Com um sorriso irritante de lado, ele se dirigiu à entrada com um andar inclinado e deslizante que insinuava um traço de criminalidade e certo grau subjacente de força física. Parecia uma espécie de repreensão muda. Vários dos clientes ainda presentes mantiveram os olhos em Olson, para se certificar de que ele realmente estava indo embora.
A claridade de Chestnut Street parecia mais leve e menos grave que a atmosfera que tínhamos acabado de deixar.
— O que você fez lá dentro antes de eu chegar? — perguntei.
— Eu os assustei um pouco — disse Olson, rindo da lembrança.
— Percebi.

— Quando minha primeira *margarita* chegou, eu provei um pouco e disse: "Na cadeia a gente pode conseguir qualquer tipo de droga, mas é como se a tequila tivesse sido varrida da face da Terra, o que é muito estranho quando se leva em conta quantos filhos da puta mexicanos estão cumprindo pena". Aí comecei a falar sobre você, mas o estrago já estava feito.

Conduzi meu companheiro para o norte, em direção a Rush Street, e por alguns minutos Olson se manteve calado a inspecionar as pessoas e os espaços entre as pessoas. Ficar na rua, percebi, aumentava sua sensação de ameaça. O costumeiro jogo de avançar e desviar de Chicago tomava as calçadas. Olson não chamou atenção até pararmos num sinal, quando várias pessoas se afastaram por causa do seu cheiro.

— Eu não esperava tanta hostilidade aqui fora na terra dos livros.

— Um banho e uma troca de roupas resolverão isso. Estou espantado que você não consiga sentir seu próprio cheiro.

— No ônibus todo mundo cheirava assim.

Mais dois quarteirões nos levaram ao Oak Bank, e parei em frente do caixa eletrônico. Antes que eu pudesse pegar minha carteira, Olson sussurrou:

— Vamos entrar no saguão do banco, tá bem?

Ele balançava a cabeça como um boneco de mola. Fazer nossa transação na rua aumentava sua ansiedade.

— Não corremos perigo aqui.

— Deve ser bom se sentir assim.

Eu o levei até o saguão e à fileira de caixas eletrônicos. Um rapaz de barba com uma mochila estava digitando números no último caixa à direita e um cara que parecia ter sido um dia jogador universitário de lacrosse — costas largas, cabelo curto, camisa azul engomada, calça de brim com vinco — estava retirando dinheiro numa máquina ao centro. Fui para o caixa que ficava duas máquinas à esquerda do jogador de lacrosse, mas Olson passou na minha frente e, como um cão pastor, me guiou para o último caixa da fila.

— Você não tem noção de quantas maneiras existem de alguém descobrir sua senha só de olhar pra você. Acredite em mim.

Tirei meu cartão da carteira. Olson se postou como um guarda-costas junto ao meu ombro. Aproximei o cartão da abertura do caixa e parei.

— Hummm...

Olson deu um passo atrás e virou o pescoço para me olhar.

Empurrei o cartão para dentro da abertura e imediatamente o retirei. Olson fez questão de olhar para o outro lado enquanto eu digitava a senha.

— Não sei por que eu disse que ia te dar quinhentos dólares.

— Eu te digo por que, se você realmente quer saber.

Enquanto a tela me perguntava o que eu queria fazer, agora que me dava atenção, eu me virei de lado e levantei as sobrancelhas numa pergunta silenciosa.

— Porque eu pedi mil.

Enquanto as notas saíam do caixa, ele inclinou a cabeça, apoiou o cotovelo esquerdo na palma da mão direita e estalou os dedos.

Olson dobrou as notas de vinte e de cinquenta e guardou no bolso da frente do *jeans*.

— As pessoas tendem a agir de determinadas maneiras. Spencer tinha tudo calculado. Você sempre deve pedir o dobro do que realmente quer.

■

Alguns minutos depois, nós dois dobramos a esquina da Cedar Street. Após uma repentina e rápida inspeção do terreno, Olson comentou que eu realmente morava num quarteirão bonito. Para além dos restaurantes margeando a Rush Street, uma fileira de casas geminadas e edifícios residenciais elegantes se estendiam para leste, sob o abrigo de grandes árvores, em direção à imensidão azul brilhante do lago Michigan. Por algum motivo, Olson desceu da calçada e foi se dirigindo a um caminho semicircular de asfalto que descrevia uma curva até a entrada, em vidro, de um prédio alto que, embora de estilo contemporâneo, combinava perfeitamente com a afluência confortável de sua vizinhança. Eu havia passado uma parte significativa de minha vida naquele prédio.

Perguntei a ele aonde ia. Intrigado, ele olhou por cima do ombro.

— Não é ali que você mora? — Apontou para o edifício com o polegar.

— Não. Por que você acha que eu moro ali?

— Algum tipo de instinto, imagino. — Ele me olhou de modo penetrante. — Para dizer a verdade, numa ocasião, eu passei algum tempo naquele edifício. Uma namorada de Mallon nos deixava ficar lá quando ela estava fora da cidade. Mas juro que não foi essa a razão. Tive uma *sensação*...

— Olson levou a mão à testa e me olhou. — Geralmente eu acerto esse tipo de coisa. Não dessa vez, hein?

Balancei a cabeça.

— Eu morei nesse edifício durante doze anos. Saí em 1990. Foi ali que eu escrevi *Os agentes da escuridão* e os três livros seguintes. Eu me pergunto como você...

— Eu não sou um impostor completo — disse Olson, parecendo confuso a respeito de algum ponto central. — Mas, se você se mudou em 1990, por que estamos aqui?

— Eu me mudei para o outro lado da rua, para o número 23. — Apontei para minha casa de quatro andares, de arenito avermelhado, com uma porta vermelha brilhante e duas fileiras de janelas simples e modernas nos andares superiores. Apesar da competição das elegantes casas vizinhas, sempre a considerei a construção mais bonita de Cedar Street.

— Você deve estar bem de vida — comentou Olson. — Em que apartamento você morou lá no prédio?

Lutei contra o impulso de esconder informações dele.

— Nove A. Era um bom apartamento.

— O mesmo apartamento que a garota emprestou para mim e para o Mallon. Nove A, bem no final do corredor.

— Agora você está começando a me assustar. A primeira pessoa que me falou sobre o prédio foi minha mulher. — Peguei minhas chaves enquanto nos dirigíamos para a porta vermelha.

— Por que você está sendo tão generoso comigo? — perguntou Olson, irritado. — Esqueça aquela merda de conseguir metade do que se pediu. Você não tinha que me dar quinhentos dólares e certamente você não tem que me levar pra sua casa. Não estou esperando que você me dê tudo que eu quero.

— Isso é verdade?

— Acabo de sair da prisão, cara, nós realmente nunca fomos amigos muito *muito* próximos, e você vai me deixar entrar nessa casa maravilhosa? — Ele inclinou a cabeça para examinar a fachada de tijolos e as fileiras de janelas reluzentes. — Você e a Eel moram aqui sozinhos? Com esse espaço todo?

— Nós moramos sozinhos.

— Só que agora ela nem está aqui. Não pude evitar; explodi.

— Se você está com medo de entrar, atravesse a Rush Street e se registre na pensão do bairro. — Apontei para o final da rua, do outro lado da avenida movimentada, onde um bar *yuppie* parecia suportar o peso de uma pensão caindo aos pedaços para gente sem teto, identificada por um grande letreiro em neon, no estilo Jetsons em Miami, como Hotel Cedar.

— Não estou com medo da sua *casa* — disse Olson. Isso, pelo que entendi, era quase verdade, mas não literalmente toda a verdade. — E, pode acreditar, eu já fiquei naquele pulgueiro mais vezes do que você imagina. Mas que merda você realmente quer de mim?

Inseri a chave comprida na enorme fechadura, depois abri a porta que dava para o saguão largo com paredes de pau-rosa, um tapete Shiraz e um vaso chinês com copos de leite carnudos.

— Por exemplo — disse eu, lançando a primeira coisa racional que me veio à cabeça — eu gostaria de saber a respeito de Brett Milstrap.

Essa declaração, que eu tinha soltado sem ajuda de nenhum tipo de pensamento ou consideração, me espantou. Se tivesse parado para pensar, eu diria que já tinha esquecido há muito tempo o nome do segundo rapaz de fraternidade que participara do círculo de adoração de Spencer Mallon.

Enfurecido, Olson parou imediatamente antes de atravessar o portal.

— Quando eu deveria ter me encontrado com Brett *Milstrap*? — Incapaz de se controlar, ele olhou para a esquina que havíamos dobrado e relembrou nossos passos: o conflito entre a urgência de fugir para dentro da casa e a relutância em entrar nela o imobilizou no pórtico de cimento. Era enlouquecedor presenciar aquilo.

Sacudindo a cabeça, Don finalmente atravessou meu portal. Por um momento, olhou para a sala de estar, depois para a escada angulosa, tentando se ajustar, supus, à natureza do entorno. A escadaria e o calor brilhante da prata e da madeira polida da sala de estar provavelmente o convidavam e repeliam em igual medida.

— Quantos cômodos você tem nessa casa?

— Doze ou quatorze, dependendo de como se conta.

— Dependendo de como se conta — murmurou Olson, começando a pousar os pés nas tulipas de longos caules entrelaçados tecidas na passadeira central.

— Me diz uma coisa — perguntei do alto das escadas. — Seus encontros com Milstrap foram acidentais ou ele estava procurando você?

— Todo mundo acha que eu tenho todas essas respostas. Que, por sinal, eu não tenho.

A escadaria dava para um mezanino semelhante a um quarto, mobiliado com uma escrivaninha, uma elegante cadeira de couro, flores num vaso retilíneo e estantes ladeando a escadaria em sua subida para o terceiro andar. Um corredor sombrio, ladeado por estantes de livros, conduzia ao interior da casa.

— Se algum dia você estiver em apuros — disse Olson —, faça com que seu advogado consiga prisão domiciliar.

Olson se apoiou no alto do corrimão, apertou os olhos, franziu os lábios. Uma onda de fedor de bode emanava dele como se borrifada através de uma válvula secreta.

— Enquanto você toma um banho, vou lhe arranjar umas roupas. Jogue a roupa que está usando no cesto de roupa suja. Falando nisso, quanto você calça?

Olson olhou para seus tênis gastos cor de lama. — Quarenta e dois. Por quê?

— Acho que hoje é seu dia de sorte — falei

∎

Meia hora depois, um Donald Olson renovado pisou na sala de estar do térreo com a delicadeza de um gato. Percebi que, além de tomar um banho, ele tinha lavado, passado condicionador e um pouco de gel no cabelo, feito a barba, hidratado o rosto e, de várias outras maneiras, melhorado seu cheiro e sua aparência. O resultado era espantoso — Olson parecia ter se transformado numa versão mais nova, mais feliz e mais bonita de si mesmo. Parte desse efeito se devia à roupa, uma camisa azul de botões um pouco grande para ele e uma calça de brim verde franzida na cintura e enrolada na barra. Abaixo da barra da calça surgiam sapatos levemente rústicos, reforçados na ponta, feitos com o que parecia um couro macio como manteiga, de um marrom tão claro que eram quase amarelos. Aparentemente impressionado pelos esplêndidos sapatos, Olson sorriu e apontou para baixo.

— É trabalhado à mão, certo?

— Se fossem selas, acho que você teria razão. Pode ficar com os sapatos.

— Cara, você está dando seus sapatos?

— Meus pés cresceram meio ponto alguns anos atrás. Tenho uma caixa com sapatos antigos, você pode dar uma olhada nela.

Olson se acomodou no sofá e esticou os braços para os lados e as pernas para frente. Parecia um vendedor de mobília. — Que conforto. E meu quarto, cara. Eu não poderia querer nada melhor que aquele quarto. — Com as pernas estendidas, ele levantou os pés e contemplou os magníficos sapatos. — Se eu entrasse numa sapataria de primeira linha, quanto ficaria mais pobre comprando essas belezas? — Pousou os pés no tapete e se inclinou para frente, pronto para se maravilhar.

— Quanto custaram? Realmente eu não me lembro, Don.

— Me diz um valor aproximado.

— Trezentos. — Eu não me lembrava de quanto os sapatos custaram, mas provavelmente tinha sido o dobro disso.

Olson sacudiu um pé no ar. — Não sabia que se pudesse usar tanto dinheiro no pé. — Abaixou o pé e levou um minuto se autoinspecionando: alisou o tecido que cobria as coxas, esticou os braços para olhar as mangas, passou os dedos pela fileira de botões da camisa. — Estou parecendo um cara que tem uma casa de campo e um carro esporte chamativo. Um carro esporte *vintage*, como aquele que a Meredith Bright dirigia! Lembra o carrinho vermelho? Com aquele grande friso cromado dos lados?

— Nunca vi o carro dela — respondi. — Nem nunca vi a Meredith Bright.

— Você realmente perdeu muita coisa, cara. — Ele deu uma gargalhada.

— Meredith Bright não era de se jogar fora. Naquela época, ela parecia ser a garota mais bonita do mundo. Uma garota da maior beleza *possível*.

— Você sabe o que aconteceu com a Meredith Bright? Pode me ajudar a entrar em contato com ela?

— Meredith não acrescentaria muita coisa ao seu projeto.

Eu me aprumei.

— O que ela faz agora?

— Ela é mulher de um senador. Antes disso, foi casada com o diretor geral de uma empresa classificada entre as quinhentas maiores pela revista *Fortune*. Quando se divorciaram, ela tirou trinta milhões de dólares dele, mais uma propriedade em Connecticut, que ela vendeu para comprar outra um pouco maior na Virgínia ou na Carolina do Norte, não lembro bem, no estado de onde é o senador. Ele é republicano. Ela quer que ele seja presidente.

— Não diga!

— E vai conseguir. É como se alguma coisa a tivesse possuído. — Ele olhou para a parede ao seu lado, depois mudou a posição do corpo para olhá-la mais diretamente. As pinturas na parede pareciam tê-lo distraído. Eram pinturas de Eric Fischl e de Davis Salle, que eram jovens pintores na época em que comprei os quadros. Eu não imaginaria que Don Olson ficaria particularmente interessado neles.

— Alguma coisa a possuiu naquele tempo, você quer dizer?

— Sim. Antes de começar sua carreira de sugar a vida de caras ricos, ou o que quer que seja o diabo que ela faz. — Ele se virou no sofá, tentando encontrar um modo de descrever o que acontecera a Meredith Bright. — Sabe como às vezes algumas pessoas têm uma espécie de febre interior, um *clima* interno? Meredith Bright tem o clima de um vampiro. É o melhor que consigo explicar. Ela faz com que se veja a noção de possessão demoníaca de uma maneira inteiramente diferente. E nós amávamos aquela mulher, éramos loucos por ela. Ela é assustadora, cara.

— Imagino que os maridos dela não pensassem assim.

— Senadores milionários e diretores gerais têm critérios diferentes das outras pessoas para escolher uma esposa. Se o embrulho parece realmente alinhado, eles não se importam que ela seja um vampiro zumbi. E essa mulher consegue fingir como uma filha da puta.

— Boatman uma vez me disse que todo o seu grupo se destruiu por causa do que aconteceu naquele campo da agronomia. Para mim, isso parece ser verdade, mesmo que Meredith Bright seja uma espécie de caso especial. Você acha que se destruiu?

— Claro que fui destruído. Olhe a minha vida! Preciso de sua ajuda para me reerguer. Acabei de sair da prisão. Por falar nisso, era Menard. A prisão no filme *O fugitivo*. Instituição Correcional Menard.

Balancei a cabeça, mas não disse nada.

Olson estalou os dedos.

— Aquela garçonete no Ditka's, como era o nome dela? Ashleigh? Sabe quem ela me lembrou? A Eel.

— Sim, eu sei. A mim também. Só que Ashleigh não é tão bonita quanto sua amiga Eel. Você precisa ver como ela está agora.

— Sem querer ofender, mas ela tem a mesma idade que nós.

— Espere aí — falei e saí da sala, com um gesto que para um cachorro significaria que ele ia ganhar uma recompensa se ficasse sentado. Alguns minutos depois, voltei com uma fotografia em preto e branco numa moldura simples com um suporte no verso. Entreguei-a a Olson. — Essa foto foi tirada há um ano. Eu te mostraria mais fotos, mas minha mulher detesta ser fotografada.

— Assim mesmo, Lee, sem querer ofender, mas... — Olson estava apoiado no encosto do sofá e segurava a fotografia com as duas mãos. — Espera. — Ele se endireitou, colocou a fotografia nos joelhos e se inclinou para examiná-la. — Espera aí um segundo.

Olson balançava a cabeça e sorria. — Aqui está essa mulherzinha de cabelos grisalhos mas... parece que isso se esgueira até a gente, não é? Ela é surpreendente. Essa beleza, de onde vem?

— Às vezes em restaurantes, ou em aviões, vejo uns caras olhando para ela como se perguntassem a si mesmos "Como isso aconteceu?" Garçons se apaixonam por ela. Policiais se apaixonam por ela. Taxistas se apaixonam por ela. Carregadores de bagagem. Porteiros. Guardas de trânsito.

— Ela é realmente... belíssima. Depois que se percebe, não se deixa de ver novamente. Ainda se parece com *ela*. O cabelo grisalho não atrapalha... tem algumas rugas no rosto, mas não têm importância. Ela ainda tem a aparência da Eel, só que desabrochou nessa mulher surpreendente.

Olson ainda estava olhando a fotografia de Lee Truax, a antiga Eel, seu rosto luminoso voltado para cima para absorver ou irradiar a luz do sol aparentemente produzida internamente. — De qualquer modo, sua mulher sai e anda por aí, eu suponho? Ela viaja muito? Isso funciona bem?

— Você está me perguntando sobre outra coisa agora, Don?

— Bem, ela não é... ela é cega?

— Cega como um morcego — admiti. — Há anos. Isso na verdade nunca diminuiu suas atividades. Nem a atrapalha muito. Se ela precisar de ajuda, sempre há um taxista, ou porteiro, ou guarda para a ajudar. Ela poderia mobilizar uma dúzia de voluntários apenas levantando aquela bengala que está encostada na poltrona. Ela a chama de seu fuso.

Olson estremeceu.

— Verdade?

— É. Por quê?

— Um fuso deveria ser uma coisa inofensiva em que se enrola lã, mas... Deixa pra lá. Agora, eu sei, só se refere a coisas relacionadas às mulheres. Você sabe disso.

— Claro. Tenho certeza de que é uma referência a alguma coisa que ela viu lá naquele campo. Foi por isso que ela ficou cega, você sabe, devido a alguma coisa que ela viu. Ou devido a *tudo* que ela viu. A cegueira veio gradualmente. Durante um período de cerca de dez anos, aproximadamente entre 1980 e 1990. Ela disse que a cegueira foi generosa com ela, levando tanto tempo para se tornar total.

— *Eu* vi um fuso — disse Don, um tanto relutante. — Naquele dia. Por um segundo apenas. Ele se levantou do sofá e foi até as janelas da frente da casa. Com as mãos nos bolsos da calça, inclinou-se e olhou para Cedar Street. — Você tem alguma coisa pra beber? Já se passou muito tempo desde o almoço.

— Vem comigo — disse e o levei de volta à cozinha. Na última fileira de armários reluzentes, abaixo da geladeira e logo acima da adega climatizada com porta de vidro, o armário de bebidas continha dúzias de garrafas arrumadas em filas.

— E um feliz Natal pra você também — disse Olson. — Será que estou vendo uma tequila chique lá atrás?

Servi-lhe uma tequila suculenta, semelhante a conhaque, e me servi de uma cerveja. Passava um pouco das seis, uma hora mais cedo do que eu normalmente me permito beber álcool. Num nível não inteiramente consciente, supus que Don Olson ficaria mais disponível se bebesse um pouco de tequila.

Levamos nossas bebidas para a mesa da cozinha e nos sentamos frente a frente, como eu e minha mulher normalmente fazíamos. Olson tomou um gole de tequila, bochechou, engoliu, estalou os lábios de modo apreciativo e disse:

— Ei, não é que eu queira ser ingrato, mas me sinto um impostor com essa roupa, cara. Camisas azuis de botões e calças de brim podem ficar muito bem em você, Lee, mas meu estilo pessoal é um pouco mais... alternativo, imagino que possa se chamar assim.

— Você quer roupas novas.

— Basicamente é o que quero dizer.

— Poderíamos ir a algumas lojas na Michigan Avenue. Não há motivo para você se sentir desconfortável.

— Cara, você é um santo. Não me surpreende que a Eel tenha se casado com você.

Deixei passar, embora fosse muito irritante.

■

Continuamos a conversar e mais tarde fomos fazer compras. Comemos um jantar simples de peixe e massas e conversamos mais um pouco, e eu tive o estranho pensamento de que estava me tornando mais amigo do antigo Dilly do que fora nos anos em que nos víamos todos os dias.

A partida súbita de Olson na noite de 16 de outubro de 1966 tinha sido vivenciada como uma ferida, ainda mais dolorosa por ser tão absoluta. Aparentemente, tinha havido algo sobre uma maré alta, mas minha suposição fora de que essa previsão vaga se aplicasse a Boats. Inesperadamente, Boats havia sido deixado para trás, cambaleando com o choque e a perda, como o restante dos sobreviventes. Segundo três testemunhas oculares, Meredith Bright tinha saltado como uma lebre através dos fragmentos de névoa amarelo-laranja que pairavam sobre o campo, voltando rapidamente para a segurança do que supúnhamos ser sua vida privilegiada. Ao menos seu desaparecimento fazia algum tipo de sentido. Hootie era outra questão.

Howard Bly, um filho de West Madison como nós, tinha desaparecido num mundo assustadora e completamente desconhecido, terrível de contemplar.

Essa história, e mais, constituiu a substância da conversa interminável entre mim e Donald Olson, que se prolongou por dias em Cedar Street. Eu sabia perfeitamente que nada me impedia de desaparecer dentro do meu escritório cinco ou seis horas por dia e que eu estava fazendo uma pausa deliberada no trabalho (coisa que minha mulher raramente tinha conseguido que eu fizesse); no entanto, pude me convencer de que passar esse tempo com Olson correspondia a um tipo de pesquisa. E, de certa maneira, era como se minha mulher tivesse me dado licença para bisbilhotar o único cômodo trancado do nosso casamento — pelo menos o único de que eu tinha conhecimento.

Na quarta noite de sua estadia, Don Olson forneceu uma confirmação surpreendente à convicção de minha mulher de que Keith Hayward era um personagem perigoso. O que Don falou sobre Hayward também apoiava a teoria do detetive Cooper de que o rapaz assassinado estava ligado ao vilão de Milwaukee conhecido como o Matador de Mulheres.

— Hootie e sua mulher costumavam dizer a Spencer que Hayward era pior do que ele imaginava, o que era bem engraçado, porque como eles sabiam *o que* ele pensava? Além disso, os dois se guiavam apenas por impressões e intuições.

— Mas você tinha algum tipo de prova? — perguntei.

— Bem, não era prova, mas me pareceu maluco o bastante para me deixar assombrado.

— O que foi?

— Um lugar, um lugar especial que Hayward arrumou. Eu entrei numa manifestação contra a guerra atrás da biblioteca e o vi vagando por lá, tentando pegar garotas. Ele não estava conseguindo nada, vamos dizer assim. Todas as garotas que ele abordava o dispensavam. Depois de tentar quatro ou cinco vezes, ele ficou puto. Só isso já diz muito sobre o cara, não é? Ele não ficou deprimido nem infeliz; ficou furioso.

— As garotas se recusaram a fazer o que ele queria.

— Isso aí. E ele se *transformou*: o rosto ficou contraído e os olhos encolheram. Então olhou em volta para ver se alguém o estava observando. Não me viu, graças a Deus, porque eu tinha ficado num lugar bem discreto. Pude perceber que ele tinha algum segredo. Então, quando ele se dirigiu à State Street, eu o segui.

"O cara foi direto para a Henry Street, onde virou à esquerda, passou depressa pelo Plaza Bar e entrou num terreno baldio que tinha, ao fundo, três galpões velhos, parecendo pequenas garagens. Assim que ele pisou no terreno baldio, tirou um enorme molho de chaves do bolso e entrou no último galpão. Mesmo de longe eu consegui ouvir quando ele bateu e trancou a porta. Então esperei uns segundos e atravessei o terreno para olhar pelas janelinhas da porta."

Eu tinha algumas ideias sobre a noção de diversão de Hayward, mas perguntei:

— O que ele estava fazendo?

— Falando com uma faca, era isso que ele estava fazendo — disse Don. — E cantando para ela. *Cantando*. Ele estava de pé na frente de uma mesa, segurando essa faca grande, meio que a acariciando, e então a colocou de novo sobre a mesa. Aquilo me pareceu arrepiante demais. Quem canta para uma faca? Num galpão trancado?

— Hayward era um cara perturbado, sem dúvida. Eu tenho examinado alguns... Não, eu ainda não posso falar sobre isso.

— Ei, chefe, isso é com você. — Don afundou na cadeira e empurrou seu prato para o lado. Tínhamos nos demorado diante da peça irregular de pedra cinza escuro que servia de mesa da cozinha. — Está muito tarde para uma bebida?

— Você sabe onde estão as garrafas.

Olson deslizou de sua cadeira e começou a andar em direção ao armário de bebidas.

— Diabos — falei. — Pega outra cerveja na geladeira pra mim, por favor. — Eu sentia um peso subjacente arrastando minha voz.

— Aqui está.

Olson me estendeu uma cerveja e se sentou novamente. Sua história o havia excitado e seria detestável ter que ir para cama; há apenas poucos dias fora da prisão, Donald Olson estava de roupas novas e sua mão segurava um copo com a melhor tequila que ele já provara.

— Como está a Eel?

— Como assim?

— A conferência vai bem? Ou seja lá o que for?
— Vai bem, sim. Na verdade, ela me disse que vai ficar em Washington mais uma semana. Ela tem muita coisa para fazer lá.
— Ela sabe que eu estou aqui?
— Sabe. Você pode ficar mais um tempo, se quiser. Há umas ideias que eu quero explorar, algumas coisas que gostaria de sugerir.
— Certo. E tenho boas notícias que estava guardando. De agora em diante, não preciso mais viver às suas custas.
— Conseguiu arranjar dinheiro? Como fez isso?
— Pedi uns favores. Talvez você possa me ajudar a abrir uma nova conta no banco, conseguir um talão de cheques, coisas assim.
— A que quantia você se refere?
— Se você realmente quer saber, cinco paus.
— Você levantou cinco mil dólares só com uns telefonemas?
— Na verdade, um pouco mais. Se você quiser, posso pagar os seus quinhentos.
— Talvez mais tarde — respondi, ainda espantado. — Nesse meio tempo, vamos ao banco amanhã depositar esse dinheiro.

■

Na manhã seguinte, fui com Olson ao Oak Bank e usei meu longo relacionamento com seus gerentes para facilitar o processo de abrir uma conta corrente no valor de 5.500 dólares para meu hóspede. Três cheques distintos tinham sido feitos por pessoas de quem eu nunca ouvira falar: Arthur Steadman (1.000 dólares), Felicity Chan (1.500 dólares) e Meredith Walsh (2.500 dólares). Olson terminou conseguindo um talão de cheques temporário e quinhentos dólares em dinheiro. Quando me recusei a receber qualquer quantia, Don enfiou metade da dívida no bolso interno do meu casaco.

Pensei que Olson fosse passar cheques até eles começarem a ser devolvidos. A operadora do cartão de crédito ficaria no prejuízo porque Don consideraria o cartão como nada mais que um tipo de dinheiro instantaneamente disponível. Para estabelecer crédito, pagaria a fatura do primeiro mês. Depois disso, tudo seria incerto.

Sentindo-me como a parteira de uma carreira criminosa, aceitei a oferta de Don de me pagar o almoço no Big Bowl, o restaurante chinês perto da esquina de Cedar e Rush. Depois de pedirmos, Olson me surpreendeu. — Você vai me pedir para ir a Madison e visitar Hootie Bly com você, não vai? Os pauzinhos quase pularam da minha mão.

— Deixe-me fazer uma proposta melhor. Você gostaria de conversar com Meredith Bright? Meredith Bingham Walsh, que é como ela se chama agora.

— Como assim?

— Se você estiver interessado, provavelmente posso conseguir que você se encontre com Meredith. Hootie não vai dizer nada que tenha sentido, mas a sra. Walsh pode fornecer alguma coisa útil. Não sei, só estou supondo.

— A vampira casada com o senador? Como você vai conseguir isso?

— É uma longa história — respondeu Don. — Acho que eu a divirto. Ela me mandou um daqueles cheques. — Ele me observou enquanto cortava pela metade uma massinha da sopa e tirava uma das metades da tigela. — Imagino que você esteja realmente *decidido* a descobrir o que aconteceu lá no campo. Parece que você acha que todos nós vimos a mesma coisa, que todos tivemos a mesma experiência. Não é isso que você acha?

— Sim, eu achava. Antes. Mas não acho mais.

— O que fez você mudar de ideia?

— Há alguns anos eu encontrei Boats na calçada do hotel Pfister. Isso foi antes de eu me interessar pelo Matador de Mulheres. — Uma lembrança extremamente específica me ocorreu. — Ele estava carregando uma mala. "*Ah-ha*, eu disse para mim mesmo, *ele ainda está fazendo a mesma coisa*". Aquela mala provavelmente estava cheia de dinheiro e joias de outras pessoas. Mais o que ele teve vontade de roubar.

— Você tem que reconhecer — observou Don. — O cara tem ética profissional.

— De certo ponto de vista, suponho. De qualquer modo, nos reconhecemos e ele quis conversar, então entramos no hotel e nos sentamos no bar do saguão. O que tem umas mesas grandes e todas aquelas escadarias. Achei que ele ficaria nervoso, mas ele disse que, na verdade, era um lugar muito seguro para ele passar uma meia hora.

Olson riu e comentou:

— Boa ideia.

— Então estávamos sentados ali, conversando como dois caras normais, e eu me dei conta de que ele poderia me contar alguma coisa sobre aquele dia. Naquela época, ele mal me olhava nos corredores. Hootie estava fora de circulação. Lee se recusava a falar qualquer coisa. E você estava sabe Deus onde.

— No final da rua, pelo menos durante um tempo.

— De qualquer forma, quando estávamos no bar do Pfister, eu toquei no assunto. "Você não conversou sobre isso com sua mulher?" ele perguntou e eu respondi "Bem que tentei". "Não conseguiu nada, hein?" ele disse. Então falou que já havia passado muito tempo e que poderia me contar alguma coisa. "Mas foi horrível", acrescentou. E disse ainda que você era a única pessoa com quem ele havia falado disso.

— Há quatro ou cinco anos, em Madison — confirmou Olson. Ele tem um esconderijo lá, um quartinho miserável perto do estádio, e esperou que eu passasse pela cidade. Nós nos encontramos depois de uma das minhas reuniões iniciais com estudantes, como aquela que você não quis ir no La Bella Capri. Ele estava abalado, não conseguia tirar aquilo da cabeça. Aquela cena.

— Uma torre de crianças mortas, ele disse. Com os bracinhos e as perninhas para fora.

— E algumas cabeças também. Ele chorou quando vocês conversaram?

— Ele chorou com você também?

Olson fez que sim com a cabeça.

— Foi quando ele tentou me contar que a maioria das crianças mortas estavam dobradas ao meio. "Como *tacos mexicanos*" ele explicou. E, depois disso, não conseguiu se conter mais.

— Impressionante. Foi exatamente o que aconteceu comigo. "Como tacos" e pronto, ele começou a chorar, a tremer e não conseguiu dizer uma palavra durante uns cinco minutos, só ficou fazendo gestos com as mãos como que pedindo desculpas.

— Coisa horrível de se ver — disse Don. — Mas ele não viu muito mais.

— Não. Só uma grande torre formada por crianças mortas. E muita luz vermelha alaranjada que cegava, luz da cor de Ki-Suco, vinda de todos os lados.

— Fui eu que disse isso a ele! Ele é tão ladrão que rouba as palavras dos outros. De qualquer modo, aquela luz era realmente insuportável. Jorrava como se saísse de alguma rachadura no mundo. Um dos piores cheiros que eu já senti. Tenho certeza de que todos nós tivemos essa experiência. Infelizmente para você, eu não vi quase nada. Mas tinha uma coisa.

— O quê?

— Bem, duas coisas, na verdade. A primeira era um cachorro, em pé num quartinho onde tinha uma escrivaninha de tampo corrediço. Ele estava de terno marrom escuro, sapatos de duas cores e gravata borboleta. Sabe como os caras de gravata borboleta às vezes nos lançam um olhar como se a gente tivesse peidado e eles estivessem esperando que a gente saísse antes de terem que nos pedir pra sair? Com pena e desprezo. Era assim que o cachorro me olhava.

— Ah, aquele pôster — falei.

— Não, não aquele pôster que o pai da Eel deu pra ela. Ele não se parecia nem um pouco com aqueles cachorros. Ele não era bonitinho de maneira nenhuma. Aquele cara estava chateado por me ver e queria que eu fosse embora.

— Mas tinha outra coisa também.

— Meu Deus, tenha um pouco de paciência! Vou chegar lá. Mallon me agarrou pelo cotovelo e me puxou pra longe, mas, antes de ele puxar meu braço, eu vi que o cachorro estava tentando esconder alguma coisa de mim. Coisas que eu não devia ver. Essas coisas pareciam homens, mas eram claras, quase reluzentes, como se fossem feitas de mercúrio ou coisa parecida. E elas me apavoraram. Uma delas era uma mulher, não um homem, uma mulher que parecia uma rainha, e tinha uma vara na mão, e eu sabia que a vara se chamava fuso. Como eu sabia disso, não tenho ideia, mas era assim que a coisa se chamava. Aquilo me aterrorizou. Não, me *horrorizou*, me encheu de *horror*. Se Spencer não tivesse me puxado pro lado, eu nunca teria sido capaz de me mexer.

— Você contou isso ao Boats?

— Sim. Ele estava muito mais interessado nas crianças mortas dele. Ele me perguntou se eu achava que podia ser real. Eu respondi: "Provavelmente era real em algum lugar, Jason".

Naquela noite demos vários telefonemas necessários e depois fizemos reservas no Concourse Hotel. Na manhã seguinte, pegamos o carro e fizemos 240km para o norte, em direção a Madison. Seguimos 225km pela I-90 Oeste, durante a maior parte do tempo uma estrada com pouco que a recomendasse a não ser a simplicidade e facilidade de utilização. Surgiam saídas para vilas e cidades pequenas, placas de quilometragem e letreiros, mas não as próprias cidades, nem os restaurantes, motéis e atrações de beira de estrada anunciadas nos letreiros. Da estrada nada era visível, exceto umas poucas casas de fazendas e menor quantidade ainda de morros que pontuavam uma ampla e plana paisagem de campos e árvores. Por longos trechos, três ou quatro carros amontoados, seguindo uns 50m à nossa frente, eram os únicos veículos à vista.

Don Olson disse:

— Reduza a velocidade, cara. Você está me deixando com medo.

O velocímetro mostrou que eu estava dirigindo a 140km por hora.

— Desculpe. — Tirei o pé do acelerador. — Nem me dei conta.

Olson acariciou o alto do painel com a mão ossuda.

— Cara, tudo que você tem é bonito, não? Eu não tenho nada. Mas tudo bem. Se eu tivesse as coisas que você tem, ficaria bastante preocupado em protegê-las.

— Depois de um tempo, você se acostumaria.

— Que velocidade esta belezura alcança?

— Uma noite, lá pelas duas da madrugada, eu estava sozinho numa estrada. Completamente fora de mim. Fiz o carro chegar a mais de duzentos por hora. Então fiquei com medo. Foi a última vez que fiz uma coisa dessas.

— Você chegou a duzentos por hora quando estava bêbado às duas da manhã?

— Estupidez, eu sei.

— Também me parece uma coisa muito, muito triste, cara.

— Bem — disse e não falei mais nada.

— Spencer costumava dizer que todo mundo procura a felicidade quando deveria procurar a alegria.

— A gente tem que conquistar a alegria — falei.
— Eu já tive alegria. Há muito tempo. — Olson riu. — Spencer me contou que a única vez que ele experimentou alegria absoluta foi no campo, imediatamente antes de tudo explodir.

Olson ainda estava sentado de lado, virado para mim, com uma perna sobre o assento, quase sorrindo.

— Isso é completamente inesperado, eu sei.
— Certo — disse Olson.
— Você alguma vez dormiu com a Lee quando nós estávamos no colégio?
— Com a Eel? — Rindo, Olson levantou a mão direita, com a palma para frente, como se estivesse fazendo um juramento. — Não, por Deus. Eu e Boats e Hootie estávamos completamente apaixonados por Meredith Bright. Dá um tempo, cara. Eu tinha que ser um rato para correr atrás da namorada de outro cara. Eu tinha mais princípios que isso. De qualquer forma, eu sempre achei que você e a Eel transassem quase todo dia.

Devo ter deixado transparecer espanto.

— Eu achava que ninguém soubesse disso.
— Eu não *sabia*... mas com certeza tinha a sensação de que isso acontecia, você sabe.
— Nós nos esforçávamos tanto...
— Funcionou, cara. Ninguém na escola sabia que você e a Eel transavam mais que nós todos somados, professores inclusive.

Isso provavelmente era verdade, pensei. Lee Truax e eu tínhamos progredido até uma relação sexual de verdade na quarta (ou, segundo ela, na quinta) vez em que ficamos juntos — encontros muito informais para serem chamados de namoro. Numa festa no primeiro ano secundário, nós, então já há tempos um casal informal, fomos até um quarto vazio e continuamos nossa história de beijos, toques, desnudamentos parciais e revelações até a conclusão natural. Fomos espantosamente, surpreendentemente felizes. Nossas primeiras experiências sexuais foram quase totalmente prazerosas. Em semanas, a mútua descoberta de seu clitóris levou Lee ao primeiro orgasmo. (Mais tarde nos referíamos a esse dia, 25 de outubro, como "o 4 de julho, por causa dos fogos"). E nós sabíamos desde o começo que a sobrevivência desse milagre dependia de silêncio e segredo.

Às vezes, como nossa vida erótica retrocedeu no decurso de nosso longo casamento, eu me permiti especular se minha mulher, que estava sempre viajando para longe, poderia ter tido alguns amantes. Eu a perdoava pela dor que essa possibilidade me causava, pois sabia que eu, e não ela, tinha infligido a maior parte dos danos pesados ao nosso casamento. Quando tínhamos vinte e poucos anos, Lee tinha me abandonado misteriosamente, exigindo "espaço" e "um tempo sozinha". Dois meses depois ela reapareceu, sem explicar onde estivera e o que fizera. Disse que me amava e precisava de mim. Eel tinha me *escolhido* novamente.

E então... dez anos depois, minha infidelidade prolongada, periódica, com a moça brilhante que tinha agenciado *Os agentes da escuridão*, e desse modo, mudado permanentemente a minha vida, tinha, eu achava então, destruído o meu casamento. Aquilo, aquilo fora a causa. O caso durou demais; ou nunca deveria ter acabado. Talvez eu devesse ter me divorciado de Lee e me casado com a agente. No meu mundo, tais recombinações aconteciam o tempo todo: os homens estavam sempre deixando suas mulheres e fazendo trocas, depois se divorciando e trocando novamente de mulheres — editores, escritores, publicitários, executivos de editoras, pessoal de direitos autorais estrangeiros, agentes, todos em perpétuo rondó. Mas fui muito teimoso e não abandonei minha mulher. Como eu podia consertar a traição que já tinha cometido? Aquele único ato nos transformaria em clichês — uma mulher abandonada, um homem recentemente bem-sucedido que havia largado sua esposa de muitos anos por uma mulher mais nova e sensual que o ajudara em seu sucesso. Era impossível que nos transformássemos em tais caricaturas.

No entanto, a essência de nosso casamento fora quebrada.

Ou, talvez, pensei, fosse esta a essência de nosso casamento: que tínhamos passado por tantas dores, não só então como em outras ocasiões também, e conseguimos ficar juntos e nos amar de um modo mais firme e mais profundo.

Nos piores períodos, no entanto, eu me perguntava se nosso casamento não fora rompido desde o começo, ou perto do começo, provavelmente por volta da época em que eu me fingia de intelectual e Lee Truax trabalhava num bar no East Village. Bem, não; isto estava fora de questão. Uma das razões pelas quais eu tinha carinho por Lee Truax era ela ter ficado comigo, ter permanecido aqui.

Madison e Milwaukee

— Apesar de tudo, sempre é bom voltar a Madison — disse Olson. — Faz trinta anos que eu não venho aqui — falei. — Mas a Lee tem vindo. Algumas vezes. Aparentemente, Madison mudou muito. Restaurantes bons de verdade, um clube de jazz, essas coisas.

No cruzamento de Wisconsin com West Dayton Street, parei num sinal vermelho e sinalizei para virar. Lá embaixo, na West Dayton Street, achei que podia distinguir a entrada do hotel e de sua garagem.

O sinal ficou verde. Virei o grande automóvel e me dirigi para a entrada da garagem do hotel.

— Ei, será que eu trouxe o livro que autografei para o Hootie?

— Você não percebe como é chato perguntar a mesma coisa o tempo todo?

— Eu já perguntei isso?

— Duas vezes — respondeu Olson. — Você deve estar ainda mais nervoso do que eu.

■

Depois de nos registrarmos no hotel, irmos para nossos quartos no décimo quarto andar e desfazermos as malas, telefonei para o Hospital Lamont e falei com o psiquiatra com quem eu conversara de manhã. O dr. Greengrass disse que as coisas ainda pareciam estar bem.

— Tudo que posso pedir é que vocês mantenham o equilíbrio e tudo deve correr bem — falou ele. — É notável como Howard tem demonstrado um bom progresso nos últimos oito ou nove meses. Apesar de todos esses anos em que ele está em nossa comunidade, eu quase poderia dizer... Naturalmente, com toda a família morta e sem amigos fora daqui a não ser o senhor e o Sr. Olson, a situação dele não é passível de tanta mudança, não?

Embora não tivesse muita certeza do que o médico estava falando, eu concordei.

— Ele tem tido progresso? — perguntei.

Sua risada me surpreendeu.

— Na maior parte do tempo em que esteve na nossa instituição, Howard tem tido fontes de linguagem muito específicas. Eu não estava aqui naquele tempo, mas pelas anotações sobre o caso feitas logo depois de sua admissão, em 1966, parece que todo o seu vocabulário provém de algum dicionário extraordinário.

— Do capitão Fountain. Meu Deus. Quase tinha me esquecido disso.

— Como você pode avaliar, a decisão de se limitar a um vocabulário particularmente obscuro representava um meio de controlar o terror que o trouxe até nós. Seus pais acharam que tinham que confiá-lo à supervisão médica. Pelo que entendo, eles tiveram a decisão correta. A maioria das pessoas que trabalhava aqui, médicos e atendentes, não fazia ideia do que ele dizia em noventa por cento das vezes. A isso precisamos acrescentar que, para evitar que ele fosse um risco para si próprio e para os outros pacientes, o sr. Bly tinha que ser medicado pesadamente. Estamos falando sobre o período entre seu ingresso, em 1966, até 1983, aproximadamente. Nessa ocasião, o médico encarregado de seu caso julgou que ele estava em condições de ter uma redução na medicação, que, de qualquer modo, tinha se tornado muito mais sofisticada. Os resultados foram muito gratificantes.

— Ele começou a falar? A usar um vocabulário padrão? — Por várias razões, isso teria sido uma notícia extraordinariamente boa.

— Não exatamente. Depois do ajuste na medicação, o sr. Bly começou a falar com sentenças e parágrafos belamente construídos, pedaços de diálogo, e coisas assim. Finalmente descobrimos que quase tudo que ele dizia constava do romance *A letra escarlate*, de Hawthorne. O capitão Fountain fornecia o restante.

— Ele costumava citar trechos de *A letra escarlate* no secundário — disse eu.

— Ele se lembra de tudo que lê?

— Sim. Acho que se lembra.

— Pergunto porque parece que ele acrescentou um livro que acabou de ler. Estava numa mesa da sala de jogos. Uma espécie de romance, ou talvez o que seja chamado de romance gótico. *Os sonhadores da lua*, acho. De L. Shelby Austin.

— Nunca ouvi falar — disse eu.

— Nem eu tinha ouvido falar, mas teve um efeito excelente no seu amigo. Howard se tornou muito mais expressivo.

— Ele sabe que vamos visitá-lo?

— Ah, sim. Ele está muito animado. Muito nervoso também. Afinal, Howard passou trinta e um anos sem visitas. Hoje de manhã, ele ficou horas resolvendo que roupa ia usar para receber vocês. E ele não tem um guarda-roupa assim tão extenso! Quando perguntei como se sentia, ele respondeu: "Anabiótico".

— O capitão.

— Felizmente, quando Howard foi internado, a mãe colocou o exemplar do livro do capitão Fountain junto com seus pertences. Ela achou que poderia ser útil. Seria pouco dizer que o consideramos útil. Durante muito tempo, o livro foi o único meio que tivemos para entender Howard. Ao longo dos anos, o livro sumia de vez em quando, mas sempre reaparecia. Eu o guardo em minha escrivaninha agora, para que não se perca. Você conhece a palavra "anabiótico"?

— Nunca a ouvi.

— É um adjetivo, claro, e ao que me lembre, significa "que se pensa estar morto, mas passível de ser trazido de volta à vida". A visita de vocês significa muito para Howard.

■

Por não ter familiaridade com enfermarias psiquiátricas, eu estava imaginando alguma construção de pedra em estilo gótico saída de um filme da Hammer, a produtora, e, quando a robusta fachada de tijolos do Hospital

Lamont apareceu no final de um acesso cheio de curvas, minha primeira reação foi de alívio. Com quatro andares e confortavelmente largo, o edifício sugeria calor, competência e segurança. Fileiras de belas janelas com vãos ornamentais davam para uma ampla extensão de parque atravessado por caminhos e com bancos de ferro fundido pintados de verde. — Será que esse lugar é tão agradável por dentro como é por fora? — perguntei.

— Não tenha muita expectativa — disse Olson.

Dentro, um lance curto de degraus de mármore levava a um corredor bem iluminado onde se enfileiravam vidraças translúcidas, com textura sugerindo seixos, fixadas em sólidas portas pretas. Eu estava esperando uma mesa e uma recepcionista e dei uma volta, lendo os letreiros em preto, escritos à mão, nas vidraças. CONTABILIDADE. SERVIÇOS. REGISTROS.

Parecendo emudecido pelo ambiente institucional, Don Olson olhou para mim e apontou para a porta onde estava escrito ADMISSÃO E RECEPÇÃO.

— Obrigado — falei, para quebrar o silêncio.

Não estando disposto a tomar a frente, Olson inclinou a cabeça em direção à porta.

Lá dentro, quatro cadeiras de plástico encostadas a uma parede azul clara estavam viradas para um balcão branco e comprido sobre o qual havia papel preso a pranchetas com esferográficas mal amarradas em barbantes. Uma mulher gorda de franja e óculos de lentes grossas nos olhou de uma mesa atrás do balcão. Antes que eu chegasse até onde estava, ela se virou para falar alguma coisa com uma mulher bonitinha, de feições afiladas, originária do sul da Ásia, do Ceilão ou da Índia, que prontamente se levantou e desapareceu por uma porta no fundo do escritório. Ao lado da porta havia uma grande fotografia emoldurada de um estábulo vermelho num campo amarelo. O estábulo parecia não ser usado havia muito tempo.

— Vocês estão procurando o dr. Greengrass, ou um de vocês é nosso novo paciente? — perguntou ela, dando uma olhada rápida para Don Olson.

— Estamos aqui para falar com o dr. Greengrass — disse eu.

— E vocês estão aqui por causa do sr. Bly. Howard.

— Isso mesmo — disse eu, maravilhado com a quantidade de informações que o dr. Greengrass compartilhava com sua equipe.

Ela ficou radiante.

— Todos nós amamos o Howard. — A moça asiática bonitinha voltou pela porta com um arquivo grosso de papel pardo nas mãos. — Pargeeta, nós todos não amamos o Howard?

Pargeeta me lançou um olhar questionador.

— Ah, somos todos loucos pelo cara. — Ela se sentou e olhou para o seu monitor, excluindo todo mundo.

Sem se desencorajar, sua companheira estendeu a mão e empurrou uma das pranchetas para mim.

— Enquanto eu aviso o dr. Greengrass que vocês estão aqui, por favor preencham e assinem estes termos de responsabilidade. O Howard está tão animado com a visita de vocês! Ele não conseguia resolver que roupa usar; era uma questão tão importante para ele! Emprestei uma camisa do meu marido, que ficou perfeita. Não deixem de elogiar a camisa dele.

Eu assinei o formulário sem ler e passei a prancheta para Don Olson, que virou uma nova página e fez a mesma coisa.

— Agora, por favor, sentem-se que eu vou chamar o doutor.

Nós nos sentamos e a observamos fazer a chamada. Pargeeta franziu a testa para o seu monitor e apertou algumas teclas.

— Vocês pertencem à família estendida de Howard? — perguntou a mulher.

— De certa forma — falei.

— Foi tão bonitinha a forma como ele me pediu para ajudá-lo. Ele disse: "Mirabelle virou-se para ele e perguntou: 'John, essa camisa é nova? Eu gosto de ver você usando coisas novas'".

— Isso é do romance *Os sonhadores da lua*?

— A gente sempre fica sabendo quando Howard se apaixona por um novo livro. É a única coisa que ele cita durante muito, muito tempo.

Pargeeta suspirou e se levantou novamente. Ela desapareceu pela porta ao lado da fotografia do estábulo abandonado.

— Bela fotografia — elogiei.

— Obrigada! Uma de nossas pacientes tirou essa foto. — Uma expressão pensativa passou pelo seu rosto. — Alguns dias depois de pendurarmos a foto, ela se matou. A coitada disse ao dr. Greengrass que, quando viu sua fotografia pendurada aqui, percebeu que nunca ninguém no mundo a havia entendido nem jamais entenderia. Ele aumentou a medicação, mas não o suficiente, é o que Pargeeta acha. Não que ela seja especialista.

Não me ocorreu nenhuma resposta para aquilo.

Durante esse momento de silêncio sutilmente carregado, um homem com óculos claros de plástico e um jaleco tão branco quanto seu cabelo irrompeu pela porta do fundo do escritório. Ele esfregava as mãos, sorria e olhava de mim para Olson e de novo para mim. Pargeeta entrou segundos depois.

— Muito bem, é um belo dia, bem-vindos, senhores, bem-vindos. Vocês são, imagino, o sr. Harwell e o sr. Olson? Claro que são. Estamos todos muito contentes em vê-los. — Contornou o balcão, ainda tentando decidir. Finalmente, fez a escolha certa e estendeu a mão para mim.

— No seu caso, sr. Harwell, é um prazer especial. Sou um grande admirador seu, um *grande* admirador.

Isso provavelmente significava, eu sabia, que ele tinha lido *Os agentes da escuridão*. Meus verdadeiros admiradores tendiam a falar algo como: "Minha mulher e eu lemos *A montanha azul* em voz alta, um para o outro". Mas era sempre recompensador ouvir que alguém havia gostado do que eu tinha escrito, e minha personalidade é tal que elogios dificilmente parecem inoportunos.

Agradeci ao médico.

— E o senhor deve ser o sr. Olson. — Ele agarrou a mão de Don. — Também é um prazer. Então vocês conheceram bem o Howard nos anos sessenta?

Detrás do balcão veio a voz seca e sarcástica de Pargeeta.

— No caso de vocês não terem adivinhado, este é o dr. Charles Greengrass, nosso chefe de psiquiatria e de pessoal.

Ele se virou e a fixou.

— Não me apresentei? Verdade?

Pargeeta virou-se na cadeira com a economia de uma dançarina. Ela olhou para Greengrass apenas por um momento.

— Eles sabiam quem você é, Charlie.

Eu me peguei começando a especular sobre o relacionamento entre essa moça e o dr. Greengrass, então me recusei a ir mais adiante do que já havia feito.

— Senhores, desculpem-me, por favor. Como a srta. Parmendera lembrou, esse realmente é um momento emocionante. Em breve, subiremos para a enfermaria para visitar Howard, mas primeiro eu gostaria de ter uma conversinha com os dois no meu escritório. Tudo bem?

— Naturalmente — disse eu.

— Por aqui, então. — Ele se virou e nos conduziu de volta ao corredor com as luzes brilhantes e as portas pretas. Antes de sair da sala, dei uma olhadela por cima do ombro e vi Pargeeta monitorando nossa partida com um olhar enfumaçado e sarcástico. A mulher ao lado, que esteve se sacudindo num riso silencioso, instantaneamente se imobilizou. Fechei a porta, depois me apressei um pouco para alcançar os outros.

— Pargeeta Parmendera? — Olson estava perguntando.

— Exatamente.

— De onde ela é?

— Daqui de Madison.

— Quero dizer, qual a sua origem?

— O senhor quer saber sobre a etnia dela? O pai é indiano e acho que a mãe é vietnamita. Eles vieram para Wisconsin nos anos setenta e se conheceram quando estudavam na universidade.

No final do amplo corredor, ele abriu uma porta identificada como PSIQUIATRIA.

— Os Parmendera moraram perto de nós durante muitos anos. Quando meus filhos eram pequenos, Pargeeta tomou conta deles muitas vezes. Garota maravilhosa, muito adaptável.

— E a outra mulher, a de franja?

— Ah, claro, é minha mulher — disse Greengrass. — Ela vem sempre que a coitada da Myrtle não consegue se levantar da cama de manhã. — Ele nos conduziu a uma sala similar à recepção, onde uma mulher extremamente larga, de uns quarenta anos, com covinhas nas bochechas, nos sorriu de uma mesa que parecia pequena demais para ela. Usava um vestido semelhante a uma tenda, estampado de rosas cor de rosa, e, quando sorria, suas covinhas pareciam agressivas.

— Estarei em meu escritório num minuto, Harriet. Por favor, atenda meus telefonemas.

— Pois não, doutor. Estas são as visitas de Howard?

— Sim, são.

— Nós amamos o Howard — disse Harriet, e suas covinhas se aprofundaram. — Ele é o que eu chamo de um verdadeiro cavalheiro.

— Ah — falei.

— Aqui, por favor. — Greengrass tinha aberto uma porta atrás da mesa de Harriet.

O médico nos indicou o lado mais próximo de uma mesa oval, com uma tigela de balas de hortelã colocada equidistante de duas cadeiras acolchoadas. Ele se sentou numa cadeira de balanço do outro lado da mesa.

— Bem — disse. — Como vocês viram, todos nós nesta instituição temos muita afeição por Howard Bly.

— Parece que sim.

— Ele é nosso paciente mais antigo; não em idade, temos pacientes na casa dos oitenta agora, mas no tempo de confinamento aqui. Ele viu outros pacientes chegarem e partirem, passou por muitas e muitas mudanças de pessoal, mudanças na direção, e durante todo esse tempo ele continuou sendo a mesma pessoa doce e de bom coração que vocês vão encontrar hoje. — O médico olhou para cima por um momento e juntou as mãos como se estivesse rezando. Um pequeno e relutante sorriso forçou seus lábios. — Não que ele não tenha tido os seus momentos. Sim. Nós vimos Howard com muito medo. Em duas ou três ocasiões, bastante agressivo. Ele parece ter um medo particular de cachorros. Pode-se chamar de uma fobia. Cinofobia, para ser exato. Não que esses termos sejam muito úteis. Eu prefiro pensar nisso como um transtorno de pânico. Felizmente, temos técnicas para tratar transtornos de pânico. A reação fóbica de Howard a cães diminuiu significativamente na última década.

— Vocês permitem cachorros neste hospital? — perguntei. — Eles passeiam pelas enfermarias psiquiátricas?

O dr. Greengrass me olhou por cima das mãos postas.

— Como muitas instituições desse tipo, temos tido resultados excelentes com a terapia de companhia animal. Em certas horas, permitimos que cães e gatos andem em certas áreas. Um companheiro animal, combinado com terapias mais convencionais, pode ser muito útil para fazer as pessoas saírem de dentro de si.

Ele sorriu para nós e sacudiu um pouco a cabeça, admitindo um assunto há muito abandonado.

— Howard tem recusado todos os oferecimentos de companhia animal. Uma vez, antes de eu estar aqui, ele atacou um atendente que levou um cachorro para a sala comunitária. Agora não permitimos mais cachorros na sala comunitária e Howard pode vagar por lá em completa segurança. Houve incidentes, no entanto... — O dr. Greengrass se inclinou sobre a mesa e baixou a voz. — Incidentes em que Howard se viu no mesmo espaço que um homem com um acompanhante canino. Ninguém teve culpa. Ele simplesmente entrou, provavelmente com um livro aberto nas mãos e lá estava, bem na sua frente, um homem acariciando um cão. Resultado? Um ruído agudo de aflição e a fuga imediata para o seu quarto, onde ele fechou a porta e se deitou na cama, tremendo. A não ser pelo, bem, terror de Howard, e terror não é uma palavra imprecisa, a não ser por seu terror, ele poderia ter sido colocado num grupo em uma casa há cinco ou seis anos. Devo lhes dizer que ele tem se recusado até a pensar na possibilidade de sair deste hospital um dia.

O médico nos lançou um olhar de curiosidade absolutamente impessoal e científica.

— Vocês são seus primeiros visitantes em três décadas. Vocês podem ajudar a explicar o que eu acabei de descrever? Em outras palavras, o que aconteceu a Howard Bly?

— É difícil de descrever — disse Olson, dando uma olhada para mim. — Junto com algumas outras pessoas, nós, alguns de nós, fizemos uma coisa no campo. Uma espécie de ritual. Uma cerimônia. Tudo ficou escuro, confuso, amedrontador. Um rapaz morreu. O que quer que Hootie, Howard, tenha visto, o assustou terrivelmente. Talvez um cachorro, ou algo que se parecia com um cachorro, atacou o rapaz. Eu estava lá, mas não vi o que aconteceu.

— Algo que se parecia com um cachorro? — perguntou Greengrass. — O que quer dizer, um lobo? Alguma coisa sobrenatural?

— Agora o senhor me pegou — disse Don.

— Temos registros, mantemos arquivos. Temos conhecimento do incidente com Spencer Mallon. Parece que o grupo de vocês sofreu uma histeria coletiva. Um delírio compartilhado. Howard Bly tem vivido as consequências desse delírio por toda a sua vida adulta. Ele tem mostrado melhoras reais, mas eu ainda gostaria de saber mais sobre as origens de sua patologia.

— Nós também gostaríamos — falei.

— Bom. Eu esperava ouvir do senhor, sr. Harwell. Pode me dar alguma informação relativa à raiz dessa reação drástica de pânico a cachorros deste paciente?

Pensei durante um segundo. Se houvesse uma causa de raiz, teria que ser aquele pôster bobo de cachorros jogando pôquer que o pai de Eel trouxe para casa uma noite de um bar de Glasshouse Street. Mas, naturalmente, o pôster não era a causa. O pôster não fora mais que uma conveniência para o terrível circo que Mallon tinha despertado ou trazido à vida.

— Nada de concreto. Por enquanto.

— Então o senhor está pesquisando este assunto, este enigma.

— É mais como uma compulsão pessoal. Parece que eu simplesmente tenho que saber o que realmente aconteceu lá. Acho que seria benéfico para todos nós.

O médico ponderou.

— Partilhará comigo qualquer percepção ou nova informação que chegue ao senhor nas conversas com meu paciente?

— Se tiver alguma coisa para partilhar. — concordei.

— Claro. — O dr. Greengrass se virou para Don Olson. — Talvez o senhor possa responder a esta pergunta. Duas vezes, a primeira vez anos atrás e a segunda, ontem, Howard me disse: "As palavras criam liberdade, também, e eu acho que são as palavras que vão me salvar." Impressionante, eu achei, já que num certo sentido foram as palavras que o aprisionaram. O senhor tem alguma noção do que ele está citando?

— Não é de um livro. Spencer Mallon disse isso pra ele, três ou quatro dias antes da grande cerimônia.

— Como a maioria dos oráculos, aparentemente o sr. Mallon falava em enigmas. — O dr. Greengrass sacudiu a cabeça. — Não se sinta ofendido, mas o que me ocorre é a expressão "o fim da picada".

Don não disse nada. A única parte de seu rosto que se alterou foram os olhos.

— Bem, agora — disse o dr. Greengrass —, vamos ver o amigo de vocês.

141

Ele nos levou para o saguão e subimos um amplo lance de escada. No segundo andar continuamos a subir até o terceiro, onde o dr. Greengrass empurrou uma porta dupla de vaivém e entramos numa mistura de escritório e antessala. Atrás de uma mesa estreita que continha apenas um rádio de pilha, um homem de cabelos cortados rente, com uma jaqueta branca de mangas curtas que deixava à vista seus braços musculosos, desligou um programa de entrevistas. Quando entramos na antessala, ele se levantou e puxou a bainha de sua jaqueta.

— D-doutor — disse ele. — Estávamos esperando pe-pelo senhor. — Para um homem de físico tão desenvolvido, a gagueira foi uma surpresa. O atendente nos examinou durante um momento. — Vocês são os velhos amigos de Howard?

— Hã-hã — eu disse.

— Na-não se pa-parecem muito c-com ele, não? — Ele sorriu e estendeu a mão enorme. — Meu nome é Ant-Ant-Antônio. Pensei em recebê-los aqui. Eu c-cuido bem de Howard. Ele e eu nos damos bem.

— Muito bem, Antônio — disse o dr. Greengrass. — Onde está ele?

— No sa-salão comunitário, da última vez que o vi. De-deve estar ainda lá.

O médico pegou um enorme chaveiro no bolso da calça e abriu a porta preta e pesada perto da mesinha.

— E-eu vou com vocês — disse Antônio. — Talvez eu... Quem sabe? Ho-Howard tem estado meio emotivo ultimamente.

Com o atendente nos seguindo, marchamos por um corredor claro e comprido, com fotografias e quadros desajeitados pendurados ao lado de dois quadros de avisos cobertos de anúncios e panfletos. No lado esquerdo do corredor, havia uma série de portas por entre os quadros. O dr. Greengrass abriu a única porta do lado direito do corredor, onde se lia ALA DOS PACIENTES. Ao lado de uma pequena sala decorada com desenhos emoldurados, outra porta nos levou a uma sala colorida quase do tamanho de um ginásio de esportes, separada em áreas por mesas de jogos e grupos de sofás e cadeiras. Outras cadeiras e bancos estavam encostados nas paredes. As cores alegres das paredes e o desenho do tapete tornavam a sala parecida com uma pré-escola.

Entre trinta e quarenta homens e mulheres de idades muito variadas estavam sentados ou jogavam damas nas mesas. Um homem mais velho estava montando um quebra-cabeça gigante com grande concentração. Apenas poucos pacientes olharam para quem havia entrado.

— Dr. Greengrass — disse um homem sorridente, alto e louro, com bíceps tão proeminentes quanto os de Antônio. Evidentemente ele estivera esperando ao lado da porta. — Estamos prontos para o senhor e seus convidados.

— Estamos — disse Antônio. — Estamos sim.

— Este é o Max — disse Greengrass. — Ele passa um bom tempo com o velho amigo de vocês.

— Vamos lá — disse Max. — Ele está bastante ansioso.

— Onde está ele? — perguntou Don, examinando a sala. Ninguém diante de nós se parecia com Howard Bly e ninguém parecia ansioso. Aquelas pessoas poderiam estar matando o tempo antes do almoço numa estação de veraneio medíocre. Algumas estavam de pijamas, o resto com roupas comuns: calças cáquis e jeans, vestidos, camisas.

— Lá no fundo, no canto — disse Max, apontando com o polegar.

— Fique aqui, Antônio — pediu o dr. Greengrass. — Não queremos assustá-lo.

Sem graça, Antônio concordou, rodopiou e foi se sentar numa poltrona com um estofamento exagerado.

Max e o médico nos conduziram através da sala comunitária, e conversas animadas em voz baixa nos seguiram pelos conjuntos de mobília. Quando contornamos uma coluna larga, azul brilhante, perto do fundo da sala, Max e o dr. Greengrass se afastaram, deixando ver um homem careca de rosto redondo, curvado para frente, sentado na beira de uma poltrona azul e puída. Ele apertava as mãos sobre uma barriga considerável e uma camisa xadrez cujos botões estavam um pouco repuxados. O rosto redondo parecia curiosamente inocente e intocado. O homem não se parecia nem um pouco com Hootie Bly, mas sua ansiedade era inquestionável.

— Howard, cumprimente seus amigos — disse o médico.

Balançando a cabeça, o velho olhou de um rosto para o outro e novamente para o primeiro. A expressão desconcertada de seus olhos me fez sentir que tínhamos cometido um erro, que aquele pobre coitado deveria ter sido deixado em paz. Então o pobre coitado abriu um sorriso extático, balançou a cabeça depressa e fez uma coisa estranha com as mãos: afastou-as bastante e depois as juntou.

— Dill!
— Oi, Hootie — disse Olson.

O dr. Greengrass cochichou:
— Ele está dizendo que está retirando a palavra de uma frase mais comprida. Ele faz isso para economizar tempo.

Observei o homem na poltrona pousar seu olhar enlevado em mim e tive certeza absoluta de que tínhamos feito a coisa certa. Novamente, o velho gordo fez o gesto estranho com as mãos, isolando uma palavra de uma frase pré-existente.

— Gêmeo! — exclamou ele. — Ah, *Gêmeo*!

Ele se levantou num impulso e imediatamente revelou, ao menos para mim, que era de fato Hootie Bly: o brilho nos olhos, a forma dos ombros, o modo como apoiava a mão direita na cintura e deixava a esquerda pender. Uma mistura complexa de felicidade e tristeza me fez vir lágrimas aos olhos.

Hootie deu uns passos adiante e nós, inseguros, também nos aproximamos dele. Durante um momento desajeitado e transbordante de emoção, Don e eu seguramos, cada um, uma das mãos de Hootie. Durante um momento, Howard citou algo indistinto sobre tia Betsy declarar que aquele era um bom, muito bom dia. Depois abraçou Don e se balançou pra frente e pra trás por alguns segundos. Com lágrimas brotando dos olhos, Howard se virou para me abraçar da mesma maneira, balançando de alegria.

Hootie me soltou, passou as mãos pelo rosto brilhoso e, com os olhos cintilando, falou diretamente comigo:

— *Cotovia, você tem alguma coisa para me dizer?*

Olhei para o dr. Greengrass, que levantou as mãos, em dúvida.

Don Olson disse:
— Acho que você não sabia. Um dia, Mallon disse para Eel que ela era a sua cotovia.

No minuto em que ele falou a palavra, fui penetrado pela lembrança clara e súbita de uma cotovia que minha mulher e eu tínhamos visto pairando sobre o jardim de um bar no norte de Londres.

meredith bright walsh

Don Olson e eu ocupávamos uma mesa lateral no salão do Governor's Club no décimo segundo andar do Concourse. Um rapaz delicado e uma moça atlética, ambos louros e uniformizados com camisas brancas e gravatas borboletas, estavam arrumando bandejas de aperitivos em *réchauds* numa mesa comprida encostada na parede. Entediado como um peixe dourado num aquário, um *barman* com um colete de brocado foi até o ponto mais distante de seu território circular. Uma nova *margarita* sobre o quadrado de um guardanapo branco estava diante de Olson, uma taça de *sauvignon blanc* à minha frente. A poucos minutos das seis da tarde, a sombra do hotel atravessava as ruas semidesertas que ficam entre ele e o lago Monona. Uma sombra caíra sobre nós também. Tínhamos muito em que pensar.

■

A decisão de acompanhar Howard Bly num passeio pela área externa do hospital não tinha resultado na conversa que eu esperava que se desenrolasse pelos caminhos sinuosos. Em lugar disso, nossa excursão tinha terminado numa corrida confusa de volta à enfermaria — um desastre que teria resultado na expulsão imediata e permanente dos dois antigos amigos do sr. Bly do hospital, não fosse a surpreendente intercessão dele no último minuto. Foram momentos constrangedores. Hootie começou a gritar no instante em que entrou pela porta de trás do hospital e se sentiu seguro.

O dr. Greengrass saiu do consultório correndo, berrando pelos atendentes, que prontamente abafaram o paciente com seus corpos, como se a luz do sol lhe tivesse incendiado a roupa.

— O que provocou isso? — gritou Greengrass. — O que vocês fizeram com ele?

Debatendo-se no chão frio, Hootie gritava pérolas do baú do tesouro do capitão Fountain:

— Rebencaço! Rebotalho! Refratário! Restauração! Restituição!

— Vocês dois desfizeram vinte anos de progresso! — A voz de Greengrass ressoava sobre os gritos de Howard. — Quero os dois fora daqui! As licenças de visitas estão revogadas. Permanentemente, irrevogavelmente!

Olson e eu nos afastamos em direção à entrada dos fundos, olhando um para o outro em choque. Greengrass apontou um indicador do tamanho de um charuto:

— Saiam neste instante! Para *fora dos muros*. Não pensem jamais em voltar, estão me ouvindo?

A surpreendente virada começou com um súbito e chocante silêncio no chão de ladrilhos. Todas as atenções se voltaram para o homenzinho gordo deitado, com braços e pernas estirados entre os seus protetores. Antonio Argudin e Max Byway relaxaram o controle e se aprumaram, respirando forte.

Hootie Bly, o foco de todos os olhares, inclusive o de Pargeeta Parmendera, que tinha surgido de algum lugar próximo, estava deitado perfeitamente imóvel, as palmas das mãos viradas para cima, as pontas dos sapatos apontados para o teto. Seus olhos encontraram Greengrass.

— Não faça isso — disse ele. — Volte atrás.

— O quê? — O dr. Greengrass se aproximou de seu paciente e Argudin e Byway, ainda ajoelhados, se afastaram um pouco. — O que você disse, Howard?

— Eu disse: volte atrás — respondeu Howard.

— Ele não está citando — disse Pargeeta. — Isso é muito importante.

Antes que outra pessoa pensasse em se mexer, ela correu para Howard e se ajoelhou a seu lado. Os lábios dele se movimentaram. Ela sacudiu a cabeça, não para negar, mas para dizer que não estava entendendo.

O médico disse:

— Não é preciso controlar você, não é, Howard?

Howard sacudiu a cabeça. Pargeeta levantou e se afastou, lançando para ele um olhar eloquente que eu não consegui decifrar.

— Você usou suas próprias palavras, Howard? Era uma fala normal?

Howard desviou os olhos dos olhos do médico e contemplou o teto.

— Perdida como minha alma está, eu ainda faria o que pudesse por outras almas humanas.

Dr. Greengrass se agachou. A bainha de seu jaleco branco tocou o chão. Ele estendeu a mão para bater de leve na mão de Howard.

— Muito bem, Howard. Isso saiu de *A letra escarlate*? Parece que sim.

Howard fez que sim.

— "Hester, disse o clérigo, adeus".

— Todos nós aqui aprendemos a gostar de *A letra escarlate*. É um romance e tanto. Podemos encontrar qualquer coisa nesse livro, se soubermos procurar. Você quer se levantar agora?

— Hum — disse Howard. — Louvado seja seu nome! Seja feita a sua vontade! Adeus!

— Você está dando adeus para alguém, Howard?

— Hum — disse ele novamente. — Não, acho que não.

— Você não está mais com tanto medo, está?

— Não, acho que não — repetiu ele.

— Bem, vamos começar sentando. Você consegue fazer isso?

— Como poderia ser de outro modo? — Howard esticou os braços para frente e esperou, como uma criança, ser ajudado.

Irritado, o dr. Greengrass olhou ferozmente para os atendentes lentos. Antonio e Max deram um salto para frente e cada um pegou um braço e juntos puxaram Bly para a posição sentada. Greengrass os dispensou com um gesto de mão e se aproximou.

— Howard, você pode me contar, nas suas próprias palavras ou nas de Hawthorne, não importa, mas eu realmente prefiro que você fale por si mesmo, pode me contar o que o assustou lá fora?

Howard nos olhou rapidamente. Por um momento, pensei ter visto um indício de sorriso passar pelo rosto de Hootie. Pargeeta inspirou e agarrou os cotovelos — tive uma vaga impressão de emoções conflitantes, mas não podia imaginar o que a estaria preocupando, nem podia ter certeza de que ela estivesse preocupada de fato. Era um estremecimento emocional, uma liberação de sentimento leve e involuntária.

— Você pode tentar me contar, Howard? — perguntou o médico.

Howard acenou com a cabeça lentamente. Ele manteve os olhos fixos em nós.

— Era um rosto demoníaco, cheio de malícia sorridente, mas que tinha a aparência de feições que ela conhecia perfeitamente.

— Demoníaco — disse Greengrass.

— O demônio — citou Hootie — ali, com um sorriso e uma carranca, para reclamar o que era seu.

— Sei. Vamos nos levantar juntos agora, tudo bem?

Antonio e Max se postaram um de cada lado de Howard e o puxaram para que ficasse de pé. O dr. Greengrass se levantou um pouco mais lentamente e sorriu para ele.

— Você está bem agora?

— "Agora que estou de volta a esse ambiente confortador, minha aflição me abandonou quase completamente", disse Millicent. "Mas espero sair novamente em breve."

— E agora ouvimos uma citação de *Os sonhadores da lua*, do sr. Austin — disse o médico. — Outro texto útil. Mas antes, tínhamos ouvido um texto do próprio Howard Bly, não?

Howard olhou acima da cabeça de Greengrass e, num instante, tornou-se inexpressivo, entorpecido, quase suficientemente plano para refletir a luz.

— Você me pediu para retirar minha ordem de que esses homens saíssem do nosso prédio e não voltassem mais. *Não faça isso. Retire a ordem.* Esse era Howard Bly falando, não?

Howard se mantinha diante dele, desaparecendo centímetro por centímetro.

— Eu os deixarei ficar com uma condição, que você confirme o que eu estou falando. Diga "sim", Howard, significando "Sim, eu falei por mim, sim, eu encontrei minhas próprias palavras", e seus antigos amigos poderão vir quando você e eles desejarem. Mas você tem que falar, Howard. Você tem que dizer "sim".

Hootie começou a enrubescer. Ele pareceu estar inteiramente presente de novo, embora em considerável desacordo consigo mesmo. Seus olhos encontraram os do médico e o rubor se espalhou por suas faces, ficando mais forte à medida que avançava.

— Retire a ordem.

— Você está citando a si mesmo. Bem, isso é bastante bom, Howard. Obrigado.

∎

Em pouco tempo, tudo tinha voltado à versão de normalidade familiar ao Hospital Lamont. Antonio Argudin patrulhava as enfermarias e os quartos comuns em busca de um paciente para aterrorizar; os fanáticos por quebra-cabeças fixavam a atenção em nuvens e embarcações; apoiado em seus travesseiros, Howard Bly lia a obra-prima de L. Shelby Austin. O dr. Greengrass estava instalado atrás de sua mesa, discutindo política hospitalar com Pargeeta Parmendera e com os dois visitantes responsáveis pelo recente progresso de Howard Bly. Atiçado apenas levemente pela antiga *babysitter* de seus filhos, o médico logo concordou que podíamos ficar à vontade para visitar nosso amigo quando desejássemos, contanto, naturalmente, que não atrapalhássemos as horas de descanso dele.

∎

Don disse:

— Ele não está inteiramente são, concorda? É uma coisa horrível de se dizer, mas acho que devemos partir daí.

— Então Hootie viu, ou pensou que viu, um demônio, ou o diabo, ou alguma coisa assim, e isso o deixou louco?

— Você o ouviu falar tanto quanto eu. "O demônio", ele disse. E algo sobre o diabo com um sorriso no rosto. Isso aterrorizaria qualquer um. Lamento, mas pessoas que veem o diabo surgir em trilhas de jardins não estão sãs.

— Engraçado, mas por algum motivo diabos surgindo em trilhas de jardins me soa um pouco Hawthorne. — Parecia um pouco *A letra escarlate*, de fato, mas eu deixei passar. — Então tanto você quanto Greengrass acham que Hootie ficou assustado.

— Bom, ele *estava* assustado! Você ouviu o que ele disse. Estava fora de si. Convenhamos que estava.

— Não tenho tanta certeza. Ele estava fazendo muito barulho, é verdade, mas ele não estava gritando, lembra?

— Para mim, pareciam gritos. O que você acha que ele estava fazendo?

— Você achou que ele estava realmente com medo, então você escutou gritos. O que eu escutei foram palavras em voz alta. Ele não estava gritando de medo, ele estava *berrando*. Eu tive a impressão de que... — Parei, realmente inseguro de como expressar o que achava.

— Impressão de quê? — perguntou Don.

— De que ele não era capaz de lidar com todos os sentimentos que fervilhavam dentro dele. Eu concordo, ele viu alguma coisa. Mas ficou dizendo "Adeus", você lembra? Acho que ele estava realmente emocionado, acho que suas emoções o derrubaram. E não acredito que Pargeeta tenha achado que ele estava aterrorizado. Tiveram uma espécie de conversa, algo se passou entre eles. E há outra coisa que você deve levar em consideração.

— O quê?

— Ele estava perturbado, estava zangado. Sabe o que eu acho? Você não vai gostar muito disso, Don. É possível que ele estivesse falando sobre Spencer Mallon. Porque nós estávamos lá, ele pode ter se dado conta de repente de que Mallon o colocou numa enfermaria psiquiátrica.

— Não foi Mallon. Ele nunca chamaria Mallon de demônio.

— Como você pode ter certeza disso? Você não via Hootie desde 1966.

— Hootie amava aquele homem — disse Don. — Você também o teria amado se tivesse tido colhões pra ir com a gente.

— Se eu achasse que meu guru tinha arruinado a minha vida, não acredito que ainda assim o amaria.

— É difícil de explicar — disse Don. — Talvez a ruína não seja ruína, talvez não seja destrutiva. E não o chame de meu guru. Não éramos budistas ou hindus. Ele era meu professor, meu mentor. Meu mestre.

— A ideia de um mestre me dá arrepios.

— Então, lamento, mas você tem um problema. Mas eu compreendo. Quando eu tinha dezessete anos, pensava como você.

— Essa é uma boa discussão — falei. — Provavelmente poderíamos continuar durante horas, mas não quero continuar a defender a arrogância espiritual. Há outra possibilidade, que está relacionada a esse assunto do Matador de Mulheres que eu estava pesquisando. Na verdade, deveríamos conversar sobre isso.

— Por quê?

— Talvez o que mobilizou Hootie, o que ele viu no jardim, tenha sido Keith Hayward. Tudo parece muito *ligado* para mim.

Atraídos por comida e bebida grátis, hóspedes dos andares com serviços de *concierge* se amontoavam no salão, ocupando a maior parte das cadeiras, dos sofás e das mesas. Um casal de gordos com moletons vermelhos da Universidade de Wisconsin agora ocupava o sofá ao lado da nossa mesa. A intensidade dos ruídos tinha aumentado, centrada principalmente no bar, onde restavam poucos bancos vazios. O *barman*, não mais entediado, sorria e servia, sorria e servia.

Don inclinou a cadeira para trás até seus ombros encostarem na parede.

— O que tem a ver esse negócio de Matador de Mulheres? Por que você se preocupa com isso?

Bebi um bom gole do meu vinho.

— Você quer mesmo saber?

— Estou só chutando, mas tem alguma coisa a ver com a Eel?

— Não! — (Embora tivesse, de um modo estranho sobre o qual eu não queria pensar. Fora por isso, porém, que eu tinha sugerido Hayward).

Meu grito não fez com que todas as cabeças se virassem em nossa direção. Nem todas as conversas se interromperam. Algumas cabeças se viraram para nós e o nível de ruído realmente diminuiu por uns instantes. Depois todos voltaram a suas conversas e bebidas. Bebi outro gole, menor, do vinho medíocre.

— Desculpe. Não, não tem nada a ver com a Lee, embora ela esteja envolvida como todos vocês. O que acontece é que, logo antes de você aparecer, eu percebi que não estava chegando a lugar nenhum com meu romance e vi um cara no lugar em que tomo o meu café da manhã que me lembrou Hootie, e estava pensando sobre esse tira chamado Cooper, então me dei conta de que eu precisava, precisava descobrir de uma vez por todas o que aconteceu com vocês lá naquele campo.

— Você quer dizer... você acha que deveria tentar escrever outro romance? Porque, devo dizer, era isso exatamente o que eu...

— NÃO! — Cabeças, mais cabeças se viraram novamente em nossa direção, e o salão ficou mais quase silencioso que antes. O *barman* se inclinou para frente para ver através da multidão e me lançou um olhar metade preocupação, metade questionamento. Fiz gestos de silêncio com a mão. — Aquela coisa lá no campo é misteriosa, é violenta, é transformadora de vida, está ligada a uma ruptura grande e surpreendente... não é?

— Segundo Mallon, não.

— Porque ele queria ainda mais! Mallon era uma criatura dos anos sessenta. Ele possuía uma espécie de ganância espiritual. Ele, na verdade, queria mudar o mundo e, de certo modo, Don, não percebe?, ele realmente conseguiu! Só que ninguém notou e aquilo não durou mais que alguns segundos. No entanto, ele conseguiu. Ao menos a mim parece que sim.

Olson afastou o olhar, seus olhos ficaram fora de foco. Ele sorriu.

— Eu gosto do seu ponto de vista. Mallon transformou o mundo, embora por alguns segundos. É bonitinho. Mas não se esqueça de que as únicas pessoas que Mallon conseguiu convencer foram quatro estudantes de nível médio, dois idiotas e uma garota que estava apaixonada por ele.

— Depois, todos vocês ficaram diferentes. E um dos idiotas morreu.

— Brett Milstrap ficou pior que morto.

— Como?

— Vou tentar explicar mais tarde. Se conseguir, o eu que duvido. De qualquer modo, que negócio é esse sobre Hayward? E quem é Cooper?

— Quanto a Hayward, vocês não tinham a menor noção com quem estavam lidando. Até minha mulher e Hootie não sabiam realmente como ele era.

— Isso tem alguma coisa a ver com o que eu te contei, sobre aquele depósito? Eu não falei naquele tempo, parecia doido demais, mas, quando eu estava lá, tive uma sensação muito forte... de que ele tinha amarrado um garoto nu numa cadeira. E que era por causa do garoto que ele tinha pegado a faca.

— Espantoso — disse eu.

Eu havia chocado Don mais do que ele desejava demonstrar.

— Você não está querendo dizer que eu estava certo, está?

— Você estava absolutamente certo — falei. — O nome do garoto era Tomek Miller. Só que ele não estava no quartinho da Henry Street, porque então ele já estava morto. Seu cadáver, o que restou dele, foi descoberto nas ruínas de um edifício queimado em Milwaukee. Em dezembro de 1961. Miller provavelmente foi a primeira vítima de Hayward.

Olson piscou várias vezes e virou uma porção de *margarita* na boca. Depois de engolir, pareceu acompanhar o progresso do álcool garganta abaixo. Seu corpo relaxou na cadeira e um dos braços caiu ao lado. Quando ele se virou novamente para mim, parecia estar quase sorrindo.

— Não brinca.

— Eu disse que era espantoso.

Ele sacudiu a cabeça, como a um truque de mágica particularmente satisfatório.

— Cara, eu queria ficar invisível e entrar naquele lugar horrível, porque *era* horrível. Era isto que eu queria passar ao Mallon: como o Hayward era realmente pervertido. Eu o ouvi cantar para a faca!

— Aquela faca, imagino pelo que você me contou, foi um presente do tio dele. Tillman Hayward. Quando se fica sabendo algumas coisas sobre Tillman Hayward, tudo faz muito sentido.

— Então, o que você sabe sobre Hayward?

— Durante o jantar — respondi.

■

— Talvez haja um gene para o que chamamos de mal — comecei. — Alguma mutação no padrão normal que surge bem menos frequentemente que o marcador para fibrose cística, digamos, ou a doença de Tay-Sachs e a maioria das outras doenças. Hitler pode ter nascido com ele, e Stalin e Pol Pot e todos os outros ditadores que começaram a prender e matar seus próprios subordinados, mas também muitos cidadãos comuns. Toda cidade grande teria uns três caras desses, toda cidade pequena talvez um, e cada grupo de quatro ou cinco cidades menores teria um — pessoas que acham que os outros são seres inferiores e que gostam de matar, machucar, ferir e, no mínimo, dominar e humilhar. Uma série de outras pessoas podem ter sido desvirtuadas e se tornado assim devido a uma infância de desgraças e abusos, mas estamos falando de pessoas que nascem assim. Elas trazem esse gene e, infelizmente para todos à sua volta, ele é ativado. Ele acorda. Seja lá o que for. Foi com isso que vocês toparam quando conheceram Keith Hayward.

— A semente ruim.

— Exatamente. O outro ponto de vista, em que muitas pessoas religiosas acreditam, é que desde o nascimento todo ser humano é corrupto e pecador, mas que o verdadeiro mal, a verdadeira *coisa* sulfurosa e satânica, é atemporal, vem de fora e existe independentemente dos seres humanos. Para mim, isso sempre pareceu uma forma de pensamento primitiva. Absolve-nos da responsabilidade por nossos atos. Um cristão devoto diria que eu entendi tudo errado.

Estávamos sentados numa mesa de canto no Muramoto, logo adiante da Capital Square em King Street. O *barman* do Governor's Club tinha recomendado o lugar. Ele também sugerira que provássemos a salada de repolho asiática, que parecia um monte de feno. Estava deliciosa, como todas as outras coisas. Embora a essa altura nós dois já tivéssemos bebido bastante saquê de primeira qualidade, eu tinha tomado mais que meu companheiro.

— Você não está um tanto bêbado?

— Ha-hã. O surto do Hootie meio que me tirou do prumo. De qualquer modo, eu queria que essas opções ficassem claras. O mal é inato, uma característica humana, ou é uma entidade externa e inumana por natureza?

— Deixe-me adivinhar. Votamos pela primeira opção, não é? Já que somos humanistas e humanistas liberais, além do mais?

— Talvez você seja. Ultimamente estou um pouco ambivalente. No entanto, em relação ao seu amigo Hayward, sim, é a primeira opção com certeza. E não é só isso, Hayward parece apresentar um caso de mal por transmissão genética. Desordem psíquica de grande porte passa de uma geração a outra, juntamente com olhos azuis ou cabelos vermelhos. Aí está você, isso é meu e agora você também tem isso, bem-vindo à família. Isto é, se George Cooper entendeu os fatos de maneira correta, o que acho que ele fez.

Usei meus pauzinhos para pinçar da superfície preta, retangular e elevada diante de mim uma pequena iguaria tão fresca que quase se contorceu.

— Agora, quem era exatamente George Cooper? Um tira, certo?

— Detetive de homicídios da polícia de Milwaukee durante vinte e seis anos. Cooper decifrou toda a história do Matador de Mulheres, só que nunca pôde provar nada e nunca conseguiu a menor evidência. Imagine a frustração.

As sobrancelhas de Don se juntaram, criando três vincos separados em sua testa.

— E como você sabe disso?

— Pelo próprio Cooper.

— Você falou com esse cara?

— Gostaria de ter falado. Ele morreu há nove ou dez anos. Mas eu fiz a segunda coisa melhor. Achando que poderia usá-lo em algum projeto, eu li o livro dele. Cooper tinha que fazer alguma coisa com sua frustração, então ele escreveu tudo: tudo que viu, tudo que conseguiu reunir, todas as hipóteses que nunca pôde provar.

— Um tira frustrado escreve um livro sustentando que Hayward tinha algum tipo de envolvimento familiar com o Matador de Mulheres? Era o pai?

— O irmão do pai, Tillman. Esse era o foco real de Cooper. Ele foi para o túmulo sem nunca ter conseguido provar que Tillman Hayward era o Matador de Mulheres.

— Como eu nunca ouvi falar desse livro?

— Cooper não escrevia bem o suficiente para ter o seu livro publicado. Ele escrevia frases como "Consoante minha investigação, o Departamento de Polícia de Milwaukee estava sempre atrapalhando meu caminho como uma questão de política". Além de sua família, ninguém a não ser eu ouviu falar de seu livro. Acho que ele nem *tentou* publicá-lo. Ele só queria escrevê-lo, queria que houvesse um registro. A filha achou o manuscrito quando estava limpando o apartamento dele depois de sua morte.

— Você falou com a filha dele?

— Não, foi tudo por e-mail.

— Desculpe, mas como você ouviu falar desse livro que nunca foi publicado e que ninguém sabia que existia?

— Há uns cinco anos, eu estava navegando no eBay, e lá estava ele. *Procurando o Matador de Mulheres*, um original inédito do detetive George Cooper, aposentado do Departamento de Polícia de Milwaukee. Sharon Cooper, sua única filha, achou que alguém poderia querer usá-lo para pesquisa, então o colocou à venda do único modo que conhecia. Só eu dei um lance. Vinte e sete dólares, uma pechincha. Foi numa época em que eu não tinha muita certeza do que faria e meu agente tinha sugerido que eu experimentasse a não ficção. Então a antiga história do Matador de Mulheres me voltou à lembrança, todos aqueles assassinatos em Milwaukee que nunca tinham sido desvendados. Eu tinha visto essa oferta no eBay, certo? Nunca me ocorreu que os crimes do Matador de Mulheres tivessem alguma ligação com Spencer Mallon. Depois que eu li o livro, entrei em contato com Sharon, mas ela não conseguiu responder a maioria de minhas perguntas. O pai não só nunca tinha falado sobre o que estava escrevendo, como não falava nada sobre seu trabalho.

"Cooper era da escola antiga, um cara teimoso, desconfiado e duro. Ele usava muito os punhos, aposto. Quaisquer que fossem os seus métodos, o sujeito resolveu muitos casos, mas esse continuava a escapar dele e o deixava louco. Pensava nesse caso o tempo todo."

— Mas ele sabia que Tillman Hayward era culpado dos crimes.

— Tanto quanto podia saber sem realmente ter visto Tillman cometer um crime.

— Como ele tinha tanta certeza?

— Era uma questão de intuição, mas Cooper tinha uma *grande* intuição. Ele chegou a Hayward por meio do cruzamento de dados de chegadas e partidas de trens e aviões de Milwaukee com as datas dos homicídios do Matador de Mulheres. Trabalho entediante, mas ele não estava chegando a lugar nenhum com os suspeitos locais. Descobriu-se que esse Hayward veio de Columbus, Ohio, de trem e avião dois dias antes de três dos assassinatos e saiu da cidade do mesmo modo um ou dois dias depois. Ainda restavam três assassinatos, mas Cooper achava que o cara provavelmente tinha pagado o ônibus com dinheiro vivo, ou pegado carona ou pedido emprestado um carro para essas viagens.

— Parece um exercício de adivinhação — disse Don.

∎

Parecia, eu sabia, e para contrapor a essa impressão eu tentei transmitir o forte sentimento de pura obstinação passado pelo original de Cooper. George Cooper não era homem de se deixar influenciar facilmente, não cedia a caprichos, não tinha fantasias ou devaneios. Sua versão divinatória estava assentada sobre trabalho infindável e o instinto finamente sintonizado de policial. Depois que notou a correlação entre as chegadas de Hayward e a série de assassinatos, ele convocou uma rede de informantes para ficar sabendo quando o suspeito comprasse uma passagem de qualquer tipo para Milwaukee. A informação chegou: ele abriu um jornal num banco da estação de trem do centro da cidade e quando quarenta pessoas saltaram do trem de Columbus, uma delas, um cara esguio de chapéu e terno risca de giz, lançou uma corrente elétrica que passou queimando pelo jornal e crepitou no crânio expectante de Cooper. Uma pura e completa ilegalidade emanava do homem. Aquele, o detetive teve certeza, era o sr. Hayward. Era do tipo de homem que gostava de olhar nos olhos dos policiais com certo brilho convencido. Tais homens faziam Cooper cerrar os punhos.

De estatura mediana, entre trinta e cinco e quarenta anos, bem apessoado a não ser pelo nariz saliente que avultava por baixo da aba de seu Fedora, Hayward saiu do trem gracejando com uma moça de óculos e rosto quadrado que, Cooper pôde perceber, mal o conhecia. Seus cabelos escorridos caíam sobre as orelhas como franjas compridas.

A nova conhecida de Hayward, tão facilmente entretida, não tinha razão para ter medo dele. O Matador de Mulheres nunca ameaçaria a moça: a verdade era que ele provavelmente evitaria tocá-la, a não ser que tocá-la o ajudasse a conseguir o que queria. O Matador de Mulheres tinha uma atitude em relação às mulheres: se não fossem bonitas, não valiam a pena. (Infelizmente, se fossem bonitas, valeriam todo o trabalho que pudesse maquinar). Hayward queria alguma coisa dessa datilógrafa, dessa professora substituta, seja lá o que ela fosse, e provavelmente era uma carona para algum lugar.

Cooper dobrou o jornal e seguiu atrás deles enquanto atravessavam a multidão, paravam para o homem dar um breve telefonema, depois saíam ao sol do final de tarde. Seu carro azul comum, um pouco amassado no lado do motorista, estava estacionado um pouco adiante na rua. O sr. Hayward entrou no Volvo verde da moça e Cooper se inclinou sobre o capô de seu carro e fingiu olhar fascinado para uma confusão de trilhos de trem que se estendiam até quase o infinito. Quando o Volvo partiu, ele o seguiu pelo centro da cidade, depois a oeste para Sherman Boulevard e para um bairro principalmente de classe média baixa onde a mulher estacionou em frente de uma casa de dois andares amarela e marrom sobre um pequeno gramado irregular. Uma mulher de aparência cansada e um garoto magricelo saíram correndo pela estreita porta da frente e desceram três degraus de concreto para dar boas-vindas ao assassino. Cooper anotou o endereço e, de volta à estação de trem, o localizou no catálogo maltratado. Mais vinte minutos de pesquisa lhe informaram que William Hayward, o morador da casa amarela e marrom, trabalhava na Continental Can e tinha dois irmãos, Margaret Frances e Tillman Brady. Margaret Frances, mais tarde conhecida como Margot, não tinha nenhum registro criminal.

Não se podia dizer o mesmo do irmão mais novo. Durante um tempo, Tillman Hayward tinha conseguido contornar a classificação de menor delinquente, apesar das queixas de meia dúzia de vizinhos de que ele se envolvera em atividades suspeitas. "Esse rapaz está metido no que não presta" era a opinião geral, embora as acusações nunca fossem mais específicas. Quando tinha dezesseis anos, a sorte de Tillman Hayward mudou.

Uma semana após seu aniversário, o jovem Till foi apanhado furtando numa loja de um e noventa e nove no Sherman Boulevard: estranhamente para um rapaz de sua idade, ele tentara roubar cola, pregos, uma lâmina de cortar papelão e uma caixa de tachinhas. Quando o policial enviado para a cena do furto perguntou qual o objetivo desse material, o rapaz se referiu a um "projeto de dever de casa", e o policial o liberou com uma advertência. Três meses mais tarde, um senhorio notou uma luz que se movia na janela do porão de seu duplex vazio em Auer Street. Ele entrou no apartamento e conseguiu agarrar Tillman pelo colarinho em sua fuga do porão. Dessa vez, o rapaz foi levado para a delegacia, mais para assustá-lo com a seriedade da invasão. Novamente, nenhuma acusação foi registrada.

Mais uma prova de que Tillman Hayward sabia desarmar os agentes da lei aconteceu quando a proprietária de uma casa na West 41 Street, ultrajada, relatou que seu querido gato amarelo rajado, Louis, tinha acabado de ser roubado dos fundos de seu quintal por um adolescente que ela sabia que morava na vizinhança. Alguns minutos depois, dois policiais desceram de uma patrulha e pararam um rapaz descendo o Sherman Boulevard com um saco que se mexia nas mãos. Oh, disse o rapaz, esse gato *era* daquela casa? Ele tinha certeza de que o gato estava perdido e pertencia a uma mulher que morava perto do Sherman na West 44 Street e estava indo devolvê-lo quando os policiais o detiveram. Ele soube do gato desaparecido por causa dos avisos colados nos postes, os policiais não notaram? Eram uma praga, todos esses animais de estimação desaparecidos.

Teria terminado ali se um dos policiais, claramente um homem de natureza dura e desconfiada, não tivesse escrito uma anotação de advertência: *Fiquem de olho nesse garoto.*

Antes de Tillman Hayward desaparecer para sempre dos registros policiais, ele foi acusado de mais dois crimes, tentativa de estupro e receptação de objetos roubados. Alma Vestry, a jovem que acusou Hayward de tentar estuprá-la, retirou a acusação um dia antes de o caso ir a julgamento. Os dois policiais que acusaram Hayward, então com vinte e dois anos, da receptação de uma partida de casacos de *mink* roubados arruinaram o caso ao proceder de modo impróprio e um juiz irritado rejeitou as acusações. Hayward deve ter percebido que tinha tido sorte, pois a partir daí tomou cuidado para evitar a atenção das autoridades.

O detetive Cooper talvez tenha ficado meio maluco. Certamente ele estava obcecado, e isso ocorrera desde que Tillman Hayward desceu do trem de Columbus. Não tinha descoberto nada que convencesse um juiz, mas começou a gastar quase metade dos dias de trabalho e muito da vida fora do serviço procurando qualquer coisa que pudesse incriminar seu único suspeito. No começo do caso, Cooper deteve Hayward na rua e o levou para ser interrogado, mas o homem se esquivou de todas as armadilhas verbais que o detetive armou para ele. Ele sorria, ele era afável e paciente, ele desejava ajudar. O interrogatório ridículo durou duas horas e não trouxe resultados além de informar a Tillman de que pelo menos um detetive de Milwaukee desejava muito trancafiá-lo numa cela. A partir daí, Cooper se contentou em observar.

Tanto o chefe dos detetives quanto o chefe de polícia podem ter achado que seu principal detetive não estava batendo bem, mas confiavam nos instintos dele e, durante muito tempo, permitiram que concentrasse suas energias como bem entendesse. Quando o parceiro de Cooper, já farto, pediu transferência, eles lhe deram outro detetive como parceiro e deixaram Cooper trabalhar sozinho. O Matador de Mulheres era a prioridade número um da divisão de Homicídios e, se os métodos de Cooper tinham chance de levá-lo a uma solução, a divisão e o departamento estavam dispostos a não interferir e observar.

O detetive Cooper desenvolveu um instinto para intuir quando Tillman Hayward apareceria na casa de seu irmão. Às vezes essa intuição o levava até a casa amarela e marrom para localizar, à vontade em calça de pregas e camiseta sem mangas, uma forma furtiva, de chapéu, movimentando-se atrás de uma janela ou no fundo do quintal. Para profundo pesar de Cooper, relances eram quase toda a observação que lhe era permitida. Hayward tinha seus próprios e excelentes instintos. Sabia quando se esconder num quarto interno que seu irmão o deixava usar, sabia quando ficar em casa. Depois de requisitar um quarto no sótão do outro lado da travessa, Cooper passava doze, quinze horas por dia olhando o fundo do quintal árido e as janelas dos fundos onde seu alvo se recusava a aparecer.

O velho detetive tinha certeza de que Hayward usava a porta dos fundos e a travessa estreita. De vez em quando, conseguia vislumbrar uma forma deslizando com movimentos rápidos pela porta da cozinha e se dissolvendo na escuridão que cobria o quintal. Mas aonde ele ia e quais eram os antros que frequentava? George Cooper visitara todos os bares, tabernas, botequins e salões de hotéis num raio de mais de um quilômetro, e mostrara a fotografia de Hayward a 150 *barmen*. Alguns disseram "Este cara, sim, eu o vejo de vez em quando, ele aparece umas três vezes por semana, depois desaparece durante meses". Ou "Este cara? Ele gosta das garotas e as garotas gostam dele".

Numa noite movimentada num bar na Brady Street chamado Open Hand, um *barman* olhou bem para a multidão e localizou um nariz familiar se projetando por baixo de um chapéu familiar. Ele se lembrou do pedido do detetive, tirou o cartão dele de dentro de uma gaveta e ligou para relatar que o homem que Cooper procurava estava naquele momento no seu bar. Como isso ocorreu em época anterior aos telefones celulares, o *barman* discou o número que constava no cartão, o da divisão de homicídios na central de polícia. Quando foi informado sobre a ligação, Cooper estava em seu carro azul amassado, indo de seu apartamento para o quarto do sótão, mais rabugento que de costume.

Ele xingou o volante, o para-brisas e o telefonista aturdido. Ainda soltando pragas, num arranco, virou o carro na direção oposta e o arremessou por quatro ruelas, entre veículos que protestavam. Quinze minutos antes de ele parar com um solavanco em frente ao Open Hand, seu suspeito havia acompanhado uma moça bêbada para um destino desconhecido. Felizmente o *barman* sabia o nome da moça, Lisa Gruen. A srta. Gruen naturalmente não pôde ser encontrada no apartamento próximo que ela dividia com outra estudante da Universidade de Wisconsin–Milwaukee, nem sua colega de quarto tinha ideia de onde ela poderia estar. Alguns clientes do bar tinham visto o novo amigo de Lisa colocá-la dentro de um carro, mas nenhum conseguia lembrar nada sobre o carro exceto a cor, que era azul escuro, verde escuro ou preto. Desconcertado, com medo de que, em um dia ou dois, encontrassem o cadáver de Lisa Gruen jogado nas escadas da Biblioteca Central, o detetive Cooper gastou horas interrogando os clientes cada vez mais irritados do Open Hand. Alguns se lembravam de ter conhecido "Till", "Tilly", que nome engraçadinho para um homem, um pouco mais velho e sofisticado que os clientes normais do bar, mas de arestas um tanto ásperas.

No final da manhã seguinte, Lisa Gruen telefonou para a delegacia. Qual era o grande problema? Todos os seus amigos estavam aborrecidos — ela havia estragado a noite deles. Chegando ao apartamento da moça, o detetive Cooper a pressionou. Cooper sabia que seu tamanho e sua distância de qualquer conjunto de valores que ela conhecia fariam com que ela se sentisse desconfortável. Isso era ótimo para ele: Cooper gostava de causar desconforto.

Não, ela talvez nunca tivesse encontrado Till antes, mas, de qualquer modo, obviamente ele era um cara legal. Como o gim a deixara alta, ele se ofereceu para levá-la em casa. Certo, não a trouxera *direto* para casa, mas, e daí? Ele não tinha feito nada repulsivo, disso ela tinha certeza.

Onze horas da vida dessa moça haviam desaparecido e essa perda não lhe causava um minuto de preocupação. O que ele tinha feito com ela, aonde a tinha levado? Era um mistério.

Claro que ela não conseguia descrever o carro dele. Tinha um volante e um banco atrás. Por volta das três ou quatro da madrugada, seja lá que horas fossem, uma dor de cabeça, uma secura na boca e uma queimação na barriga a tinham acordado. Ela tinha se sentado e olhado pela janela. Tudo rodava e balançava. Então veio a parte realmente constrangedora. Seu acompanhante abriu a porta de trás, ajudou-a a descer, e a segurou pela cintura enquanto ela se curvava para frente e vomitava. Ainda bêbada, Lisa pediu mais umas horas de sono e ele, cortês, a ajudou a voltar para o banco estofado. Quando ela voltou novamente a si, eram dez horas da manhã de domingo. Ele estava perguntando se ela queria ir para casa. Lisa disse: "Você não vai ao menos me oferecer o café da manhã?" Que cavalheiro: Ele dirigiu até uma lanchonete que ficava bem longe, em algum lugar a oeste, talvez em Butler — quem imaginaria que havia lanchonetes em Butler? — e lhe pagou ovos mexidos, torrada de pão integral, bacon e café forte.

Dois dias depois, uma resposta possível para as horas desaparecidas foi sugerida por uma descoberta sinistra no estacionamento de uma companhia de seguros na Prospect Avenue. Dois sem-teto em busca de coisas aproveitáveis examinavam um tapete empoeirado e enrolado junto de uma caçamba de lixo e encontraram dentro dele o corpo nu da quinta vítima do Matador de Mulheres. Era uma executiva de um hotel, de trinta e um anos, chamada Sonia Hillery, e as fotografias depois fornecidas pelo marido e pelos pais deixavam claro que, quando viva, fora competente, inteligente, elegante e atraente. O Matador de Mulheres tinha passado horas, talvez dias, ocupado com seu cadáver e nada restara do que a havia caracterizado.

George Cooper se perguntava: Tilly Hayward teria deixado Lisa Gruen inconsciente, deitada no banco de trás de seu carro, antes de agarrar Sonia Hillery na rua? Se tivesse acontecido assim, e aí? Depois de ter subjugado Hillery, ele precisaria depositar seu corpo em algum lugar enquanto estabelecia seu álibi cuidando de Lisa Gruen. E, se Lisa curou sua ressaca em Butler na manhã seguinte, Hayward provavelmente tinha alugado algum esconderijo nos subúrbios a oeste ou nas pequenas cidades a oeste desses subúrbios — Marcy, Lannon, Menomonee Falls, Waukesha, a própria pequena Butler. Cooper dirigiu para oeste, para Butler, e mostrou a fotografia de Hayward na lanchonete — os garçons se lembravam dele e da moça de ressaca, a garota loura com o rosto levemente suíno com quem ele estava, mas nenhum tinha notado seu carro ou qualquer outra coisa de interesse. Cooper rodou devagar pra cima e pra baixo na rua principal de Butler, em torno do antigo hotel e das poucas travessas. Nada, nada, nada. Cooper fervia. Aquilo abria um buraco no seu estômago, o fato de que, enquanto Tilly Hayward empanturrava uma garota de ressaca com ovos e bacon, uma mulher morta numa laje, numa mesa, talvez no chão de um porão, esperava por sua volta.

A raiva de Cooper o empurrou pelas estradas para Columbus, Ohio, inteiramente fora de sua jurisdição, onde sua habilidade e obsessão não tinham nenhuma utilidade senão atender a seus próprios objetivos. Um chefe do setor de homicídios de má vontade o informou de que tudo que havia para saber sobre Tillman Hayward poderia ter sido dito por telefone. Eu tenho que ver pessoalmente, disse Cooper. Ver o quê? Como é a vida dele aqui. Bem, disse o tira de Ohio, você deve ter muita atração por tédio. O sr. Hayward é um bom cidadão. Ele mostrou os registros a Cooper: casado, três filhas, nenhuma multa por excesso de velocidade, nem mesmo por estacionamento irregular, e co-proprietário, com sua mulher, de quatro sólidos prédios de apartamentos. E se você precisar saber mais sobre esse homem, esse excelente morador de Westerville, um dos melhores subúrbios de Columbus, também é um contribuinte exemplar das obras filantrópicas da polícia. Detetive Cooper, um bom conselho é você dar meia volta e ir para casa, porque não há lugar para você em Columbus.

Cooper não poderia obedecer ao conselho do mesmo modo como não poderia voltar para Milwaukee dançando num raio de luar. Depois de prometer que logo voltaria para casa, ele pegou um mapa num guichê de informações e dirigiu 18km para Westerville, onde foi até o endereço que havia memorizado. Estacionou duas casas adiante, do outro lado da rua. Era exatamente o tipo de casa, o tipo de rua e o tipo de vizinhança que ele mais detestava. Tudo ao redor dizia "Somos mais ricos e mais refinados do que você jamais será". As janelas faiscavam; os gramados em frente das casas brilhavam. Canteiros de flores alegravam os edifícios sólidos, mas sem ostentar. Sabendo o que ele achava que sabia, a vizinhança lhe dava vontade de atirar nas enormes caixas de correio que se enfileiravam na rua, pintadas à mão com desenhos de estábulos, cachorros e patos.

Finalmente, o portão da garagem da casa de Hayward levantou e uma caminhonete azul clara saiu. No banco de trás, três garotinhas tagarelavam e gesticulavam ao mesmo tempo. A motorista, presumivelmente a sra. Tillman Hayward, era uma loura de Hitchcock com cabelos dourados e macios e um rosto correto e simétrico. Quando passou por Cooper, seus olhos azuis e gelados piscaram com repulsa e desconfiança em sua direção. Céus, ele pensou, não admira que o homicídio seja um comércio tão florescente.

Logo depois de seu retorno a Milwaukee e ao quarto vazio de onde ele olhava de binóculos para o sombrio fundo do quintal de Hayward, Cooper observou um evento aparentemente irrelevante que, em pouco tempo, pareceu tão significativo quanto a descoberta de uma nova doença. Um garoto pegajoso de onze ou doze anos, com olhos escuros e turvos e uma testa estreita, o filho de Bill Hayward, Keith, estava sentado, desconsolado como só um garoto de onze ou doze anos pode estar, na velha e gasta cadeira da sala de jantar que eles traziam para o gramado irregular no verão. Para o detetive Cooper, Keith transmitia uma espécie de deslocamento, uma sensação de que ia vivendo como podia numa estranha pobreza emocional. Cooper tinha captado apenas relances, mas os relances insinuavam uma vida de representação constante, como se Keith estivesse sempre desempenhando o papel de um garoto em vez de realmente ser um garoto. Cooper não sabia por que sentia isso nem confiava inteiramente nesse sentimento, que permanecia em fogo brando num fogareiro mental remoto, sempre presente, mas geralmente ignorado.

Porém, ali estava novamente, dentro do velho detetive, a sensação de que, embora esse menino estivesse sinceramente aborrecido com alguma coisa, ele também estava empenhado numa representação. A representação, ocorreu a George Cooper, tinha tudo a ver com sentimentos feridos e inocência magoada. Ele demonstrava seu sentimento de ter sido incompreendido como se estivesse num palco. Para quem ele estava representando, senão para sua mãe? Keith suspirou, jogou-se para trás na cadeira de modo que as costas arquearam, a cabeça pendeu e os braços ficaram pendurados como varetas descoradas; depois se jogou teatralmente para frente até dobrar sobre os joelhos, com os braços balançando e quase tocando o chão. Numa excelente demonstração de ressentimento, ele se endireitou e se contorceu até descansar o rosto numa das mãos e o cotovelo na outra.

A porta dos fundos se abriu e tudo mudou.

Acabou a representação e o garoto ficou ao mesmo tempo mais desconfiado e mais aberto, visivelmente curioso, debaixo da fina camada superior de sua representação, sobre o que estava para acontecer. A pessoa que surgiu da cozinha da casa amarela e marrom não foi Margaret Hayward, mas seu cunhado e objeto da mais cuidadosa atenção de George Cooper, Tilly. A reação inicial de Cooper ao que estava espiando foi um aperto na garganta e uma pressão no peito. Como verdadeiro policial, soube imediatamente que aquela cena estava errada.

Então ele viu: diante de seu tio, Keith permitiu que seu verdadeiro eu viesse à superfície.

De camiseta e chapéu, calças presas por suspensórios de couro trançados, Till agachou perto do sobrinho e ficou apoiado nos calcanhares. Sorrindo, ele juntou as mãos, o retrato de um tio devotado. Isso também perturbou o detetive. Hayward ainda demonstrava os lampejos de deboche que tinham se mostrado tão claramente na estação ferroviária, mas, naquele momento, parecia mais autêntico do que Cooper jamais havia visto. Aquelas duas pessoas estavam se *comunicando*. O modo como movimentavam seus corpos, a expressão dos olhos, a sutileza dos gestos de um para o outro contavam que o garoto tinha feito alguma coisa que, embora para ele fosse normal, o tinha colocado em maus lençóis com a família. Till estava dando conselhos ao garoto e seus conselhos continham um elemento de subterfúgio, de camuflagem ou falsidade. O brilho de seus olhos, seu sorriso latente, tornavam isso claro. Também era clara a reação do garoto. Ele estava praticamente em êxtase.

Tudo isso era terrível, até para o detetive Cooper. Ou, talvez, especialmente para o detetive Cooper. Ele percebia que o que estava vendo não era o drama de corrupção com o qual poderia facilmente ser confundido, mas algo pior, um momento de reconhecimento que resultava naturalmente e em seus próprios termos em uma espécie de iniciação. O pior do pior era um real momento de ensinamento, de conselho dado e aceito, que incluiu um grande molho de chaves que Tillman tirou do bolso e ofereceu ao sobrinho como uma forma de solução, supôs o detetive. Uma chave abria um recinto e num grande molho de chaves poderiam estar ocultas as que abriam o mais secreto e oculto dos recintos — como bandeiras que sinalizassem

Aqui! Aqui!, os pedaços de fitas coloridas, vivas como chamas nas lentes dos binóculos de Cooper. Tillman Hayward estava transmitindo ao sobrinho as satisfações do que poderia ser chamado de um quarto privado.

■

— Soa familiar? — perguntei. — Keith obviamente levou a sério o conselho do tio. E muito antes de ter a mesa e o jogo de facas que você viu em Madison atrás da porta trancada do depósito, é quase certo que ele tomou posse do porão de um edifício abandonado na Sherman Avenue em Milwaukee, a uns cinco quarteirões de sua casa. Deveria ter onze ou doze anos e começou a matar e a desmembrar pequenos animais, principalmente gatos que capturava na vizinhança.

■

Com uma dor estranhamente parecida com azia, Cooper se lembrou de Sonia Hillery, cujo corpo havia sido espancado, abusado, furado e esfolado durante dias, e da pobre Lisa Gruen, sem noção, sem atrativos, que tinha ganhado um café da manhã na lanchonete Sunshine em Butler, e compreendeu que lá embaixo, marcada com um pedaço de fita colorida, estava a chave que abria um inferno particular em Brookfield ou Menomonee Falls, em Sussex ou Lannon, numa daquelas cidadezinhas. Se aquele garoto, Keith, ainda não o conhecia, logo estaria diante daquele fato terrível, contemplando-o como que em preparação para sua espantosa vida adulta.

■

— E, lembre-se — falei — que esse Cooper era um policial bom de briga, à moda antiga, o tipo de tira que costumava ser chamado de "touro". Ele vira de tudo, vira e fizera tantas coisas que quase não tinha mais emoções reconhecíveis. Mas o que ele viu acontecer entre Tillman e Keith Hayward realmente o arrepiou. Usou a palavra "mal".

— Mas ele nunca conseguiu prender o tio. O que aconteceu finalmente?

— Numa de suas viagens a Milwaukee, Tillman Hayward foi morto a tiros atrás do Open Hand, aquele bar onde ele pegou Lisa Gruen, seu álibi. Para Cooper, a morte de Hayward foi um verdadeiro golpe. Ele insistiu em ser designado para o caso e, oficialmente, nunca o solucionou, nem chegou perto. Foi um desastre para ele. Cooper sabia exatamente quem tinha cometido o crime.

— Sabia?

— O pai de Laurie Terry, uma das vítimas de Hayward, um guarda de trânsito aposentado chamado Max Terry. Cooper tinha mostrado para ele a fotografia de Hayward e o velho achava que o tinha visto em algum lugar, mas não conseguia localizar onde. Mais tarde, Terry se lembrou de que tinha visto Hayward quando foi até o bar que a filha gerenciava em Water Street. Isso foi dois dias antes da morte dela. Esse cara de chapéu e nariz comprido estava sentado no fundo do bar, flertando com a moça, como um milhão de caras faziam toda semana. Assim que se lembrou, ele *soube*. Se esse cara não fosse o criminoso, o Matador de Mulheres, por que o tira tinha lhe mostrado a foto? No mínimo, era um suspeito. Então o velho pegou o cartão do detetive, ligou para a delegacia e mandou chamar Cooper. Detetive, disse ele, eu gostaria de ver aquela foto Polaroid novamente, aquela do cara de chapéu. Cooper foi até a casa dele, mostrou a fotografia de novo. Agora eu já não tenho tanta certeza, disse Terry. De qualquer modo, como é o nome dele? Tillman Hayward, disse Cooper. Um filho da puta de primeira linha. Agora, não vá fazer nenhuma besteira.

"Acontece que Max Terry não ligava a mínima para os conselhos dos tiras da divisão de homicídios que não tinham solucionado o assassinato de sua filha. Ele começou a fazer a ronda de bar em bar esperando encontrar Hayward e levava uma arma no bolso do casaco. Por uma espetacular sorte ou falta de sorte, Terry entrou no Open Hand cerca de uma semana depois e localizou Hayward lá dentro, conversando com umas garotas. Terry não pensou duas vezes. Foi direto ao seu alvo e disse: Ei, um cara que eu conheço perdeu uma aposta e agora ele te deve um dinheiro. Você está falando com o cara errado, irmão. Você não é Tillman Hayward? Certo, vem comigo lá fora e vamos acertar tudo.

"Em seu original, Cooper especulou que Hayward devia ter se divertido com a situação: um velhinho tentando lhe aplicar um golpe óbvio. Ele deve ter sorrido, Cooper escreveu, ele podia estar sorrindo quando o velho puxou o revólver do bolso e, sem parar para fazer mira, atirou primeiro contra o seu pomo de Adão; depois, dando um passo rápido à frente quando Tilly levou as mãos à garganta, atirou em seus órgãos genitais e no abdômen; e, finalmente, enquanto Hayward caía sobre o muro de concreto da travessa, atirou diretamente no seu olho direito, pondo fim a toda atividade daquela mente atarefada.

"Terry confessou tudo a George Cooper. Ele contou tudo que tinha feito, assim como eu te contei. Passo a passo. E tudo que Cooper fez foi registrar por escrito. Ele certamente não ia prender o velho. Pegou a arma e mandou que Terry fosse para casa e calasse a boca. Depois foi até a ponte da Cherry Street e jogou o revólver no rio Milwaukee, imaginando que não seria o único lá embaixo. Por quê? Essa é uma área de alto índice de criminalidade ou algo assim?"

— Ou algo assim — respondeu Olson. — Cooper deve ter sido tão racista como a maioria dos tiras de sua idade naquele tempo.

— Exceto por esse comentário, você não concluiria isso do livro dele. A questão de raça nunca aparece. Na verdade, o que *aparece*, por outro lado, é seu velho amigo Keith.

— Nosso amigo — corrigiu Don. — E mais ou menos.

— Ainda bem, já que parece que os verdadeiros amigos dele não acabam tão bem. Brett Milstrap desaparece em algum limbo que eu não consigo descobrir...

— Não me surpreende.

— De qualquer modo, o primeiro e melhor amigo que Keith Hayward teve na vida, provavelmente o único amigo verdadeiro, um garoto chamado Tomek Miller, acabou torturado e morto no porão do Sherman Boulevard, e é assim que sabemos sobre o porão. Cooper tinha apenas suspeitas, mas tinha várias. O amigo de Keith, Miller, provavelmente passou o diabo antes de ser morto e seu corpo ficou muito queimado num incêndio. No entanto, a autópsia revelou muitas lesões recentes, lesões *frescas*, no tecido remanescente e nos ossos. Cooper tinha certeza de que Till e Keith haviam matado o garoto, ou Tillman havia agido sozinho com Keith aplicando o golpe de misericórdia, ou o que fosse, e atearam fogo no edifício para destruir as evidências. E quase conseguiram.

"Cooper tinha reconhecido o garoto naquela área algumas vezes, mas nunca havia presenciado nada que pudesse ligá-lo ao edifício. O que não foi por falta de tentativas. Até o incêndio do edifício, Cooper não tinha noção de onde Keith havia estabelecido seu local secreto. Poderia ter sido em qualquer um dos vinte ou trinta edifícios da Sherman Boulevard ou perto dela. O que realmente o intrigava era que ele tinha seguido Keith e Miller até aquela área muitas e muitas vezes, mas eles sempre conseguiam escapar de suas vistas antes de entrarem em algum lugar. Ele estava convencido de que Miller era uma espécie de escravo de Keith. Esse Miller era um garoto de aparência engraçada, pequeno, muito pálido, com olhos, nariz e mãos grandes demais para seu corpo. Cooper disse que ele parecia o Pinóquio. Um alvo natural, um garoto que esperava ser intimidado e maltratado. Perto de Keith, ele agia de forma totalmente deferente, quase servil. Ele achava que Keith aceitava sua servidão como pagamento por ser protegido. Os outros garotos nunca se metiam com Keith Hayward.

"Caso você esteja estranhando, Cooper interrogou Keith duas vezes. Não chegou a lugar nenhum. O garoto alegou que o que o unia ao seu tio era o beisebol. Ambos eram fãs do jogador da terceira base dos Braves, Eddie Mathews. Um grande sujeito, segundo o garoto. Tudo isso frustrou enormemente Cooper. Ele olhava para Keith e via uma versão mais nova de Till. Isso o deixava doente."

— Não me admira — disse Olson.

— O garoto disse que não tinha ideia do que Miller fazia naquele porão. Claro, eles eram amigos, mais ou menos, mas Miller era basicamente uma nulidade e ninguém sentia muita falta dele. E os pais! Não ajudaram em nada. Eram imigrantes poloneses que trocaram de sobrenome, basicamente com medo de tudo. Cooper os deixou fora de si de medo. O filho conhecia Keith Hayward, eles o conheciam de nome, mas isso era tudo. Lá estão aquelas duas pessoas encolhidas, aterrorizadas; ele trabalha numa padaria polonesa, ela faz faxina em casas, não têm dinheiro, estão sofrendo com a perda inexplicável de seu único filho, sentados na beira de um sofá barato, completamente amedrontados, paralisados... querem que Cooper explique o que aconteceu, porque eles certamente não conseguem. Nada faz sentido para eles, a *América* não faz sentido para eles, ela lhes tirou o filho e o transformou numa costeleta de porco.

Levantei os ombros e fiz um gesto de o-que-se-pode-fazer, depois dei atenção à minha refeição. Depois de algumas garfadas, percebi que queria fazer uma certa pergunta a Olson.

— Don, você acha que Keith Hayward merecia morrer?

— Provavelmente. Hootie e sua mulher achavam que sim.

Balancei a cabeça.

— Perguntei a Lee sobre isso uma vez e ela disse que Hayward não era de todo mau.

— A Eel *disse* isso?

— Ela também disse que achava que ninguém, se olhássemos o interior das pessoas, era realmente de todo mau. Mas ela acrescentou que ainda assim achava que Keith Hayward merecia morrer. Eu também acho... Olha. Se Cooper estiver certo sobre o garoto, a morte de Hayward provavelmente salvou a vida de muitas moças.

Olson concordou.

— Pensei sobre isso.

— Então vem essa força não se sabe de onde, de uma outra dimensão, ou do chão, não sei, e rasga o cara em pedaços. Será que a força era má? Eu diria que era neutra.

— Neutra.

— Talvez alguma das mulheres que Hayward teria matado, se tivesse continuado vivo, realize algo grande um dia. Talvez ela, ou sua filha, ou seu filho, faça uma importante descoberta médica ou científica, ou seja um grande poeta. Talvez seja mais remoto que isso. E se uma das mulheres que Hayward teria assassinado, ou um de seus descendentes, num futuro distante, fizer alguma coisa aparentemente insignificante que, no final, vá ter um enorme efeito em cadeia? Matar Hayward seria o meio de proteger esse efeito, qualquer que seja ele.

— Então essas criaturas estão nos protegendo?

Pensei um segundo sobre aquilo.

— Talvez estejam protegendo nossa ignorância. Ou talvez estejamos ambos completamente errados e outra coisa totalmente diferente matou Hayward, alguma criatura demoníaca que Mallon conseguiu evocar.

— Eu não vi nenhuma criatura demoníaca — resmungou Olson. — E acho que não tinha nenhuma. O que aconteceu com o seu detetive, esse

Cooper? Está me parecendo que ele cavou um enorme buraco e pulou dentro.

Eu ri.

— É, não que isso tenha alguma graça. Ele desrespeitou a lei, destruiu evidências e interferiu em todo o processo. Tudo que lhe restou foi ficar de olho em Keith Hayward, o que ele fez, e deixou que o garoto soubesse que o estava vigiando, mas Cooper sabia que tinha arruinado a própria vida. Tinha chegado ao fim. Não podia ficar de olho em Keith Hayward vinte e quatro horas por dia e nunca viveria tempo suficiente para vigiar os filhos do garoto. Aquele gene distorcido, ou o que fosse, estava fora de alcance. Ele não podia dar um fim àquilo. Sua perícia tinha falhado totalmente.

— O que ele fez? Engoliu sua arma?

— Bebeu até morrer. Pediu demissão da polícia, naturalmente. Devolveu a arma e o distintivo. Ele tinha outra arma, uma pistola que tirou de um bandido, mas nunca andava com ela, nunca a usou. Apenas gostava da ideia de que ela estava *ali*. Cooper morava numa região além de Vliet Street e havia bares nas duas extremidades do seu quarteirão. Durante alguns anos ele basicamente ia e voltava de uma ponta a outra.

— Ele escreveu isso no *livro*?

— Para ele, era o fim do caso do Matador de Mulheres, com o detetive que carregava todo o caso na cabeça indo e vindo entre esses dois bares, The Angler's Lounge e Ted & Maggie's. Ele *queria* escrever sobre isso. E tinha algumas coisas bem interessantes a dizer. Era como se tudo estivesse totalmente vazio. Como viver numa escuridão completa. Se ele fosse um bom escritor, poderia ter sido incrível.

— Por quê? O que ele disse?

— A única maneira de abordar esse material é percebendo que ele estava bêbado quando o escreveu.

— Você consegue lembrar alguma coisa?

— Não sou Hootie, mas alguns trechos ficaram gravados, sim.

— Diga aí.

— Certo. Ele escreveu: *Levei quase sessenta anos para aprender que, nesta vida, o que não é uma merda, não é nada.* — Consegui evocar outra das flechas de escuridão do velho detetive: — Num outro trecho, ele escreveu:

O que não é dor é apenas um cabide de arame. Eu prefiro a dor. — Sorri para o teto, lembrando de uma coisa, depois dirigi o sorriso para Olson. — Lá pelo final, ele diz: *Para quem eu estava trabalhando durante todos esses anos? Meu verdadeiro patrão era um cabide de arame? O modo como eu vivo desgasta a realidade.*

— Sobre o que ele estava falando, cabides de arame?

— O que eu consigo pensar é que um cabide de arame não tem importância. É mais um esboço que uma coisa real.

Nossa conta tinha chegado. Entreguei o cartão de crédito, assinei a nota e por fim era hora de contornar a praça e voltar ao hotel. Ficamos de pé, acenamos um obrigado ao garçom, cumprimentamos com a cabeça os *chefs* de sushi sorridentes e nos dirigimos para a porta.

Saímos para a escuridão quente da noite, atravessada por milhões de estrelas lá no alto e, na ladeira da King Street, pelas luzes das janelas dos bares e pela proa iluminada da marquise de um teatro.

Lascas de mica brilhavam na calçada. Esperei que Don chegasse ao meu lado, então quase suspirei.

— Acho que o salão ainda está aberto — disse Olson.

— Vamos ver. — Olhei para o meu companheiro. — Depois de tudo isso, espero nunca mais ter que ouvir uma palavra sobre Keith Hayward ou sobre seu tio horrível. Fico feliz por eles estarem mortos.

— Vou beber a isso.

A essa altura, Don já tinha perdido quase toda a bravata da prisão. A assertividade crua que o devia ter protegido em Menard, mas que o tornava um aborrecimento em Cedar Street, tinha diminuído tão completamente que senti que passara os últimos noventa minutos fazendo nada mais complicado que tagarelar com um amigo. Olson estava até andando quase normalmente agora, com apenas resquícios do antigo gingado ameaçador. Como, eu me perguntei, ele conseguira arrancar cinco mil dólares de gente que agora mal conhecia?

■

23:00 — 3:30

Uma porta escolhida; uma porta não escolhida e intocada; uma pergunta não respondida. Essas questões, juntamente com outras semelhantes, flutuavam na minha mente enquanto eu me despia e pendurava minhas roupas e escovava os dentes e lavava as mãos e o rosto e me enfiava na confortável cama do quarto do hotel.

Detive minha mão em seu trajeto para desligar a lâmpada alta do lado da cama, depois a abaixei para o lençol macio e dobrado e deixei minha cabeça ir ao encontro do travesseiro que a esperava.

Eel tinha entrado naquele campo sem mim e agora eu nunca poderia desfazer a escolha que fizera, nunca poderia desfazer aquele nó.

Só por agora, a luz podia continuar acesa.

∎

— Realmente, é uma questão simples — falei a Don Olson no salão do Governor's Club tarde da noite. Estávamos sentados numa mesa próxima das grandes janelas e luzes brilhavam perto e longe. Sozinho em seu aquário de peixe dourado, o *barman* amigável (que tinha pedido e ficado satisfeito com nossa avaliação do restaurante que ele recomendara) parecia ter caído num estado de profunda meditação. No sofá comprido da entrada do salão, um casal jovem, de frente para a lareira se inclinava para sussurrar um ao outro, ombro a ombro, como espiões apaixonados.

— Duvido disso — disse Olson. — Olhe para você.

— Você nunca ficou obcecado por uma história estranha? Repassando-a na cabeça várias vezes?

— Você está cheio de dedos. Comece pelas coisas fáceis. Quando foi que esse sei-lá-o-quê aconteceu?

— Em 1995 — falei, surpreso por haver lembrado a data tão claramente e tão depressa. — No outono. Outubro, acho. Lee foi chamada a Rehoboth Beach, Delaware, para uma missão estranha, quase de detetive. No final, ela *foi* detetive e pegou o bandido!

∎

Deitado na cama, mãos cruzadas sobre o peito, a luz se derramando sobre metade do quarto, repassei a conversa com Olson, palavra por palavra.
— *Chamada? Quem a chamou?*
— *A CAC. Confederação Americana de Cegos. Sua antiga companheira, a Eel, é muito próxima da seção de Delaware. Em Rehoboth Beach.*

■

Às vezes me parecia que a bela Lee Truax tinha sido uma das fundadoras da seção de Delaware da CAC, mas claro que não foi. Ela apenas conhecia todo mundo lá. Como aquilo aconteceu? Tinha ajudado a organizar aquela seção, foi assim, tinha trabalhado com a primeira geração de membros para montar a estrutura; alguém a tinha convidado, uma antiga amiga de Nova York, Missy Landrieu, um nome que eu, naturalmente, só lembrava metade do tempo — às vezes parecia que eu mal notava seus amigos. Portanto, embora nem ela nem eles nunca tivessem morado em Rehoboth Beach, Delaware (e de fato, sendo autocentrado e obcecado por trabalho, eu nunca tinha sequer visitado o lugar), a antiga Eel tinha raízes profundas naquela agradável comunidade praieira onde a seção se reunia frequentemente. Lá ela era amada e respeitada, talvez mais do que nos outros lugares onde havia seções da CAC. E, naturalmente, era de suma importância para aquela pequena seção de um estado pequeno e pouco considerado, a Rhode Island do litoral leste, ter uma boa amiga que fazia parte da mesa diretora da organização nacional. Ou que era curadora. Uma das duas coisas, a não ser que sejam o mesmo, o que eu acho que não são. A amiga de Nova York, Missy, outra curadora ou membro da diretoria, embora com visão, não cega, e tão fantasticamente rica como uma heroína de um livro de Henry James, tinha procurado a antiga Eel para que esta lhe desse assistência num assunto difícil relativo à sua especialmente querida seção — sem contar, claro, Chicago, sua seção de origem.

Esse assunto difícil tinha relação com fundos que estavam desaparecendo, à razão de algumas centenas de dólares por mês, das contas da seção. Os diretores só tinham percebido o desfalque quando a quantia desaparecida já montava a pouco mais de dez mil dólares.

■

Naquela época, era uma particularidade da seção da CAC em Delaware quase toda a diretoria ser composta de mulheres. Elas resolveram não chamar a polícia, mas primeiro se aconselhar com a direção nacional. Como resposta, a direção nacional enviou Lee Truax, amada, respeitada e sábia, de Chicago, para resolver o problema antes que ele se tornasse público.

Sabiam-se os nomes de todos que tinham acesso àquela conta. Nove mulheres, espalhadas por toda a região, a maioria da área de Baltimore. O que Eel fez, contei a Donald em palavras que recordei deitado na minha cama no décimo segundo andar, foi convidar as nove mulheres para o Hotel e Centro de Conferências Golden Atlantic Sands, localizado diante do passeio de madeira da Rehoboth Beach. Por receber frequentemente as conferências locais e nacionais da CAC, o Golden Atlantic Sands era familiar para todas elas.

— O que é importante para os cegos — lembrei-me de ter dito.

■

— O que você quer dizer com isso? — perguntou Olson. — Todo mundo gosta de familiaridade, embora seja eu a dizer isso.

■

Ah, respondi, mas se você não conseguisse enxergar, ou só enxergasse muito pouco, saberia como se sentiria muito mais confortável num lugar que conhecesse bem. Poderia relaxar melhor, porque no primeiro dia já teria uma boa noção de onde tudo estava, das gavetas do quarto e torneiras do banheiro até o elevador, o restaurante e as salas de reunião.

E isso era muito verdadeiro para Eel. Num lugar tão conhecido para ela como o Hotel e Centro de Conferências Golden Atlantic Sands, minha mulher deslizava, flutuava, andava sem errar pelos corredores, pela imensidão do saguão de entrada, pela multiplicidade de salas identificadas por placas e através de salões onde fileiras de cadeiras dobráveis ficavam de frente a pódios com microfones. Ela se movimentava como se *enxergasse*, porque em lugares assim ela realmente enxergava, e o que via era um mapa seguro impresso em sua mente e em seu corpo.

Eu já havia presenciado Eel lidando com hotéis em que houve conferências em Chicago e Nova York; tinha visto a maravilhosa Eel se levantar do assento a meu lado quando seu nome foi anunciado, dar um passo atrás e seguir adiante, cabeça erguida, sorrindo em reconhecimento aos aplausos, dar a volta sem hesitação na comprida mesa coberta com toalha branca e ir direto ao pódio para agradecer ao apresentador e dizer suas primeiras palavras. Ela *via*, foi isso que seu marido insone compreendeu, ela enxergava com uma visão própria.

■

Olson me lançou um olhar de absoluta paciência e recostou na cadeira.

— Então ela reuniu aquelas nove mulheres, como você ia dizendo. Aposto que a Eel foi uma boa detetive.

— Ela deu conta do serviço — disse eu. — A primeira coisa que fez foi encontrá-las num pequeno café na calçada da praia, um lugar onde já tinham estado um milhão de vezes, e lhes dizer que a direção nacional a havia enviado para consultar os proeminentes membros da seção de Delaware sobre como lidar com um problema em formação que a direção de Nova York havia detectado. Queria conversar com cada uma individualmente, e a CAC tinha providenciado para isso o salão mais formal aberto ao público, a chamada Sala dos Diretores, a única sala ou instalação para reuniões que a CAC nunca utilizava.

■

— Mas, Eel me contou, *a Sala dos Diretores possuía quase que uma presença própria, uma existência não reconhecida evocada pelo luxo, que até uma pessoa sem visão poderia perceber. Quando você entrava no salão e permanecia quieto por um momento, absorvendo a atmosfera, podia sentir que as paredes tinham sido guarnecidas de lambris de madeira escura de lei, que pinturas e tapeçarias belas e antigas pendiam sob pequenas luzes suaves e que seu pé tocava num tapete persa resplandecente*.

— Você entende? — perguntara Eel. — *Você podia sentir a presença das pinturas, podia sentir as lâmpadas acima delas, tudo emitia vibrações, mudanças de textura, variações sutis na pressão do ar; uma coisa antiga e preciosa afeta a atmosfera de um modo diferente de uma coisa nova e mais barata; como evitar isso? Tudo causa movimento. Mas naquela sala maravilhosa tantas coisas aconteciam, você realmente sentia como se uma presença invisível, não anunciada, sempre tivesse estado ali, esperando por você, esperando para te avaliar! Naturalmente, isso não funcionaria para pessoas que enxergam. Às vezes, parece que as pessoas que enxergam mal conseguem ver alguma coisa.*

— E o que ela fez — falei a meu velho amigo e hóspede —, o que Lee Truax fez, foi se sentar lá dentro e esperar que elas viessem, uma por uma, a intervalos determinados de meia-hora, batessem à porta (de um modo hesitante, indeciso, a indecisão ampliada pelo que podiam sentir do peso e da densidade, da absoluta seriedade da madeira que constituía a porta), ouvissem-na convidá-las a entrar, procurassem a grande maçaneta e imergissem em uma floresta de impressões inesperadas, quase tateando seu trajeto através do silêncio carregado, até que Lee Truax falasse novamente e as convidasse a se sentarem do outro lado da mesa. Quando elas se sentavam, outra figura parecia se juntar a elas, talvez a figura de um retrato, alguém que não se sabia estar presente, mas que ainda assim estava, um fantasma impositivo. E elas tinham que lidar não apenas com Eel, mas com essa ilusão que suas mentes e seus sentidos tinham criado. Seria difícil dizer qual das duas era mais poderosa.

■

Olhei para a suave luz amarela assentando sobre a dobra do lençol branco e se dissolvendo no cobertor claro e vi o rosto fino e irreal pairando ao lado de minha mulher num cômodo ricamente equipado. O fato de o que eu visualizei talvez não ter relação alguma com o rosto imaginado pelas visitantes inquietas de Eel punha chamas vivas sob meu desconforto crescente. Eles — ele e ela — tinham estado juntos na lanchonete da State Street, no porão de um restaurante italiano, novamente em Gorham Street, mais uma vez em Glasshouse Road e duas vezes no campo. Duas vezes. O desprezível, desprezível Hayward tinha estado próximo o suficiente para segurar a mão dela. E quando ela abriu espaço para ele, ele tinha se voltado para ela. Eu sabia o que tinha acontecido naquele quarto e era obsceno.

■

— Uma de cada vez, elas batiam na porta e entravam — tinha dito eu a Olson. — Uma por uma, elas se sentavam do outro lado da mesa. Algumas das nove mulheres que passaram pela Sala dos Diretores naquele dia podiam distinguir a luz e as trevas. Acho que duas delas tinham uma visão vaga, parcial, embaçada em um dos olhos. As restantes não enxergavam nada senão a completa escuridão. Mas, independente do que seus olhos registrassem ou deixassem de registrar, elas não podiam deixar de sentir que outra presença, uma figura evocada pelos próprios materiais da sala, tinha estado à espera delas o tempo todo.

Isso foi o que Eel me contou.

■

Na necessária luz da lâmpada, lembrei-me do choque de perceber que tinha voltado ao velho hábito de me referir a ela por seu antigo apelido. Quantas vezes já tinha feito isso? Três, quatro? Se fosse tudo isso, a batalha já estava perdida.

— Ela começava gentilmente, explicou Eel. A mulher à sua frente já tinha percebido que aquele encontro, na verdade aquela convocação, não era bem o que esperava e suas antenas estavam ligadas.

— Fale sobre você — pedia Eel. — Qualquer coisa, não importa. Quero ouvir você falar de si mesma. Me faça ficar indignada. Ou encantada. Ou ofendida. Horrorizada. Tudo que peço é que não me entedie.

Então as mulheres começavam, uma por uma, tateando o caminho em direção ao que imaginavam que Eel quisesse. No início, era sobre onde tinham crescido, suas mães, as escolas que frequentaram e como acabaram se casando. E foi assim que eu ingressei na CAC.

— Você poderia me contar mais alguma coisa? Há alguma coisa sobre você que ninguém saiba?

(Aquela outra presença, o rosto imaterial, piscava com interesse e se aproximava um pouco mais. Ela sabia tudo sobre coisas desconhecidas — ela habitava as coisas desconhecidas).

— *Me surpreenda* — *dizia ela.* — *É para isso que estamos aqui.*

— *Eu sou o que as pessoas chamam de "hétero" e fui assim a vida toda, gosto de sexo com homens, mas, neste momento, o que eu mais gostaria de fazer no mundo era me deitar com você em cima desta mesa e apertá-la tanto quanto pudesse. Isso é afronta suficiente para você, Lee Truax?*

— *Sou cega desde os dois anos e cresci numa casa com três irmãos mais velhos que enxergavam. O mais velho foi morto por um motorista embriagado, o segundo se suicidou com a namorada no banco da frente do carro de nossa família quando estavam no curso secundário. O mais próximo a mim, Merle, que deveria ter morrido como os outros dois, mas não morreu, costumava me levar para um terreno atrás da nossa casa e me fazer brincar com sua coisa feia. E pior. Meus pais nunca pensaram que Merle pudesse fazer nada de errado, eles achavam que Merle era como Jesus. Quando eu tinha dezoito anos, me casei para não ser mais estuprada por ele. Agora tenho três filhos, meninos, e a única maneira de me impedir de detestá-los é saindo de casa. Provavelmente é por isso que trabalho para a CAC.*

(A terceira presença irreal estremeceu de deleite. Lentamente, ela deslizou um braço frio sobre os ombros de Eel).

— *Quer se horrorizar, sra. Truax? Provavelmente eu posso horrorizá-la, se é isso mesmo o que quer. Porque a senhora está aqui, o motivo pelo qual a senhora pediu que nós nos reuníssemos neste hotel, não tem nada a ver com um vago problema que a diretoria de Nova York sentiu que "estava se formando". É muito mais específico que isso, não é? Os poderes constituídos querem que a senhora investigue o assédio sexual que está havendo nesta seção. Um padrão de assédio sexual. Ou, para ser mais precisa, sra. Truax, eles querem que a senhora se informe discretamente, sem fazer nada que realmente revele qualquer coisa sórdida, e depois de alguns dias volte e relate que os boatos são infundados. Uma de nós torna a vida de algumas das mulheres mais novas que trabalham sob sua supervisão muito desconfortável. Tenho estado à espera de que alguém viesse aqui para examinar essa questão, e a senhora é essa pessoa, e eu estou dizendo sim, esse comportamento terrível está acontecendo. Mas não vou lhe contar quem é a pessoa. Essa tarefa é sua, sra. Truax.*

— *Você quer que eu lhe conte algo sobre mim que ninguém sabe? Tudo bem, Lee. Por que não? Não creio que você vá contar para a polícia ou coisa* assim, não é? Isso é como um exercício de confiança. É, não é? Sei como funciona. E também não acho que você vai me culpar.

(Aqui a terceira irreal apertou mais os ombros de Eel; aqui, deitado em suaves lençóis brancos e com medo de apagar a lâmpada da cabeceira, eu fechei os olhos.)

— A razão pela qual você não vai me culpar é que vai entender o que eu fiz, mesmo que não veja exatamente como eu. Perdi minha visão mais ou menos com a mesma idade que você, quando tinha trinta e poucos anos. Bem, eu não a "perdi" exatamente. Fui atacada e cegada por um homem com quem eu tinha acabado de romper. Robert não queria que eu fosse capaz de olhar para outro homem, então ele se assegurou de que eu nunca mais enxergaria nada. Eu o denunciei à polícia e testemunhei em seu julgamento e ele se deu mal. A sentença foi de quinze a vinte e cinco anos, só que ele saiu em sete. Sabe o que ele fez? Ligou para minha mãe e disse que queria se desculpar comigo, então, por favor, ela podia lhe dar meu telefone? Ele havia pagado sua dívida com a sociedade, era um homem mudado, queria saber que tinha meu perdão. Como uma idiota, ela lhe deu meu telefone.

"O cara me ligou e perguntou se podia ir à minha casa. Não, eu respondo. Você me dá arrepios, claro que você não pode vir aqui. Ele suplicou para que eu fosse encontrá-lo, em qualquer lugar. Por favor. Só quero lhe dizer algumas palavras, depois você não precisa me ver nunca mais.

"Tudo bem, eu disse, me encontre nesse café, o Rosebud, e eu lhe disse onde era.

"Eu não lhe disse que o Rosebud ficava a meio quarteirão do meu apartamento. Eu fazia talvez metade de minhas refeições lá, todos me conheciam, todos sabiam da minha história. Um dos empregados, Pete, o filho do dono, costumava cuidar bem de mim, se certificar de que estava tudo bem. Veja bem, eu tinha trinta e nove anos, diziam que eu ainda era razoavelmente bonita, e Pete tinha vinte e oito; provavelmente a atração que sentia por mulheres mais velhas funcionava em relação a mim. De qualquer modo, quando ele me levou até a mesa, disse que eu parecia meio tensa, havia alguma coisa errada? Não realmente, mas, bem... Expliquei toda a situação e ele disse que ia ficar de olho na minha mesa.

"Apesar da minha tensão, o encontro correu bem. A voz de Robert parecia diferente da que eu me lembrava, um pouco mais baixa, um pouco mais suave.

Mais agradável. Isso me confundiu um pouco. Tentei me lembrar de seu rosto, mas me veio apenas um borrão rosa. Ele disse que sabia que tinha feito uma coisa terrível, compreendia que nenhuma desculpa seria adequada, mas que significaria muito para ele se eu ao menos pudesse dizer que não o odiava mais. Não é tão simples assim, eu disse.

"Continuamos a conversar durante algum tempo, Robert pediu um hambúrguer e um café e eu pedi uma salada de atum e uma coca, e ele me contou como era difícil conseguir trabalho quando se é um ex-presidiário, mas que tinha uma coisa boa em vista. O agente da condicional estava bastante satisfeito com aquilo. Perguntou se eu tinha um emprego agora, por causa... você sabe. Sim, tenho um emprego numa fundação, respondi, está tudo bem com a minha vida, é uma luta, mas tento não me queixar, nem mesmo para mim mesma. Ele disse que me admirava. Eu disse, ouça, não quero a sua admiração, nem o seu respeito. Vamos deixar isso claro.

"Robert entendeu, realmente entendeu, ao menos pareceu ter entendido. Depois disso, as coisas correram surpreendentemente bem. Ele disse que nós tínhamos uma ligação profunda, tínhamos feito certas coisas um ao outro, ele entendia que eu tive que ir à polícia, entendia que ele tinha se colocado na prisão, mas tinha sido por meu intermédio, o que envolvia uma escolha. Era interessante ouvir Robert dizer essas coisas.

"Por minha insistência, dividimos a conta, depois do que Robert perguntou se eu me importaria que ele me acompanhasse até em casa, nada mais. Um gesto de adeus, ele disse. Vamos lá, faça seu gesto, eu disse. Se é o que você quer.

"Fui uma idiota. Entre o meu apartamento e o Rosebud há um enorme terreno baldio que termina num barranco e depois que chegamos mais ou menos à metade desse terreno, ele disse que queria pegar um desvio e, antes que eu pudesse falar qualquer coisa, o velho Robert tampou minha boca com a mão, pôs o outro braço em volta da minha cintura e me arrastou para o terreno baldio.

"Por mais que me debatesse, eu não consegui me soltar. O canalha me puxou pelo terreno e pelo barranco abaixo, depois me jogou no chão e pulou em cima de mim, prendendo meus ombros com as mãos. Tinha certeza de que ele ia me estuprar, e disse tudo que me veio à cabeça, principalmente supliquei *muito para que ele não me estuprasse. Não adiantava gritar, porque ninguém podia me ouvir.*

"Cala a boca, ele disse. Eu não vou te violentar. Eu só queria te assustar de tal maneira que você ia saber como eu me senti quase todos os dias durante os últimos sete anos. Me cagando de medo. Ser cega não é tão ruim como a merda que me aconteceu. Eu só acertei as contas. Agora se levante e saia daqui. Nunca mais quero ver você.

"Eu me sentei e coloquei a mão sobre uma pedra que nem sabia que estava lá. A pedra se encaixou na minha mão."

(A figura junto de Eel deu uma risadinha de satisfação. Eu via um vampiro com o braço em torno da minha mulher.)

— VOCÊ não quer ME ver mais?

(Então — exatamente naquele momento — eu pude sentir alguém perto de mim, Eel disse. Não eram somente elas, aquelas mulheres de Delaware, que sentiam a presença de mais alguém na sala, era eu também. E a figura que se juntou a mim não se parecia nada com o juiz com quem eu estava contando, de modo algum. Era doentia, era repugnante... era o que chamamos de mal, porque não temos nenhuma palavra melhor.)

— Eu estava furiosa! Meu corpo agiu antes que minha mente pudesse lhe dizer o que fazer. Girei meu braço em direção à sua voz e Robert deve ter virado a cabeça porque não deteve o meu braço ou se abaixou ou qualquer coisa assim e, antes que eu percebesse que estava tentando bater na cabeça dele com a pedra, senti a pedra ir de encontro a uma coisa dura. Gritei, em choque, mas meu corpo continuou a se movimentar — escorreguei para frente e bati com a pedra novamente e, dessa vez, senti alguma coisa estalar como a casca de um ovo e minhas mãos ficaram molhadas. Comecei a fazer um barulho que não era grito nem choro, era alguma coisa mais confusa e menos articulada. Eu estava lá embaixo do barranco, pelo amor de Deus, e tinha acabado de matar um homem que algum dia tinha sido muito apaixonado por mim. E sabe o quê? Eu estava feliz, muito feliz, por ele estar morto.

(A figura repulsiva que agarrava Eel tremeu de êxtase, depois desapareceu, tendo conseguido o que queria.)

— Alguém descia pelo barranco e eu gritei e me esforcei para me levantar. Devia ser um tira, e eu ficaria presa por muito mais tempo que o idiota tinha ficado. Um homem dizia Meu Deus, meu Deus, muitas e muitas vezes e eu *percebi que não era um tira. Era o Pete, da lanchonete! Ele tinha saído para se certificar de que nada fora do normal tinha me acontecido e, quando não me viu na rua, correu para o enorme terreno. Ele logo me ouviu fazendo aquele barulho e ali estava ele, o meu salvador!*

"Pete me levou para casa sem que ninguém me visse, me levou ao meu apartamento e esperou que eu me lavasse e vestisse roupas limpas. Ele pôs todas as coisas ensanguentadas num saco de lixo e disse que ia queimá-las depois de arrastar o corpo bem para o fundo do barranco e o cobrir, ou o colocar numa caverna, ou o esconder de modo que ninguém o achasse por muito tempo. E imagino que ele tenha feito um bom trabalho, porque o corpo de Robert ainda está lá embaixo. Eu me livrei de um assassinato. Esse segredo lhe basta, sra. Truax?"

A próxima senhora disse:

— *Isso é engraçado, tenho vontade de rir quando penso nisso. Que coisas estranhas acontecem na vida! Bom, de qualquer modo, quando eu era bem pequena, minha mãe costumava me levar nas suas lojas preferidas para que eu roubasse coisas para ela.*

Eel tinha achado sua ladra.

■

— Ela conseguiu que a mulher confessasse? — perguntou Don, perto das janelas escuras do salão.

— Conseguiu — lembrava-me de ter dito, sentindo o tempo todo, perto demais, o movimento de asas enormes. — Levou vinte minutos. A mulher se entregou. Disse que só roubava um pouquinho de cada vez e que realmente não tinha percebido como a soma tinha aumentado. Mas agora ela estava com medo, não sabia como parar. "Você já parou", Lee lhe disse. "Acabou." Elas planejaram um cronograma de reposição do dinheiro, nunca levaram o caso à polícia, resolveram o problema todo numa tarde. A senhora foi embora abalada, mas regenerada. Sabe, ela tinha passado a vida toda roubando em lojas. Como Boats!

— É, como Boats — disse Olson. — Mas pegaram essa mulher.

Ele sorriu, depois olhou para cima, distraído com um pensamento.

— Em que ano foi isso?

— Foi em 1995. Em outubro, acho.

— Interessante. Tenho a sensação de que, em outubro de 1995, Spencer e eu estávamos visitando uma cliente dele, uma senhora idosa chamada Grace Fallow. Ela era rica e gostava que Spencer fosse até onde ela morava para as consultas. Isso foi bem no fim do período em que eu trabalhei com ele.

— Sim, e daí?

■

"Sim, e daí?" Significando: o que isso tem a ver comigo?

■

— Grace Fallow morava em Rehoboth Beach. Ela nos hospedou num hotel chamado Boardwalk Plaza.

■

— *Grace Fallow morava em Rehoboth Beach... Boardwalk Plaza.*

■

— Podíamos ter encontrado com ela! Não teria sido estranho?

— Imagino que teria sido estranho sim.

Ele franziu a testa.

— Ei, foi uma *coincidência*. Não a vimos e, que eu saiba, ela não nos viu. Mas talvez, você sabe, ela o tenha visto de relance e sentiu saudade. Foi uma época muito empolgante de nossas vidas. E eu posso estar enganado com relação à data. — Ele parou e olhou para cima e para a esquerda. — Na verdade, acho que estava enganado. Acho que Grace Fallow nos pediu para visitá-la em outubro de 1996, não em 95. É. Acho que é isso. Foi em 1996.

■

— Com certeza foi — murmurei, usando a frase que não tinha falado para meu amigo no salão. No salão, eu não tinha dito nada; tinha simplesmente acenado com a cabeça.

Passou-se um longo tempo antes que eu me sentisse capaz de apagar a lâmpada da cabeceira e convocar a escuridão que instiga a mente.

■

Na manhã seguinte, voltamos ao Hospital Lamont e lá uma coisa estupenda aconteceu, mas antes de eu explicar o quê, vamos pular os quatro dias seguintes, todos repletos de eventos que podem ter sido um pouco menos espantosos, mas que foram surpreendentes de qualquer modo, ao menos para quem estava presente. Mas, no quinto dia, aquele para o qual estamos pulando, outra surpresa, na verdade várias delas, ocorreram, e todas começaram com Don Olson anunciando, diante de roscas torradas e doces dinamarqueses em nossa mesa costumeira no salão, que Howard Bly, a fonte das coisas estupendas e surpreendentes mencionadas acima, fora avisado para não esperar a visita de seus amigos naquele dia. Em resposta à minha pergunta, Olson disse que tinha uma surpresa para mim. A surpresa tinha a ver com uma rápida viagem a Milwaukee.

— Qual é sua surpresa?

— Você vai descobrir quando chegarmos lá. Temos uma pequena questão aqui. Até Milwaukee se leva uma hora e meia de carro, mas de avião chegamos lá em meia hora. Embora eu deteste voar, reservei umas passagens baratas para nós nessa nova companhia sem frescuras, a EZ Flite Air. Tudo que temos a fazer é chegar ao aeroporto em quarenta minutos e pagar as passagens. Em Milwaukee, podemos alugar um carro. Imagino que economizaríamos ao menos meia hora e, a não ser que eu esteja totalmente enganado, você vai fazer questão de ter este tempo.

— Qual é a pressa?

— A pessoa com quem vamos nos encontrar não dispõe de muito tempo.

— E você não vai me contar quem é essa pessoa misteriosa.

— Você está perdendo minutos preciosos — disse Don, limpando os lábios com o guardanapo enquanto se levantava.

Em cinco minutos, estávamos indo para o Aeroporto Regional de Dane County e em vinte e cinco minutos eu era o oitavo na fila do balcão da EZ Flite Air, no saguão amplo e claro. Eu era o único que não tinha bagagem. Tudo que pensei em trazer, um caderno e uma caneta tinteiro, estava enfiado no bolso do meu casaco.

Don Olson, que admitia ser uma dessas pessoas que ficam em estado de semiparalisia de medo do momento em que as rodas do avião saem do solo até o momento em que elas o tocam novamente, tinha desaparecido nas profundezas do terminal à procura de balas e revistas ou qualquer coisa que pudesse amenizar a sua ansiedade. Sendo ainda muito cedo da manhã, eu esperava que Olson não se sentisse compelido a engolir doses de uísque. Ou que ao menos pudesse se conter e ficasse em duas doses e não mais.

A fila se arrastava para frente, movimentando-se à velocidade de talvez meio metro a cada vinte minutos. Os funcionários encarregados das passagens, na extremidade do balcão distante, gastavam muito tempo olhando, perplexos, para um monitor visível somente para eles. Pressionavam teclas e sacudiam as cabeças e cochichavam. Finalmente a pressão das teclas, os cochichos e as sacudidas de cabeça cessavam e outro grupo de passageiros recebia seus cartões de embarque e era dirigido para a segurança e os portões de embarque. Eu me conformei em esperar a minha vez.

Para matar o tempo, desmontei minha caneta para me certificar de que ela estava quase cheia. E, quer saber?, estava. Enquanto a montava novamente, um casal com três malas enormes foi liberado do balcão e eu pude andar mais meio metro. Enfiei as mãos nos bolsos e me inclinei para a frente para ver se meus sapatos estavam precisando ser engraxados. Ainda não. Eu me aprumei, inspirei profundamente e suspirei. Os dois rapazes do balcão puseram as mãos nas cabeças de cabelos cortados à escovinha numa atitude de espanto e confusão. Aquilo não era um bom sinal. Um dos rapazes apertou muitas teclas e se curvou sobre o monitor invisível. O que viu ali o fez sacudir a cabeça.

Eu me virei e olhei para as pessoas do outro lado do espaço amplo e vazio atrás de mim. Estudantes universitários e outros cidadãos cruzaram minha linha de visão, entrando e saindo pelas portas, tagarelando em celulares, apoiados em pilares e latas de lixo, de pé ou sentados sobre suas bagagens. Quase todo mundo carregava uma mochila e quase todo mundo estava abaixo dos quarenta anos. Eu esperava ver Olson, mas as balas e revistas deviam estar do outro lado do terminal. Meu olhar vagou por uma fila de jovens vestidos à vontade dispostos numa linha de cadeiras fixas, e parou para focalizar um homem esbelto, mais velho, vestindo jaqueta de couro preta, camisa preta leve e de gola rolê e *jeans*. Não era um velhote comum. Parecia-se um pouco com um ator. O cabelo abundante, branco prateado e curto o suficiente para não parecer penteado em salão, jogado para trás do rosto bronzeado e levemente vulpino, batia na gola da jaqueta. Tinha os malares proeminentes e os olhos azuis e fundos e poderia ter qualquer idade entre setenta e oitenta e cinco anos. Esse personagem imponente, sem dúvida autoinventado, olhava diretamente para mim. Evidentemente ele já estava olhando para mim havia algum tempo. Que o objeto de sua concentração o tivesse surpreendido nela não o constrangeu absolutamente. Ele simplesmente continuou a olhar para mim, calmamente, como se eu fosse um animal num zoológico.

Eu não tinha ideia de por que isso acontecia, mas o olhar do homem me irritava e perturbava. Ser observado dessa maneira parecia impudente, desdenhoso, era como uma diminuição. Era desconfortável ser escolhido e *vigiado*. Eu desejava que o homem focalizasse outra vítima. Ele tinha uma postura completamente autossuficiente. Seus olhos intensamente azuis tentavam desavergonhadamente encontrar os meus.

Quando me virei para cortar o contato, senti como se tivesse deixado cair um fio eletrificado. Os rapazes do balcão estavam agora entregando comprovantes de bagagem e cartões de embarque para duas moças. A fila tinha menos uma pessoa, um homem alto, de cabelos compridos, com uma careca mal disfarçada e uma sacola de tecido de um metro e oitenta que ia atrás dele, como um cachorro, sobre rodinhas convenientes. Avancei mais meio metro. Uma família bagunceira de pais pesos pesados e quatro filhos mais pesos pesados ainda, arrastando uma porção de malas empilhadas, atravessou o espaço vazio, reuniu-se atrás de mim e imediatamente começou a discutir.

Se você falar isso mais uma vez, eu vou... Eu só estava tentando... Por que você nunca OUVE... Molly, se você não parar de mexer essa boca... Eu não tenho que fazer se eu não quiser... Não me importa se as crianças estão... Aquelas pestes são a razão de...

Tentei usar a família como cobertura enquanto verificava se o homem de cabelo prateado ainda estava me olhando. Para meu alívio e minha surpresa, o homem não estava mais em pé diante das grandes janelas. Então um movimento me chamou a atenção e, com o coração já pulando no peito, virei a cabeça e vi, a cerca de um metro e meio à minha esquerda, o homem de cabelo prateado se aproximando de mim. Ele parou e levantou as mãos.

— Você quer alguma coisa comigo? — perguntei. — O que é? Quem é você? Rasputin?

A família atrás de mim pressentiu uma situação de conflito e ficou em silêncio.

O homem sorriu. Seu sorriso era bonito.

— Você não é Lee Harwell, o escritor?

Surpreso, confirmei:

— Sim, sou eu.

— Eu li todos os seus livros. Por favor, permita que eu me desculpe. Devo ter parecido muito descortês.

— Está tudo bem. Obrigado por explicar.

Enquanto isso acontecia, os rapazes entregaram outro cartão de embarque e outro comprovante de bagagem e eu avancei para o espaço deixado pelo casal à minha frente. O homem de cabelo prateado chegou mais perto de mim. A família horrível empurrou as malas para frente, de olho no homem como se esperando que ele fizesse algum truque de mágica.

Ele se inclinou de lado e me olhou com seus olhos expressivos. Seus lábios se franziram e rugas sulcaram sua testa. Pensei: *Aí vem mais. Eu devia saber.* Perscrutei o terminal, mas Olson provavelmente estava se enchendo de tequila em algum canto remoto.

— Eu preciso falar com você — disse o homem, suavemente. — Você poderia vir comigo? Isso tem que ser em particular.

— Eu não vou sair desta fila.

— Diz respeito à sua segurança.

Antes que eu pudesse protestar, meu admirador segurou meu cotovelo com uma das mãos, colocou a outra nas minhas costas e me deslocou meio metro para o lado com tanta facilidade como se eu estivesse sobre rodas.

— Devagar, senhor, espere aí — falei, afastando-me.

— Estou esperando — disse o homem, sorrindo novamente e, com a mesma autoridade sem esforço usou de uma pequena pressão em minhas costas para impedir que eu me afastasse. Ele se inclinou e murmurou, os olhos presos nos meus: — Eu estava olhando para você porque tive uma premonição muito forte a seu respeito. Você não deve pegar esse voo.

— Você está louco — falei. Mais uma vez, parecia que minha mão estava presa numa cerca eletrificada e energia pura pulsava em mim. Tentei romper o contato, mas a pressão nas minhas costas, que parecia a pressão da mão de uma boneca, me segurava firme.

— Por favor. Se você for ao balcão e comprar uma passagem com aqueles dois idiotas e entrar no voo EZ Flite Air 202, as consequências serão drásticas. Catastróficas.

— E como você sabe disso?

— Eu *sei*. Se você voar para Milwaukee, perderá tudo. — Ele fez uma pausa para se assegurar de que tinha atingido o alvo. — Você não tem carro? Vá dirigindo e tudo ficará bem.

— Tudo ficará bem?

O homem soltou as mãos. A sensação de liberação de uma energia profunda, mas invisível, foi palpável como a cessação repentina de um tumulto.

— Pense nisso, Lee.

— Como você se chama?

O belo sorriso transformou a severidade de seu rosto.

— Rasputin.

O homem deu um passo atrás. Em segundos, havia desaparecido.

Dois casais e um homem que parecia um militar reformado estavam entre mim e o balcão das passagens.

Olhei para os funcionários, como sempre paralisados por sua falta de preparo e imaginei: *E se toda a empresa for como esses caras?* Quantos voos bem-sucedidos a EZ Flite Air teria conseguido fazer? E onde estava Don Olson?

Assim que formulei a pergunta, Olson apareceu à distância, à margem da multidão em meio à qual "Rasputin" havia desaparecido. Talvez ele tivesse visto aquele personagem estranho e impressionante.

Depois que Don chegou perto de mim, carregando exemplares de *Vanity Fair* e *The New Republic*, com um leve odor de *bourbon* em seu hálito, perguntei se ele havia reparado num homem impressionante com uma jaqueta preta, cabelo prateado até os ombros e rosto de chefe apache, se os apaches fossem brancos. Don piscou e disse:

— Quê?

Repeti.

— Talvez não tenha notado.

— Você não poderia deixar de notar um cara como aquele. Ninguém deixaria de notar. Seria como não notar um edifício em chamas.

Don piscou de novo.

— Então não, eu não o vi. Por quê? O que ele fez?

— Ele disse para eu não pegar esse voo.

Conseguimos avançar mais meio metro para o começo da fila, estávamos em terceiro lugar agora.

Olson perguntou por que o homem tinha aconselhado a não pegar o voo e ouviu a resposta com aparente tranquilidade.

— O que você quer fazer? — Ele parecia quase se divertir num nível interior profundo.

— Estava esperando você voltar pra perguntar o que você acha.

— Eu concordo com qualquer coisa que você disser. Contanto que você diga a coisa certa.

Eu o olhei exasperado.

— Detesto dizer isso, mas quero pegar o carro.

— Você disse a coisa certa. Vamos indo.

Eu disse:

— Certo — e me dei conta de que não conseguia simplesmente ir embora. A família atrás de mim estava brigando novamente, então eu perguntei às pessoas da frente se elas iam pegar o voo para Milwaukee.

O homem do primeiro casal disse: — Não, Green Bay.

A mulher do segundo casal disse: — Terre Haute. Por quê?

O homem que parecia um militar reformado sorriu e disse: — Vou pra muito mais longe que essas pessoas.

Perguntei se ele ia trocar de avião em Milwaukee.

— St. Louis.

Virei para olhar de frente o casal. Os dois juntos deviam pesar uns trezentos e cinquenta quilos pelo menos e tinham os rostos grandes e irritáveis.

Seus filhos pulavam em círculos, choramingando. A uma distância de meio metro, o casal percebeu que eu os olhava e se calaram, pensativos e surpresos. Compreendi que ninguém falava com eles.

— Vou ser rápido — falei. — Vocês vão para Milwaukee ou vão trocar de avião lá?

— Nós o quê? — perguntou a mulher.

— Não — disse o marido.

— Não o quê? — perguntou ela para ele. — Você não diga a ele nosso... Ele não disse... Ele não quer... Você não faz... você sempre... você nunca...

Don e eu nos afastamos do casal briguento, pelo espaço amplo e vazio e, lá fora, atravessamos o estacionamento.

— Estou quase tentado a dizer... — começou Olson e eu lhe disse para não falar.

■

Quando entramos na estrada longa e direta para Milwaukee, Olson ligou o rádio e o sintonizou na Newsradio 620 WTMJ, a afiliada da NBC de Milwaukee que, naquele momento e pelas próximas duas horas, transmitia *Meio-dia com Joe Ruddler*, um programa de entrevistas a que muito poucas pessoas conhecidas compareciam porque o apresentador, o sr. Ruddler, anteriormente um locutor esportivo de Millhaven, Illinois, preferia falar a ouvir. (Ruddler também gostava de GRITAR, BERRAR e VOCIFERAR. Gostava de se referir à sua carreira de locutor esportivo de televisão como "quando eu era famoso" ou "quando eu estava NA PRIMEIRA DIVISÃO"). Don tinha aprendido que acompanhar esse tipo de programa nas horas vagas ou quando estava em trânsito fornecia uma quantidade ilimitada de informações locais que muitas vezes se mostravam úteis durante sua estadia em comunidades onde praticava sua profissão incomum. Ele disse que Mallon fazia a mesma coisa.

Joe Ruddler estava revoltado com sua conta de telefone. Na linha fixa, ele tinha feito apenas cinco ligações, ao custo total de vinte e dois centavos. No entanto, sua conta foi de trinta e dois dólares e sete centavos. Como esses PALHAÇOS conseguem fazer esse truque?? A revolta de Joe Ruddler fluía de uma fonte autorrenovável.

Quando estávamos a cerca de sessenta e cinco quilômetros de Milwaukee, Ruddler modulou a voz para que ficasse bem baixa e disse:

— Acabamos de receber uma notícia triste, amigos, e eu quero tomar a liberdade de compartilhá-la com vocês. Estou me adiantando ao anúncio oficial, mas, para um velho locutor como eu, notícia é notícia e deve ser relatada de maneira direta, verdadeira e oportuna, e não peneirada e fatiada e torcida pra esse ou pra aquele lado até que preto se torne branco e vice-versa.

— Não — exclamei. — Não pode ser.

— Não pode ser o quê?

— Então me perdoem por abalar o dia de vocês, meus amigos, me desculpem por trazer a sra. Morte à nossa conversa. Teríamos preferido deixá-la de fora, eu sei, mas quando a sra. Morte entra na sala, as pessoas tendem a lhe dar toda atenção, porque a sra. Morte é UMA COMPANHEIRA MUITO SÉRIA. Bem, preparem-se para prestar atenção, pessoal.

"Há cerca de vinte minutos, um avião caiu e se espatifou numa fazenda perto do pequeno povoado de Wales, próximo da autoestrada I-94. Não houve sobreviventes, pelo menos não ÓBVIOS sobreviventes."

— Não, não — disse Don, sacudindo a cabeça. — Isso é...

Eu o mandei se calar.

— O voo 202 da EZ Flite Air em seu trajeto regular entre Madison e nossa bela cidade, digamos, foi COMER CAPIM PELA RAIZ ou CAVOU UMA CRATERA NO CHÃO, como diziam os pilotos, matando todos a bordo, passageiros e tripulação. No total, senhoras e senhores, são dezessete almas.

Don gemeu e escondeu o rosto nas mãos.

— Já houve acidentes aéreos MAIORES, que mataram MAIS almas, mas isso não é relevante. Aqui temos uma verdadeira oportunidade para reflexão, para filosofia, e eu acho que devemos AGARRÁ-LA. Agora pensem nisso — dezessete pessoas, transformadas em criaturas crocantes*, ossos quebrados, corpos destroçados — por que ELAS? Hã? Certo? Estão me OUVINDO?

---

* No original "crispy critters" ("criaturas crocantes", em português) marca de flocos de cereais em forma de animaizinhos que depois virou gíria militar para cadáver carbonizado. (N.T.)

Essas pessoas MORRERAM JUNTAS. Minha pergunta é, alguma coisa as unia ANTES de encontrarem seu destino? Tinham ALGUMA COISA EM COMUM? Porque agora certamente têm! Se vocês tivessem que olhar para o passado dessas dezessete frágeis vidas humanas, se realmente as examinassem, colocassem uma lente de aumento nelas, um MICROSCÓPIO, acham que encontrariam alguns fios em comum? Podem apostar que sim! Jenny conheceu Jackie no primário, Jackie costumava tomar conta dos filhos de Johnnie, Johnnie devia muito dinheiro a Joe. Haveria um MILHÃO de coisas assim. Mas vamos mais fundo.

"Há um outro lado dessa questão. Quatorze passageiros e três tripulantes morreram. Mas DEZESSEIS passagens estavam reservadas para aquele voo e DUAS nunca foram pagas. DUAS PESSOAS decidiram que não, obrigado, eu não vou entrar nesse voo 202 do Aeroporto Regional de Dane County para Mitchell Field, muito obrigado, mas eu não vou. Elas IAM pegar esse voo, mas MUDARAM DE IDEIA, as duas pessoas. Por quê? Eu queria saber, realmente queria. POR QUÊ? Certo?"

Lancei um olhar inquieto e infeliz para Olson e encontrei o mesmo tipo de olhar.

— A questão é, o que isso SIGNIFICA? Podemos pensar em SIGNIFICADOS, não?

— Vou encostar o carro — falei. — Não aguento mais isso. Minhas mãos estão tremendo e acho que minha barriga também. — Levei o carro até o acostamento, desliguei o motor e me estirei no banco do carro.

Joe Ruddler continuou a vociferar:

— Porque me deixem lhes dizer isto, a verdade como eu a vejo é A VERDADE, ponto. Ponto final. Acreditem em mim, ora, vocês podem até depositar isso no banco. JOE RUDDLER NÃO MENTE PARA VOCÊS, pessoal. Ele NÃO PODE mentir. Acontece que Joe Ruddler é ingênuo demais para fazer outra coisa a não ser FALAR A VERDADE e ele foi irritante assim a vida INTEIRA! É isso que ele FAZ; ele diz A VERDADE IRRITANTE!

"E é isso que eu estou aqui para lhes contar, meus amigos. Essas duas pessoas que evitaram o voo EZ Flite Air 202 têm um DESTINO. Sim, têm! Elas foram SALVAS por ALGUMA RAZÃO. Com toda a PROBABILIDADE, elas acham apenas que tiveram sorte. Sim, elas TIVERAM, COM CERTEZA tiveram e sabem por quê? Tiveram SORTE porque..."

— É que — sussurrei.

— ...elas têm um DESTINO! Apenas uma coisa no mundo é mais PODEROSA que possuir um DESTINO. Essa coisa é SIGNIFICADO. Há SIGNIFICADO em suas vidas; elas estão envoltas em SIGNIFICADO!

Sem poder suportar aquilo nem mais um minuto, apertei um botão e o rádio ficou mudo.

— Será que eu tenho um destino? — Olson se mexeu no banco do carro, como se tivesse sido espetado. — Cristo, olha aquilo lá!

Ele bateu com o indicador do lado direito do para-brisa e, quando eu desviei o olhar para fora, vi pela primeira vez o que devia estar visível há alguns minutos e que já teríamos visto se não tivéssemos ficado tão absorvidos pelo falastrão do Joe Ruddler. No campo, a quilômetros de distância, uma estreita coluna de fumaça densa e negra se enrodilhava no ar, alargando-se à medida que subia.

— Oh, meu Deus — disse Olson.

— Oh, meu Deus — disse eu, um momento depois dele. — Oh, Jesus.

— Quantas pessoas ele disse?

— Dezessete, acho. Incluindo três tripulantes.

— Oh, oh. Isso é horrível. Será que vimos alguma delas?

— Não no balcão de passagens. Embora algumas das pessoas que estavam muito à minha frente devam... Imagino se aquelas duas garotas... E aquele cara que estava ficando careca...

— Lee, não consigo mais olhar essa fumaça. Tudo bem?

— Estou nauseado.

— Sai daqui. Vamos embora daqui.

Segui as ordens e fugimos.

Quinze minutos mais tarde, Olson perguntou:

— Está se sentindo melhor?

— Sim, estou. Estranho, mas melhor.

— A mesma coisa comigo. Estranho, mas melhor.

— Aliviado.

— *Realmente* aliviado.

— Sim — falei. — Você também, não é?

— É como o inverso da culpa de sobrevivente.

— Euforia de sobrevivente.

— Felicidade de sobrevivente.

— Ah!

— Céus, cara, poderíamos estar mortos lá. Ou esmagados, ou queimados até virarmos, como foi que ele disse? Criaturas crocantes?

— Quase viramos. Por *muito* pouco.

— Escapamos por centímetros.

— Por milímetros.

Don deu um soco no painel, depois pôs as mãos no teto e empurrou.

— Uau. Temos o direito de nos sentir assim?

— Claro! Não estamos mortos!

— Aqueles pobres dezessete filhos da puta estão mortos e nós ainda estamos vivos!

— Exatamente. Sim. É exatamente isso.

— Estar vivo é muito bom, não é?

— Estar vivo é maravilhoso — anunciei, com o sentimento de estar proferindo uma verdade profunda, mas pouco conhecida. — Simplesmente... *maravilhoso*. E devemos tudo àquele homem. Se é que ele *era* um homem. Talvez fosse uma espécie de anjo.

— O seu anjo, de qualquer modo.

Lancei-lhe um olhar interrogativo.

— O que sabemos dele? — disse Olson. — Duas coisas. Ele sabia quem você era e não queria que você morresse num desastre aéreo.

— Então ele era o meu anjo da guarda?

— De certa maneira, era! Sem dúvida! Ei, lembra o que você estava falando sobre uma mulher que o Hayward nunca chegou a matar porque *ele* foi morto? Ou a filha dela ou a neta? Um efeito cascata?

Fiz que sim.

— Aquele cara do programa de entrevistas, Joe Ruddler, estava berrando sobre destino. É a mesma coisa, não?

— Ora, deixe disso — falei.

— Aquele cara perguntou se você estava no voo 202?

— Acho que sim. Sem dúvida, perguntou. Espera. Não, ele chegou e me disse que tinha uma premonição de que, se eu pegasse o voo 202, as consequências seriam terríveis.

— Então ele já sabia em que voo você estaria.

Afundei um pouco no banco. Talvez, afinal de contas, eu seria obrigado a possuir um destino.

— De um modo ou de outro, é tudo a seu respeito, Harwell. Encare isso.

Eu desejei que Olson não tivesse mencionado minhas especulações. A maior parte da alegria de ainda estar vivo tinha se evaporado, embora eu tivesse uma lembrança acentuada do seu sabor.

— Agora eu vou ler a minha *Vanity Fair* — declarou Olson. — Ele se recostou no banco, remexeu na bolsa e tirou a revista que tinha comprado no aeroporto, depois se curvou novamente e começou a folhear as páginas. — Belos anúncios nessa coisa — disse e não falou mais até chegarmos à saída para o centro de Milwaukee, quando me disse para sair da estrada e dirigir até o Pfister.

— Eu devia saber — falei. — Esses caras acham que só há um hotel em Milwaukee.

— Minha surpresa não é um cara — disse Olson. — Quando chegar ao hotel, vai pro estacionamento.

∎

Depois que Don deu um telefonema de um dos aparelhos atrás do balcão de serviços, nos sentamos numas poltronas no saguão do Pfister e ficamos observando grupos de pessoas virem pelo corredor de acesso aos elevadores da parte mais nova, a torre do complexo do hotel, descerem a escadaria do saguão e se reunirem diante do comprido balcão da recepção. Em geral, eram famílias. Às vezes pequenos grupos de homens se juntavam enquanto se registravam, dando soquinhos nos ombros dos amigos e rindo de piadas com a boca aberta.

— Estão fazendo alguma coisa juntos — comentou Don. — E vieram aqui para fazer isso. São de alguma associação, de algum clube? Ou trabalham todos para a mesma empresa?

— Sem dúvida há muitas pessoas nesses casos — falei. — Estamos esperando que essa sua surpresa desça até aqui? Por que você não me conta quem é?

— Porque isso estragaria a surpresa. Estamos esperando que alguém vá embora.

— Para podermos seguir este alguém. Esta mulher.

— Não. Completamente errado. Por que você não espera simplesmente?

Cruzei as pernas, me inclinei de lado e me apoiei no braço da poltrona. Se fosse preciso, eu poderia esperar ali para sempre. Sempre que tivéssemos fome ou sede, pediríamos sanduíches e bebidas aos garçons que passavam. O Pfister era uma grande dama velha e amável. O *concierge* bonitão tinha um bigode de cavalheiro em pontas, e os empregados do registro, calmos e respeitosos, estariam à vontade atrás do balcão do hotel Savoy, em Londres. Somente as camisas esporte, calças cáqui e mocassins dos hóspedes localizavam o saguão em sua época e seu lugar.

— Não consigo acreditar no que está acontecendo com Hootie — disse eu.

— Nem o dr. Greengrass e aquela fogosa da Pargeeta.

— Você acha a Pargeeta fogosa? Ela me parece fria e desdenhosa.

— Você não conhece muito as mulheres, não é? Pargeeta é uma excêntrica. Ela é tão extravagante que o Hootie a excita!

— Isso é ridículo!

Lembrei-me de ter visto um estranho conflito de emoções surgir no rosto da moça quando Howard estava deitado no chão. Depois que Greengrass pediu que ele falasse com suas próprias palavras, Pargeeta quase sorriu. Quaisquer que fossem seus sentimentos, eles não pareciam excitação.

— As garotas sempre amaram o Hootie, cara.

— Quando ele se parecia com o garoto louro de *Os brutos também amam*.

— Ainda bem que você escreve ficção. Se você tivesse que descrever o mundo real, ninguém reconheceria.

— Encare isso, Don: você não conseguiria contar uma história direito nem se alguém encostasse uma arma na sua cabeça. Mallon também era assim.

— Ai, ai — disse Don. — Estamos tendo a nossa primeira briga.

Percebi que eu estava mais irritado do que tinha pensado. Pessoas como Mallon ditavam regras onde quer que fossem, gafanhotos arrogantes e presunçosos que dependiam de todo mundo para alimentá-los, vesti-los, dar-lhes drogas e álcool, escutar suas mentiras ridículas e abrir as pernas quando Mallons e mallonitas quisessem...

Tive uma súbita visão do homem de cabelos grisalhos do aeroporto e com ela me ocorreu certa possibilidade terrível. Imediatamente a descartei.

— Acalme-se — disse Don. — Vejo pelo seu rosto que você está ficando mal-humorado. Lembre-se de que eu estou aqui pra te fazer um favor. E veja só, veja só, veja só, acho que nossa questão foi resolvida.

Segui a direção do seu olhar e vi, naquele momento, descendo a escada do saguão e recebendo um sorriso do Cavalheiro, um grupo de pessoas de todas as idades, todas usando *jeans* esticados sobre as barrigas protuberantes e amplos traseiros. No centro se movimentava uma moça de rosto redondo, atrapalhada com o que parecia uma gaze de atadura solta, flutuando no alto de sua cabeça. Formavam uma família, mãe e pai, tios e tias, filhos, filhas, primas, mulheres com maridos e até um par de crianças gordinhas que corriam pra longe e pra perto da confusão geral.

— Isto é uma peleja ou o quê? — perguntou Olson. — Meu Deus, olhe para ela. É a Abelha Rainha, sem dúvida.

O animado tumulto familiar se apressou em direção ao balcão da recepção, onde se dispersou em grupos de dois ou em pessoas sozinhas, permitindo que a Abelha Rainha de Don abrisse os braços e se dirigisse ao balcão num trote lento e imponente. Dois homens musculosos com aproximadamente a mesma idade dela se colocaram em posição para receber abraços extravagantes. O tecido fino na cabeça da moça robusta era um véu de noiva, jogado sobre um penteado elaborado e cheio de laquê. Além do véu, ela vestia uma blusa de moletom cinza de Eau Claire*, o mesmo tipo de *jeans* do resto da família e — um toque que achei maravilhoso — botas de caubói gastas, quase até o joelho, com saltos altos e muitos pespontos e desenhos em relevo. Ela tinha descido com a família para receber o noivo e o padrinho e irmão do noivo.

— A noite vai ser barulhenta — comentei.

---

* Eau Claire é uma cidade em Wisconsin que possui uma universidade. (N.T.)

Por um momento, desviei o olhar para um grupo de quatro homens em ternos escuros impecáveis e camisas reluzentes que emergia dos elevadores mais próximos, que não levavam à torre, e passava pelo grupo do casamento, dirigindo-se à saída para a Jefferson Street ao fundo do saguão. Esses homens andavam com o passo rápido e deslizante de cachorros atentos ao seu objetivo, inteiramente indiferentes ao espetáculo em redor. As espirais de fio branco que saíam das orelhas dos dois homens altos e de aparência atlética na retaguarda desapareciam debaixo dos colarinhos macios de seus paletós. Caminhando na frente de um homem magro e alerta com óculos de armação preta que carregava uma pasta de couro preta sob o cotovelo, o líder óbvio do grupo tinha cabelos perfeitos de executivo branqueando nas têmporas e rosto largo e bronzeado com marcas profundas de sorriso em torno dos olhos. Ele parecia que tinha acabado de comprar o hotel e estava saindo para comprar mais dois ou três.

De boca aberta, Don Olson acompanhou o trajeto desses homens em direção à saída. Eles deixaram o local numa unidade fluida, passando pela porta de vidro automática como tubarões espreitando o mar.

Olson se virou para mim e bateu no meu bíceps.

— Hora da grande surpresa, irmão.

Ele se levantou. Eu fiz o mesmo.

— Então era esse aí que a gente estava esperando sair.

— O que você acha? — Olson abriu caminho por entre a mobília do saguão, indo para o mesmo elevador de onde os quatro homens tinham acabado de sair. Eu o segui, a poucos passos de distância.

— O homem que possui o mundo, seu advogado e sua equipe de segurança.

— Você não o reconheceu.

— Eu não leio a seção de negócios — falei.

— Não é na seção que ele geralmente aparece. — Olson se aproximou do único elevador do saguão e apertou o botão com a articulação do dedo. A porta se abriu imediatamente.

— Está bem, desisto. — Entrei no elevador e observei Olson usar a articulação do dedo para apertar o botão do quinto andar. — Qual é o problema com o seu dedo? Uma questão de higiene?

— Você não reconheceu o homem? Ele pode ser nosso presidente um dia, se não tivermos sorte.

Estalei os dedos.

— Você não quer deixar impressões digitais. É um truque que aprendeu com Boats.

— Pra quê deixar impressões digitais em todos os lugares? Use o cotovelo, não a mão. Use a articulação, não o dedo. Use luvas. Num mundo como esse, com a privacidade desaparecendo de centenas de maneiras, é melhor fazer o possível pra se proteger. Pergunte ao senador o que *ele* acha sobre privacidade individual. É boa pra ele, é o que ele pensa. Esse cara, ele e os que são como ele, precisam de tanta privacidade que querem tirar a maior parte da que nós temos.

— Ele é senador?

— Primeiro mandato, mas dê tempo a ele. Eles têm grandes planos, *enormes*.

— Eles? Ele e aquele advogado magricela que estava com ele?

— Ele e a mulher dele.

O elevador parou no quinto andar. Eu segui Olson quando ele saiu, como o tinha seguido ao entrar no elevador, e, quando nos viramos para descer o corredor, alguma coisa despertou na minha memória.

— O nome desse senador é Walsh?

— Senador Rinehart Walker Walsh, de Walker Farms, Walker Ridge, Tennessee.

— Atualmente o marido de...

— Da antiga Meredith Bright. A única sobrevivente da cerimônia-barra-experiência-barra-ruptura de Spencer Mallon no campo da agronomia que você ainda não encontrou.

— Além do colega de quarto de Hayward, Brett Milstrap.

— Bem, boa sorte com isso. E você esqueceu Mallon.

— Quer dizer que ele não morreu? — Essa informação me chocou: era como ouvir que o Minotauro ainda morava no interior de seu labirinto. Um gosto ruim repentino e uma sensação de queimação subiram do fundo da minha garganta para a boca.

— Claro que ele não está morto. Ele mora no Upper West Side de Nova York e ganha a vida como médium. Ele é um *grande* médium. Quer encontrá-lo? Eu lhe dou o endereço.

Tentei me imaginar tocando a campainha de Mallon e um estremecimento de repulsa me perpassou.

— Esse tempo todo o filho da mãe estava vivo. — Eu ainda mal conseguia acreditar. — Jesus. Sabe, no aeroporto, uma ideia terrível me ocorreu e eu...

Don disse:

— Controle-se, Lee. Isso aqui também não vai ser exatamente um dia na praia.

No final do corredor, ele bateu numa porta com a inscrição "Suíte Marquette".

A porta se abriu. Um homem alto, cadavérico, vestido de preto, de trinta e poucos anos, surgiu à nossa frente e em seguida se afastou para trás. Ele tinha uma corcova pronunciada, cabelo escuro que caía sobre a testa pálida, olhos brilhantes e uma boca longa e traiçoeira.

— Sim — disse, fazendo de sua má postura um esboço de mesura. — Donald, claro, aqui está você, sim. — Ofereceu a mão flácida rapidamente a Don, que a pegou rapidamente e a soltou sem apertar. O homem virou para mim toda a parte superior de seu corpo e, ao mesmo tempo, girou a mão. Seus olhos brilhavam. Era como conhecer um agente funerário de um antigo filme preto e branco. — E este deve ser o sr. Harwell, nosso famoso escritor. Que prazer.

Toquei os dedos pendurados do homem. Eram frios e sem vida. Depois de um momento de contato, retirei minha mão.

— Eu sou Vardis Fleck, sr. Harwell, o assistente da sra. Walsh. Por favor, venham comigo para a sala de estar.

Estávamos numa recepção ou antessala na qual um grande espelho oval com moldura dourada se postava de frente para uma mesa alta com um enorme arranjo de flores que se abria num leque de hastes e raminhos. Atrás de Fleck, duas portas se inclinavam uma para a outra num canto triangular. Ele deslizou até a porta da direita e a abriu.

— Por favor — disse ele novamente, sorrindo apenas com a boca.

— Espero que você esteja a pleno vapor, Vardis — disse Don. — E que haja paz no reino.

— Nunca há um momento de tédio quando você está por perto, Donald.

Ele nos levou até um espaço amplo e funcional com grupos de divãs e cadeiras estofadas em torno de mesas de madeira escura. Uma lareira nua ficava na parede à nossa direita; na parede à esquerda, havia um rack preto e alto com uma televisão grande desligada e uma série de gavetas em torno de um minibar. Vasos de cristal lapidado em duas mesas continham enormes arranjos de flores duplicados por espelhos idênticos ao do vestíbulo.

— Mas posso lhe garantir que estou funcionando a pleno vapor — acrescentou Fleck. — É a natureza do meu emprego. Quero dizer também que você é realmente a menos *convencional* das relações de minha querida senhora. Ela não conhece mais ninguém que tenha lhe pedido uma contribuição monetária depois de ser solto da prisão.

Com um movimento lânguido da mão que parecia a asa quebrada de um pássaro, ele nos indicou a mobília diante da lareira.

— Uma contribuição que ela ficou tão contente de dar quanto eu fiquei agradecido por receber — disse Don.

— Sr. Fleck — perguntei, instalando-me no sofá de estofado rígido — eu poderia perguntar de onde o senhor é? Seu sotaque é muito musical, mas receio não conseguir identificá-lo.

— O senhor poderia, o senhor pode — disse Fleck. Estava levemente curvado, recuando em direção a uma porta imponente com uma cornija e uma grandiosa entablatura do lado esquerdo da sala. Uma porta idêntica ficava na parede à nossa direita. Atrás dessas portas haveria muitas outras, conduzindo a cômodos interligados. Todos os cômodos seriam tão anônimos e impessoais como este.

"É uma história incomum, se me permite. Nasci na Alsácia-Lorena, mas passei minha infância em Veszprém, Transdanúbia, nas montanhas Bakony."

— Fleck é um nome húngaro, não?

O sorriso do homem se tornou quase alarmante de tão dentuço, enquanto seus olhos úmidos permaneciam frios.

— Meu nome é um nome húngaro, como o senhor observou. — A parte superior de seu corpo se inclinou para o chão num ângulo ainda maior e ele estendeu a mão atrás de si para alcançar a maçaneta, abriu a porta e desapareceu por ela andando de costas.

Por alguns segundos escutamos o barulho de seus sapatos se afastando. Então os passos cessaram, como se Fleck tivesse voado.

— Você o vê muitas vezes?

— Sem ver Vardis, não se vê Meredith. Acho que até o senador tem que agendar encontros e combinar jantares através desse cara.

— O senador sabe das suas visitas?

— Claro que não. Por que você acha que tivemos que esperar que ele saísse?

— Ela é uma mulher bem corajosa, seja lá o que você diga.

— Por que estaria arriscando? Meredith Walsh não se importa com riscos; ela tem estômago de ladrão. Espere, ela está chegando.

Audíveis através da grande porta à nossa esquerda, passos leves soavam num piso de madeira.

— Pensei que ela viesse pelo outro lado, e você? — perguntei. Olson colocou um dedo nos lábios, enquanto olhava para a grande porta como se esperasse algo maravilhoso ou espantoso.

Quando a porta se abriu, o primeiro pensamento que me ocorreu foi: "Bem, agora posso dizer que já vi pelo menos duas mulheres mais velhas extraordinariamente belas".

Vinha em minha direção uma mulher exuberante, esbelta, com um vestido preto, curto e decotado na frente, uma bonita jaqueta de um azul sutil e *escarpins* pretos de salto sete e meio. Era mais alta do que eu esperava, e suas pernas acetinadas e bem desenhadas a faziam parecer quase obscenamente jovem. Os cabelos abundantes pareciam brilhar entre o louro claro e o branco prata, primeiro um, depois o outro, então de novo o primeiro. Tudo isso causava um impacto, naturalmente, mas o que fez meu coração acelerar e minha visão perder o foco foi o seu rosto.

Abandono e controle, calor e distância provocadora, humor profundo e profunda seriedade eram denotados por aquele rosto, juntamente com uma centena de outras promessas e possibilidades. Meredith Walsh parecia uma mulher que poderia entender tudo e explicar tudo a você em monossílabos, pacientemente. Também não parecia ter nenhuma idade específica, além do fato de possuir uma inegável e atraente maturidade que fazia a juventude parecer uma simples crisálida. Sua aparência estonteante, sua óbvia inteligência, seu calor, sua sexualidade, seu humor, essas coisas me desconcertavam e me tiravam do prumo e, quando a magnífica, sensual, inteligente e adulta névoa que era Meredith Walsh apareceu, de um modo mágico, ao lado da minha cadeira, eu queria, sem nenhuma ordem em especial, levá-la para casa comigo, passar horas na cama transando e me casar com ela. Ficar de pé para cumprimentá-la foi mais um reflexo que uma decisão consciente. Já de pé, fiquei grato por ela ter estendido a mão em vez de se inclinar para um beijo no rosto: ficar tão perto teria sido embriagador demais.

— Lee Harwell, é um grande prazer — disse ela. — Estou muito feliz por Don ter tornado possível eu me encontrar com você. Por favor, sente-se. Temos apenas uma hora, na verdade menos, mas devemos ficar tão confortáveis quanto possível durante o tempo em que estivermos juntos, não acha?

Ela se sentou onde antes não tinha cadeira, mas instantaneamente a cadeira apareceu debaixo dela.

— Sim, claro — eu me ouvi dizer. — Certamente quero que *você* fique confortável.

Eu me vi olhando o topo da cabeça de Meredith antes que me ocorresse que deveria me sentar também. Como Donald Olson pôde ter chegado a conclusões tão absurdas em relação a essa mulher?

Quando me sentei, o olhar dela me cercou.

— Que cavalheiro que o senhor é! Não admira que tenha encantado Vardis tão completamente. Claro que Vardis é um de seus mais ardentes admiradores. Eu gostaria de também poder dizer que li seus livros, mas a esposa de um político leva uma vida absurdamente ocupada. Mas vou ler um de seus livros assim que for possível. Vou separar um tempo para isso.

Fiz os costumeiros sons que expressam modéstia.

— E Don, você está bem de saúde, agora que não precisa mais comer comida de instituição? Você está hospedado com o sr. Harwell?

— Ele tem sido surpreendentemente bom comigo.

— Que bom para você, Donald. Vocês dois gostariam de algum tipo de bebida? Whisky, vodca, martíni, gim com tônica? Café ou chá, talvez? Vardis terá prazer em preparar qualquer coisa que vocês quiserem. Vou pedir que ele me traga água.

Ela olhou com animação de um rosto para outro. Nós dois dissemos que água estaria ótimo para nós também. Meredith Walsh se virou de lado para apertar um botão num telefone elaborado que passou a existir no minuto em que ela estendeu a mão.

Sem pegar o fone, ela disse:

— Vardis.

Em segundos, sua criatura deslizou através da mesma porta pela qual havia saído. Com a cabeça baixa, as mãos postas diante de si, ele escutou as ordens e pronunciou as palavras "Três águas, sim". Novamente, abriu a porta sem olhar e saiu de costas.

A essa altura, eu já havia recuperado parte da minha sanidade e podia olhar para a mulher à minha frente com clareza suficiente para ver que ela sem dúvida havia feito cirurgia plástica facial, várias vezes, com certeza. A pele sobre os malares parecia um tanto retesada demais, num grau infinitesimal, e não havia rugas na testa nem junto dos olhos. Ela provavelmente tinha o dobro da idade que parecia ter, pensei, e era três ou quatro anos mais velha que eu. Tudo sobre ela desmentia esses fatos.

— Vocês se conheceram no secundário — disse ela, proporcionando-nos a visão de seus olhos extraordinários. — De fato, pelo que entendo, sr. Harwell... Lee, se me permite... você fazia parte daquele grupo adorável que eu conheci um dia num pequeno café na State Street. E está interessado na noite desastrosa que Spencer Mallon orquestrou num campo.

— Exatamente — falei. — Eu evitei esse assunto por anos e anos e, depois de todo esse tempo, ele se tornou algo que finalmente eu tinha que elaborar. Então muitas informações sobre Keith Hayward caíram no meu colo e eu comecei a descobrir mais e mais sobre Mallon e aquele campo.

Esperei que Meredith Walsh respondesse, mas ela apenas olhou para mim com a sugestão de um sorriso.

— Imagino que o meu interesse nisso tudo seja mais pessoal que profissional.

Ela sorriu mais abertamente.

— Eu deduzi isso. Obviamente eu o convidei para vir aqui para ajudá-lo tanto quanto eu puder e satisfazer seu interesse pessoal sobre todos nós naquela época. Prometi ao Donald, que sempre foi extremamente discreto com respeito aos nossos contatos, que lhe concederia uma hora enquanto meu marido estivesse num compromisso em outro lugar. Neste momento, ele está, ou logo estará, falando numa reunião em apoio a um membro local do seu partido, então dará uma entrevista coletiva numa recepção com coquetel.

Um toque de tristeza e arrependimento intensificou seu belo sorriso. *Aí vem*, eu pensei, me preparando para ser dispensado.

— Meu marido é um homem importante e ambicioso a quem ajudarei em sua pretensão à presidência. Ele não sabe de nada sobre aquele curioso incidente de 1966 nem sobre meu breve relacionamento com Spencer Mallon. Ele não pode saber de nada disso e o mesmo se dá com relação à imprensa. Nós fomos àquele campo e, antes que conseguíssemos sair, um rapaz foi assassinado. De uma maneira horrível, devo dizer. E, de uma maneira igualmente infeliz, o evento tem toda uma aura de mágica, de sobrenatural, de bruxaria, elementos que não podem nunca ser associados a alguém na minha posição.

— Você está dizendo que o que me contar não poderá ser usado em nada que eu escrever.

— Não, não estou. Não quero cerceá-lo em seu livro. Você é um escritor conhecido. Se esse livro aumentar sua fama, você poderá dar um apoio público à candidatura do meu marido. Tudo que eu peço é que esconda minha identidade e a mantenha em segredo sempre que alguém se interessar por sua história.

— Provavelmente eu poderia fazer isso. — Eu estava um pouco surpreso com aquela barganha a sangue frio. — Você poderia ter outro nome, ser morena, caloura em vez de estar no segundo ano da universidade, ou seja lá qual fosse o ano que você cursava.

— Eu estava no penúltimo ano — disse ela. — Mas não fui muito além disso. Aquela noite me amedrontou e me fez deixar a universidade. Arrumei só uma malinha, abandonei o curso e voltei para casa em Fayetteville.

Seus olhos luminosos apelaram para mim, depois me solicitaram. Aparentemente, ela conseguia fazer isso sempre que quisesse.

— Fayetteville em Arkansas.

— Ah — respondi, como se soubesse tudo sobre a Fayetteville de Arkansas. — Claro.

— Ganhei bastante dinheiro com trabalhos locais de modelo, me mudei para Nova York e em duas semanas estava trabalhando para a agência Ford. Nunca voltei para a universidade, o que lamento. Há uma porção de grandes livros que eu provavelmente nunca lerei; provavelmente há uma porção de grandes livros dos quais eu nem ouvi falar.

— Vou lhe mandar umas listas — falei. — Podemos ter o nosso próprio clube do livro.

Ela sorriu para mim.

— Lee, estou um pouco confusa com uma coisa. Posso lhe perguntar a respeito?

— Claro.

— Quando conversei com Donald hoje de manhã...

A porta à direita da sala se abriu e Vardis Fleck entrou, curvado sobre uma bandeja de prata que continha um balde de gelo de prata, três garrafas pequenas de água Evian e três copos reluzentes.

— E você demorou muito também, Vardis — disse Meredith Bright, com um tom cortante na voz. — Todos estão funcionando com algum tipo de atraso hoje.

— Tive que tratar de algumas obrigações — disse Fleck.

— Obrigações? Certamente... — Ela se segurou. — Discutiremos suas obrigações mais tarde.

— Sim. — Fleck usou uma pinça de prata para colocar cubos de gelo nos copos, depois desatarraxou as tampas de plástico e despejou uma cuidadosa metade de cada garrafa de água nos copos. Ele colocou os copos sobre guardanapos de papel vermelho que devia ter tirado da manga e saiu depressa.

— Deixe que eu me desculpe pelo meu tom — disse Meredith, falando apenas comigo. — Vardis deveria se lembrar de que nossa primeira obrigação é sempre com as visitas.

— Acredite, dificilmente nos sentiríamos desconsiderados.

— Mas, se você cortar a cabeça do pobre homem — Olson fez coro — cuidado para costurar de novo no mesmo ângulo.

— Por favor, Donald. De qualquer modo, senhores. Quando eu falei com você hoje de manhã, Donald, combinamos que você e seu amigo tomariam um avião em Madison, alugariam um carro no aeroporto e chegariam aqui logo depois da hora que eu fui *levada a crer* que o senador sairia para o seu compromisso. O senador me induziu a erro e saiu quase uma hora mais tarde do que eu pensei que sairia, então, no final, tudo se encaixou, mas ainda estou me perguntando... por que vocês não chegaram aqui quando disseram que chegariam?

— Você não ouviu o noticiário, ouviu? — perguntou Olson.

— Eu nunca ouço as notícias, Donald — respondeu ela. — Ouço mais que o suficiente sobre os eventos atuais à mesa do jantar. Mas por quê? O que aconteceu?

Ele explicou que tínhamos sido avisados para não pegar o voo que subsequentemente havia sofrido um acidente e matado todos a bordo.

— Não é espantoso? — disse ela. — Imagine, todas aquelas pobres pessoas. Vocês foram salvos de uma tragédia! Realmente, tudo isso é desconcertante.

Meredith Walsh, no entanto, não parecia estar desconcertada e não parecia estar reagindo à notícia de uma tragédia. Por um momento, ela parecia quase reprimir um afloramento de alegria. Seus olhos reluziram; sua pele adquiriu um rubor delicioso de pêssego; ela levou a mão à boca como para esconder um sorriso. Então o momento passou e a mistura de espanto e tristeza em seus olhos fez aquilo parecer uma ilusão, uma cruel má interpretação de seu estado de espírito.

— Você já ouviu Joe Ruddler na afiliada local da NBC?

— Eu o ouvi na nossa última estadia aqui. O homem é um imbecil, mas tenta falar a verdade.

— Nós soubemos do desastre pelo Ruddler. Ele já sabia que duas pessoas tinham reservado passagens e mudado de ideia no último minuto. Fez questão de dizer que essas duas pessoas foram poupadas para algum tipo de propósito. — Embora eu não acreditasse que as ideias de Ruddler tivessem algum valor, enunciá-las me fez sentir como se uma luz dourada me cercasse.

— Que bobagem — comentou Meredith.

— Segundo ele, nossas vidas agora têm um significado.

— Esse tipo de significado não existe. Se vocês querem ficar totalmente autocentrados, tudo bem, fiquem autocentrados, mas não finjam que o universo está de acordo com vocês.

Enquanto ela falava, minha sensação de estar envolto por uma calorosa luz dourada definhou e desapareceu. Também notei que os sinais de cirurgia plástica não eram tão sutis como eu tinha achado a princípio. Nem ela era uma beleza sem defeitos como tinha me parecido no início: eu podia perceber indícios de amargura em seu rosto. Amargura é fatal para a beleza.

— O que *é* interessante na sua história — continuou ela — é que vocês foram avisados para não pegarem o voo. Quem os avisou?

— Eu nem vi o cara — disse Don. — Ele veio falar com o Lee quando eu estava do outro lado do terminal.

Os poderes de Meredith Walsh não a tinham abandonado. Novamente os maravilhosos olhos profundos, calorosos e brincalhões me engoliram inteiro.

— Fale-me sobre isso, Lee.

Ela tinha criado um jogo particular, com apenas dois participantes.

— Era um cara distinto. Todo de preto. Cabelos brancos longos e volumosos, rosto esculpido. Imaginei que ele poderia ser um maestro ou um fabuloso vigarista. Ele se aproximou e disse que gostava dos meus livros. Desculpou-se por ter sido descortês. Depois disse que tinha tido uma premonição de que eu não deveria pegar o meu voo. Se eu entrasse no avião, estaria arriscando tudo e *perderia* tudo. Perguntei o seu nome e ele disse: "Rasputin". Então ele se virou e foi embora.

Sorrindo, Meredith Walsh aproximou as mãos em palmas silenciosas.

— Talvez ele viesse do futuro, enviado para salvar a sua vida! Talvez ele seja o seu filho ainda não nascido.

— Não é muito provável.

— Não; pensando bem, para ter um filho futuro você teria que arranjar uma nova mulher. Lee Truax, aquela coisinha doce que todos chamavam de Eel, já passou bastante da idade de ter filhos. Você realmente se casou com a Eel, não é, Lee?

— Casei.

— Vocês têm o mesmo prenome e, se ela tivesse mudado o último nome, vocês dois seriam Lee Harwell, não seriam?

— Sim — disse eu, incomodado com o tom dela.

— Ela está bem, a Eel?

De repente eu entendi que, por alguma razão, Meredith Walsh detestava Lee Truax.

— Sim.

— Eu, e eu deveria dizer *nós*, para incluir Spencer Mallon, o homem a quem todos nós amávamos... nós o amávamos, não é, Donald?

— E se o amamos — disse Olson.

— *Nós* nunca vimos você, nunca o encontramos, embora ouvíssemos falar um pouco de você. Você e a Eel se pareciam tanto que você era chamado de "o Gêmeo", não era?

— Eu era o "Gêmeo" — admiti.

— Vocês deviam ter sido adoráveis. Eram realmente muito parecidos?

— Acho que sim.

— Você diria que é uma pessoa narcisista, Lee?

— Não faço ideia — respondi.

Os braços e o pescoço de Meredith eram magros e suas mãos tinham começado a enrugar. Em dez anos estariam semelhantes a mãos de macaco.

— Precisamos ter um narcisismo saudável para nos cuidar, para continuarmos a ter boa aparência. Mas também podemos pensar que uma pessoa que tem um companheiro que se parece com ela deveria ter certo cuidado. Há quanto tempo sua mulher está cega? Donald não soube responder.

Olhei para Don, que deu de ombros e olhou para os sapatos de amarrar que eu tinha lhe dado no dia em que nos encontramos.

— Completamente cega? Desde 1995, por aí. Já faz muito tempo. Ela começou a perder a visão gradualmente quando tinha uns trinta anos, e ela diz que teve bastante tempo para treinar. Lee sai normalmente, viaja sozinha o tempo todo.

— Você não se preocupa?

— Um pouco.

— Você lhe dá muita liberdade. Se eu fosse você, talvez ficasse incomodada com isso.

— Fico incomodado com tudo. — Eu sorri. — É meu segredo mágico.

— Talvez você não fique suficientemente incomodado — disse ela.

Seus olhos eram brilhantes mas não luminosos, sua testa não tinha rugas mas não era jovem, seu sorriso era encantador mas não era absolutamente genuíno. Sob o olhar de Meredith Walsh, distante, cruel e curioso, percebi que, durante os primeiros segundos depois de ela entrar na sala, eu havia perdido a cabeça totalmente, embora só por instantes.

— Que coisa estranha de se dizer, sra. Walsh.
— Uma garota tão bonita, com aquele charme engraçado de moleque.
— Depois de lançar suas garras, ela se entregou à curiosidade novamente.
— Outro menino bonito do grupo de vocês era Hootie. Sinceramente, Hootie era praticamente comestível. Um bonequinho de louça de olhos azuis! Como está ele, depois de tanto tempo?

— Hootie esteve bastante doente durante muito tempo, mas nos últimos dias ele teve uma melhora surpreendente. Ele estava num hospital psiquiátrico, mas agora existe a esperança de que possa se mudar para uma unidade intermediária.

— Ele teve um colapso nervoso muito sério — Don disse. — Desde aquele dia no campo, Hootie só conseguia se comunicar por citações de *A letra escarlate*. Mais tarde, ele acrescentou um ou outro livro, mas só usou suas *próprias* palavras quando o médico tentou nos expulsar.

— Bem — disse Meredith, envolvida apenas superficialmente. — Ele queria que vocês ficassem com ele, suponho.

— Na verdade, é uma harmonização maravilhosa — disse eu. — Hootie percebeu que se lembrava de cada palavra de todos os livros que já tinha lido, o que significava que isso cobria tudo que ele quisesse dizer! Ele conseguia evocar tudo, também. Em segundos, conseguia identificar de onde vinha cada coisa.

— Uma história encantadora — disse Meredith. — Lee, você nunca desejou ter se juntado a nós?

— Na verdade não — falei. — Não gostaria que minha versão do que aconteceu se interpusesse entre os outros e a versão deles.

— Se você tivesse estado lá, poderia ter ficado de olho na sua namorada.

— Como assim?

Meredith Walsh desviou o olhar. O modo como ela mexeu a cabeça e a expressão de seu rosto trouxeram de volta para mim a imagem vívida de uma velha ríspida e impiedosa que eu encontrara várias vezes num mercado de rua na Turquia. Ela tentava suavizar a aparência com muito ruge e *kohl* e se sentava agachada atrás de uma mesa onde espalhava pulseiras e brincos: uma vendedora de rua, uma barganhista de vantagens.

— Eu não me importo de jogar coisas fora — disse ela. — Eu não me importo de descartar coisas, de destruir coisas. Isso diz respeito a escolha, é uma forma de expressar as paixões. Joias, casas, carros caros, pessoas que se dizem suas amigas, pessoas que são seus amantes, joguei fora tudo isso, numa ocasião ou noutra. Sem nenhum arrependimento. Mas sabem o que eu odeio? Eu odeio *perder* coisas. Perder é um insulto, é uma espécie de ferida. Uma mulher como eu nunca deveria perder nada. — Ela olhou novamente para mim, seus olhos frios faiscando. — Eu era completamente diferente do que sou agora. Acredite ou não, eu era praticamente uma criança. Tímida. Crédula. A Eel não era assim, era?

— Não, não realmente. Embora ela fosse também muito jovem, claro. E inocente.

— Eu me lembro da inocência dela. Garotas naquela idade são inocentes como narcisos, como insetos efêmeros. Eu também era, mesmo que me achasse completamente sofisticada, indo para a cama com Spencer e tagarelando sobre "jogos mentais". Jogos mentais. Spencer deveria ter conhecido nosso estrategista de campanha; ele é alguém que realmente sabe como jogar jogos mentais.

Ela sorriu, apesar de não ser para nós nem com entusiasmo.

— Engraçado, tudo que fazemos agora são jogos mentais, cujo objetivo não é nada mais que saber como manter nossa pontuação. Na verdade, não há mais nada quando se tem as coisas solucionadas.

Ela experimentou o que tinha dito e achou que era bastante amargo para ser exato.

— Quando você teve as coisas solucionadas? Quando se casou com o seu primeiro marido? Quando se divorciou dele? Quando se envolveu na política?

Rapidamente, surpreendentemente, ela se cercou da maior parte de sua antiga força psíquica e erótica e, com um movimento dos ombros e uma inclinação da cabeça, lançou-a em minha direção num ímpeto de calor e expectativa. Imaginei como esta capacidade se desdobraria durante uma campanha longa.

— Como vocês acham que eu me *casei* com Luther Trilby? Ficando na frente da limusine dele e piscando os olhos? Como vocês acham que eu *fiquei casada* com aquele porco psicopata durante doze anos?

— Eu entendo. — Era desolador; nenhum horror subsequente precisaria ter acontecido a ela.

— Entende? — perguntou ela, voraz até o fim.

— Lá fora. No campo.

Eu a tinha surpreendido e ela não gostava de surpresas. Seu rosto se estreitou em torno do menor sorriso que eu já vira.

— Talvez você não seja um idiota total. Donald nunca saberia a resposta pra isso, saberia, Donald? — Ela precisava retaliar alguém e Vardis Fleck estava agachado em algum cômodo afastado.

— Eu só sei o que devo saber — disse Don. Ela estava imperturbável: Meredith Bright Trilby Walsh não tinha mais o poder de magoá-lo. Eles tinham passado por tudo isso décadas antes.

— Por que não lhes dou o que vocês vieram buscar? — A voz de Meredith estava monótona e metálica, nem um pouco feminina. — Afinal, essa é uma das coisas que devo fazer melhor.

— Por favor — falei, imaginando o que ela pensava que fazia melhor.

A versão de Meredith

Não se podia começar com a cerimônia no campo, era preciso voltar muito antes. Teimoso e arrogante, Mallon estava determinado a impressionar seus seguidores com a extravagante exibição de fogos de artifício que ele esperava montar às pressas. Caras como Mallon devoram adoração, engolem todo o amor que houver numa sala e depois choramingam porque não há mais. Tudo sempre gira em torno deles, não importa o que digam.

E quanto mais talentosos esses caras são, maior o dano que eles causam.

Então, antes de chegar ao que aconteceu na University Avenue e cercanias, precisa-se saber o que aconteceu no começo da tarde.

Aquele domingo foi um pouco instável desde cedo. Por ser seu grande dia e tal e coisa, Mallon estava assustado. O fato de ter uma espécie de premonição de que dessa vez todo trabalho, estudo e invocações dele iriam dar resultado de alguma forma inovadora o deixava ainda mais ansioso. Ele podia confiar que os universitários chegariam ao local de encontro na hora, mas e aqueles garotos patetas do secundário? Eles quicavam por aí como bolas de borracha; seus pais horríveis não tinham noção de como injetar ao menos um pouquinho de disciplina nos filhos. A única razão de conseguirem chegar à maioria das aulas era que andavam de sala em sala em fileira cerrada, sem contar naturalmente os dias em que escapuliam pelas saídas, pulavam as janelas e davam o fora.

Para garantir a participação deles em seu ritual, Mallon mandou que os garotos o encontrassem ao meio-dia no lado sul da Assembleia Legislativa Estadual e, maravilha das maravilhas, tal era a devoção deles por Mallon que apareceram. Ele os levou para o velho cinema da praça, comprou entradas para *Os russos estão chegando!*, acompanhou-os até a *bombonière* e os deixou pedir todas as balas, pipocas e refrigerantes que quisessem, levou-os até uma fileira vazia e mandou que se sentassem e devorassem os doces. Balas e alcaçuz no almoço, não estavam com sorte? Eles deveriam ver o filme duas vezes e depois sair do cinema. Ele ficaria esperando na calçada e todos iriam juntos a pé encontrar com os outros na University Avenue.

Mallon assistiu à engraçada e surpreendente apresentação do organista do teatro no grande Wurlitzer que subia do fosso da orquestra. Os garotos se divertiram muito com o modo como o carequinha agitava seus braços flexíveis e se curvava e se balançava enquanto o grande órgão mugia e zurrava tão alto que as paredes e o chão vibravam, e, quando o homenzinho, ainda se agitando, afundou novamente abaixo do nível do palco, e as luzes se reduziram e a cortina subiu (tudo isso o próprio guru descreveu para Meredith quando finalmente as coisas entre eles voltaram aos eixos), o grande homem disse aos garotos ansiosos que ele tinha detalhes para checar, mas que os encontraria fora do cinema em menos de quatro horas. Aproveitem o filme!

Nessa hora ele saiu rápido do cinema e, com o pau sem dúvida latejando dentro da calça de algodão grosso, correu diretamente para o apartamento de Meredith Bright na Johnson Street, onde tentou tranquilizar a ansiedade crescente tirando as roupas e puxando Meredith para a cama. Não que ela resistisse muito. Mallon era então, ainda, e continuou sendo por mais algum tempo, seu adorado, seu mentor, seu mestre. Tensão excessiva o fez ejacular muito depressa e Meredith era tão criança que se culpou. Por isso, ela o excitou para uma segunda e muito mais bem-sucedida brincadeira, depois da qual ele caiu num sono tão profundo que babou no travesseiro dela.

Ele dormiu, ela passou a mão nos belos cabelos dele e leu mais um pouco do *Corpo do amor*. Tendo transado duas vezes, Meredith aprendeu que documentos criam uma contradição inerente entre fetichismo e mágica que conduz naturalmente a pensamentos de prefiguração e ao reconhecimento de que nada nunca, nunca acontece pela primeira vez. Como tudo se mantém recorrente numa eterna revolução, renovações — como a de Spencer! — acontecem sempre, através do tempo. Quando seu amante se alongou e estalou os lábios, ela se esforçou ao máximo para conseguir uma segunda renovação, mas Spencer, que estava no auge de seu espírito leonino, seu pau no auge da suavidade e da moleza, seu tórax no máximo de largura e virilidade, suas mãos com a melhor proporção, jogou para o lado a disposição de Meredith e anunciou que tinha que comer alguma coisa antes de se encontrar com os garotos no final da sessão de *Os russos estão chegando!* Pena, o mestre estava tendo um de seus momentos eu-preciso-ficar-sozinho, um dos ataques de minha-alma-é-só-minha-e-deve-permanecer-assim, sempre encantadores quando usados com outras pessoas.

Sozinha, ela achou que o apartamento parecia malcuidado e bagunçado. Sem Spencer respirando suavemente em sua cama, o *Corpo do amor* era apenas pequenas pilhas de frases desconectadas. Meredith jogou o livro numa cadeira. Uma sensação de desgosto a levou a se inclinar e empurrar o livro para o chão. Ela ligou a televisão, mas só havia novelas, que eram parecidas demais com sua vida real para que conseguisse assisti-las, embora alguns atores fossem bem bonitinhos. (Meredith Bright nunca estivera em coma ou tivera amnésia, nem descobrira a existência de uma gêmea malvada, mas parecia que sempre havia drama demais acontecendo: rapazes se prostravam diante dela pelo menos três vezes por ano; rapazes se achavam irresistivelmente originais dedilhando violões debaixo de sua janela; rapazes enlouqueciam bem na sua frente e, para falar a verdade, garotas também, muitas vezes, de uma maneira ou de outra. Quanto a seus pais, esqueçam; eles até se *pareciam* com as antigas figuras das novelas, confiáveis e com autoridade: diretores de corporações, comissários de polícia, membros do alto escalão de serviços médicos, belos mas traiçoeiros avós.) Finalmente, ela encarou a nulidade de sua existência e saiu sem pressa para ir ao local do encontro.

Ela havia se afastado apenas um pouco da State Street quando começou a ouvir o tipo de barulho que ela associava a protestos contra a guerra e a agitação popular.

Secretamente, Meredith não gostava nem da palavra *dissidência*. Os fatos que ela trazia ao mundo a deixavam quase nauseada de repugnância — tão confusos, tão desordenados, tão violentos! Somente quando estava irritada com Spencer Mallon, ela conseguia admitir para si quão profundamente desinteressada estava no Vietnã e em tudo que se relacionava ao tópico deprimente dos direitos dos negros. Em Arkansas, quase ninguém que ela conhecia se tornara fanático por esses assuntos; por que as pessoas eram tão pouco razoáveis em Madison? Por que não podiam simplesmente deixar as coisas se ajeitarem, como sempre acabava acontecendo?

Vozes distorcidas por megafones, vozes elevadas em cantos, sirenes de polícia, sons de multidão, botas batendo na calçada, tudo isso assinalava a presença próxima do caos, que ela podia quase cheirar sem conseguir ver. Meredith tentou contornar o tumulto, onde quer que ele se localizasse, enquanto pensava que Mallon adoraria aquilo: ele o interpretaria como um sinal!

Andou na direção oeste por um trecho, tentando identificar onde a confusão estava sem dar com ela de verdade. O protesto, a manifestação, obviamente não tinha começado na praça da biblioteca entre State e Langdon Street, o lugar costumeiro das agitações políticas, embora, para ser honesta, protestos e manifestações, piquetes, assinaturas de petições, aulas públicas e greves aconteciam por todo o campus e seus arredores. Nunca se sabia onde se toparia com um cara com um megafone, com uma multidão mal-humorada bloqueando o acesso a um prédio de salas de aulas, com fileiras de policiais de expressão zangada encarando rapazes barbudos e garotas rodopiando em malhas e *leggings*. Ou com policiais montados a cavalo supervisionando uma fila de *hippies* brancos de Wisconsin vestidos com jaquetas *jeans* e rapazes negros com roupas de couro e óculos escuros, de braços dados e se balançando no que ela interpretava como sendo êxtase artificial.

Depois de outro quarteirão, ela finalmente começou a perceber, então a juntar, as evidências do que ocorrera. Cartazes e panfletos amassados e rasgados sujavam a calçada e a rua que ela conseguiu enxergar quando olhou para um quarteirão ao norte. Madeira lascada também, de uma mesa ou de um cavalete. Havia peças de roupa aqui e ali entre os papéis espalhados — camisetas, moletons, tênis. Meredith se apressou, sabendo que estava correndo em direção à confusão e à violência. Os gritos e a agitação ficaram mais intensos quando ela se aproximou da interseção seguinte, que ficava um quarteirão a leste do ponto de encontro deles, a esquina da University Avenue com North Charter Street. Então, um pequeno grupo de jovens, talvez meia dúzia, irrompeu no cruzamento diante dela, correndo muito. Alguns choravam enquanto corriam. Um dos rapazes tinha enrolado uma camisa na cabeça e uma mancha circular de sangue aparecia na camisa. Ela gritou uma pergunta para os estudantes, mas eles a ignoraram em sua fuga.

A polícia tinha tentado acabar com uma manifestação fora do campus, um esforço de atingir o povo que ela se lembrava vagamente de ter ouvido falar. Em vez de ceder e debandar, a multidão de manifestantes tinha levado o protesto mais adiante na rua, provocando o ataque da polícia, o que, por sua vez, causou a correria dos estudantes para oeste pela University Avenue com os tiras atrás, sacudindo cassetetes. O fato de o alarido vir precisamente do local marcado para seu grupo se encontrar encheu Meredith de medo e desgosto, repulsa e pânico. Nenhum de seus vários instintos a encorajava a caminhar para a esquina da University Avenue com North Charter Street, mas quando ela chegou finalmente na North Charter e o barulho aterrador a envolveu, achou coragem e passou no meio do grupo de estudantes que corria em sentido contrário.

Era um caos espantoso. Uma quantidade extraordinária de sujeira cobria a rua: sacos de lixo, faixas compridas arrancadas de bandeiras, garrafas, latas de cerveja, livros rasgados, pedaços de madeira. Tudo estava *em movimento*. Algumas coisas que pareciam ser lixo eram, quando olhadas de perto, corpos humanos em volta dos quais estudantes com cabelos esvoaçantes e calças de boca larga mantinham-se firmes e gritavam para policiais enraivecidos, que trajavam capacetes de ficção científica com proteção facial e gritavam em resposta, com cassetetes erguidos. Os jovens deitados na rua tinham sido derrubados por golpes dos policiais ou por um empurrão de alguém vindo em corrida desabalada e lutavam para rastejar e ir embora sem despertar atenção. Tiras com rostos expostos andavam no meio da carnificina, puxando os garotos da rua e os empurrando para dentro de vans pretas com eficiência mecânica e impiedosa.

Por um segundo Meredith avistou Hayward e Milstrap no outro lado da University Avenue, observando de olhos arregalados o pandemônio diante deles. Um tira enorme montado num monumental cavalo preto atravessou a cena com o cassetete levantado como uma espada, espalhando garotos como confetes varridos pelo vento. Na extremidade do cruzamento, ele girou e voltou atacando novamente, pondo um ponto final definitivo à maior parte da resistência restante. Pelo espaço aberto por ele, Meredith olhou novamente para o outro lado da avenida e viu Hayward e seu colega de quarto olhando fixamente para ela e fazendo sinais com as mãos para que ficasse onde estava, que eles iriam até lá.

— Houve um enorme protesto de estudantes que virou um tumulto naquele dia? — explodi. — Por que é a primeira vez que eu ouço falar dele?

— Ei, cara — meteu-se Olson — naquela época havia protestos, manifestações e confusões em toda parte. Isso só nos atrasou um pouco. Nada de mais. Até o *Capital Times* não falou muito sobre o protesto. Só uns dois parágrafos.

— Porque o *Cap Times* queria minimizar tudo que fosse contra a guerra, não percebe? — disse Meredith — Vocês garotos estavam numa tal bolha que não notaram que as coisas estavam desmoronando ao nosso redor. Acabamos ficando muito fora do horário e vocês não se importaram.

— Que horário? — Olson parecia sinceramente confuso.

— Ah! Por que será que eu ainda te aturo? — gritou Meredith. Uma porta se abriu e a cabeça reluzente de Vardis Fleck apontou pela abertura. Sua patroa o dispensou com um gesto de mão.

Lembrei-me de um detalhe dos relatos relutantes de minha mulher sobre os dias passados sob o encantamento de Mallon antes do rito no campo.

— Sim, o horário — disse eu.

Meredith girou seu rosto crispado e furioso para mim e me interrogou com uma pergunta silenciosa.

— Você está falando sobre a janela de tempo que você desenvolveu fazendo um horóscopo do grupo. Vocês deveriam começar às... Não me lembro. Sete e vinte?

— Exatamente — disse ela — Donald, você não se lembra? *Ele* se lembrou e nem estava lá! Você sabe o trabalho que dá desenhar um mapa das estrelas e fazer um horóscopo? Eu fiz isso de graça, fiz por amor, e nenhum de vocês, pequenos idiotas, levou a sério!

— Ei, essas coisas acontecem — disse Olson. — Você tem que seguir o fluxo.

— Não tem, não. Ficamos detidos por uns bons noventa minutos, talvez mais. Então, as coisas já tinham *mudado*. Não estávamos mais na posição ótima para o sucesso. Devíamos ter cancelado o ritual, devíamos ter considerado aquele dia como um dia de chuva e remarcado o evento. Devíamos ter voltado para nossas casinhas e esperado até que eu pudesse calcular a próxima data em que teríamos uma *chance* de sucesso.

— Uma porcaria de uma hora e meia — disse Don.

— Até uma hora faz diferença, Don.

— Spencer tinha dúvidas quanto a isso, você sabe.

— Para arrependimento dele.

Quando o grupo finalmente se reuniu, Mallon se recusou a ouvi-la. Bem, ele não se *recusou a ouvi-la* propriamente, apenas rejeitou suas preocupações e ignorou seu conselho. Ele a ignorou, foi o que fez. A situação real, que ele deveria conhecer o suficiente para se preocupar, era que, quando se reuniram nos destroços e nas poças deixados pelos tiras e manifestantes, já passava das oito e meia e a luz estava diminuindo depressa. Todos os seus cálculos tinham sido jogados fora e, pelo que ela se lembrava dos sinais astrológicos, daquela hora em diante as coisas pareciam bastante sinistras. Tendo perdido a janela que havia acabado de se fechar, era melhor esperar alguns dias. Pelo menos foi assim que ela interpretou o mapa. Mas enquanto conversavam sobre isso de pé na calçada escura e molhada, coberta de panfletos ensopados e desfeitos, Meredith entendeu que seus avisos não significavam nada para Spencer. Ele já tinha engatado a marcha e ia seguir em frente.

Se vocês procuram alguém para culpar, é MALLON.

Os estudantes tinham fugido e os tiras e bombeiros tinham finalmente voltado para suas sedes para tomar depoimentos e registrar prisões. Mallon e os garotos do secundário surgiram de trás dos muros de cimento do estacionamento onde tinham se abrigado durante o tumulto. Meredith pôde ver que, com uma exceção, todo o grupo estava abalado pelo que acontecera. Keith Hayward, a exceção, parecia eufórico com a briga generalizada a que tinham assistido. A violência animava o cara, Meredith observou, tornava seu passo mais leve, fazia seus olhos brilharem. Quando estava nesse estado de espírito renovado e animado, ela também observou, Hayward não tinha mais uma aparência tão horrível. Quase se podia pensar nele como atraente de uma maneira realmente excêntrica. Essa transformação a assombrou um pouco, mas, mais que isso, a interessou. Remetia a uma força vital, anteriormente insuspeitada, em Hayward — uma força que quase certamente estaria ligada ao "quarto privado", obviamente algum tipo de apartamento para sexo, que ele tinha mencionado algumas vezes para ela em particular.

Ele estava agindo tão calmamente quanto podia e a maneira como fixou o olhar nos olhos de Meredith quando ela desistiu de Mallon e se virou para a rua devastada — Keith Hayward trocando olhares com ela! — sugeria que o apartamento para sexo estava novamente em seu pensamento. Então, por que não? Talvez ela desse uma olhada. Meredith não tinha dúvidas de que podia controlar Hayward, não importava o que ele tivesse em mente, e se ela o deixasse pensar que estava saindo com ela, que eles tinham um "encontro", Spencer Mallon prestaria atenção, certamente.

Ela deu um sorrisinho para Keith Hayward acarinhar e dobrar e guardar no bolso e o viu zunir direto para o centro do alvo.

Mallon fez um breve discurso para todos, pedindo que se acalmassem, concentrassem seus pensamentos, afastassem todas as más energias ("Até você, Keith", disse ele, o que fez Hayward ficar amuado e Milstrap rir, e a fez compreender que Milstrap *gostava* da energia negativa de Hayward, rapaz esquisito) e pensassem na tarefa diante deles. Lá no campo, eles teriam que ser honestos. Poderiam fazer isso? Poderiam deixar para trás esse atraso lamentável? (Tudo conversa fiada, claro. Ele já tinha tomado sua decisão.) Ele olhou para Donald e perguntou:

— Que acha, Dilly-O? Podemos ficar juntos? — Foi um choque de certo modo, porque estava demonstrando que considerava Donald e não aquele garoto, o "Boats", o líder do pequeno grupo. E Donald respondeu... você se lembra, Donald?

— Eu disse "Já estamos juntos" — disse Don, com a expressão sombria.

Isso mesmo. Donald falou, Donald lhe deu o que ele queria. Spencer adorava isso. Fazia com que se animasse todo. Ele disse:
— Certo, vamos colocar nosso trem nos trilhos, tudo bem?

Ele não estava olhando para Hootie e para Eel, mas Meredith estava, e ela tinha que reconhecer que eles pareciam o que as pessoas costumavam chamar de indispostos. Um pouco *abatidos*. Principalmente Hootie. Durante toda a sua vida, Meredith poucas vezes tivera algo parecido com um impulso maternal, desculpe, ela não fora feita assim, mas alguma coisa em Hootie fez com que ela quase quisesse pegá-lo e carregá-lo até o campo da agronomia. E, engraçado, embora Meredith soubesse que Hootie estava apaixonado por ela como os outros rapazes, daquele minuto até o horrível final do dia, Hootie manteve os olhos fixos em Eel. Ela *significava* alguma coisa para ele, podia-se ver isso.

Atravessaram a cidade e, quanto mais se afastavam da University Avenue, mais remota ficava toda aquela excitação que houvera por lá. Tudo parecia tão normal, quase não dava para acreditar que o mundo tinha estado tão selvagem. Em algumas áreas residenciais de Madison, era como estar na Nova Inglaterra ou em Bay Area. Casas com bela aparência em ruas arborizadas, lugares em que se pensa ter controle da vida. Por essas ruas amáveis e professorais eles caminharam, movimentando-se deliberadamente — graças a seu líder cabeça-dura — em direção à morte e ruína. Depois as ruas em estilo professoral desapareceram e as casas se tornaram menores e mais espaçadas e, depois disso, passaram por fundições e lojas de máquinas e autopeças e por cercas de tela de arame que escondiam janelas sujas pelas quais, de qualquer modo, ninguém ia querer espiar e, depois disso, andaram, vagaram ou marcharam, segundo os estilos individuais, até Glasshouse Road.

Instintivamente, aproximaram-se uns dos outros. Spencer ficou para trás para proteger a retaguarda enquanto fazia comentários como "Continuem andando para frente, minhas crianças, meus queridos, não há o que temer aqui, a não ser que o pai de Eel resolva aparecer para outro *round* de socos..."

O que provava que ele não estava tão confiante e otimista como fingia estar, não é? Por que desde quando Spencer Mallon dizia coisas bregas como minhas crianças e meus queridos? Hootie cochichou alguma coisa com Eel também. Não admira, depois daquela gracinha idiota. Não que Meredith estivesse especialmente simpática a Eel por aqueles dias, desde que ela saíra com Spencer poucas noites antes — Lee Harwell, supostamente o gêmeo da garota, sabia disso?

Isso é um choque? Foi um choque para Meredith, podem apostar — seu namorado, seu mestre, seu guia de certo modo a havia traído ao sair com essa *garota de colégio* depois de terem uma discussão feia, sobre adivinhem o quê? A própria *garota de colégio*. O rato, seu namorado, que Meredith esperava que ficasse com ela ou que ao menos a levasse com ele se realmente fosse embora depois da cerimônia, como dissera que faria, tivera um *encontro* com essa garota, essa criança que, vamos encarar, era bem bonitinha, uma espécie de Audrey Hepburn em estágio larva. Não somente isso; ele a levou ao melhor restaurante da cidade, o Falls.

Você não sabia disso, sabia, Harwell? O Falls.

Virei-me para Donald Olson e vi em seu rosto a resposta à pergunta que eu ainda ia fazer.

— Eu não sabia, não. Mas você sabia.

Olson hesitou, depois disse:

— Sim. Spencer se sentia próximo dela.

— "Spencer se sentia próximo dela" — disse Meredith, debochando palavras daquelas. — E isso é certo? Ele se sentia *mais próximo* de mim.

— Hummm — falei. — Ele a levou ao Falls? Ela nunca me contou isso.

Os lábios de Olson se comprimiram, como se ele tivesse mordido uma semente pequena e dura e ouvido um estalo do que podia ser um dente.

— Tudo isso aconteceu há muito, muito tempo — falei, desmentindo as horas de insônia da noite anterior. — Quer dizer, acho que estou surpreso; mas afinal, não tem a menor importância.

— Tenho curiosidade sobre uma coisa — disse Meredith. — Sua namorada disse alguma coisa pra você naquela noite quando chegou em casa, ou talvez no dia seguinte? Você deve ter perguntado o que aconteceu.

— Eu nem a vi naquela noite. Na verdade, mal falei com ela o dia todo. Naquela noite, ninguém atendeu o telefone na casa dela. Depois soube que ela tinha saído correndo do campo com Boats, Jason Boatman, e passou a noite no sofá da casa dele. Quando eu fui lá, Boats não me deixou entrar. Ele disse que tudo tinha dado errado, que não podia falar sobre isso e que Eel estava pifada e não queria ver ninguém, nem mesmo a mim.

— Mas quando vocês finalmente se encontraram e puderam falar em particular, o que ela lhe contou?

— Nada. Ela disse que não podia me contar nada. Não adiantava, pois, se ela não entendia o que tinha acontecido, eu certamente não entenderia também. Lee estava realmente zangada com Mallon, isso ficou claro. Eu achei que era porque ele tinha ido embora e os deixou sozinhos lidando com a sujeira, e porque ele mais ou menos tinha roubado o Don, que, depois de mim, era o seu melhor amigo. Nosso melhor amigo, pensando bem.

— Isso é legal — disse Olson. — Mas Meredith, continue.

— Sim, por favor, não pare — falei. — Quero saber o que aconteceu durante a cerimônia.

— Boa sorte — disse Meredith. — Lá no campo, tudo ficou completamente insano. As pessoas dizem coisas malucas sobre corpos empilhados e milhões de cães e monstros voando de nuvens alaranjadas... Eu não vi nada disso. A verdade é que eu meio que gostei do que vi. Não me amedrontou de modo algum. Foi onde e quando eu comecei a entender as coisas, bem ali. Uma rainha me deu um presente e isso mudou tudo.

Agora que estavam se aproximando do campo, eles estavam realmente ficando juntos também, como Donald disse. Dava para sentir alguma coisa acontecendo naquele caminho pela Glasshouse Road. Era difícil dizer exatamente o que era, mas pela primeira e última vez na vida, Meredith se sentiu parte de uma unidade — como membro participante de um grupo que dava forma à sua identidade. Como uma abelha numa colmeia ou o interbases num bom time de beisebol. Os times tinham capitães, as abelhas tinham rainhas e eles tinham Spencer Mallon. Confiança total, fé total. Quantas vezes você se sente assim? Spencer Mallon colhia inocência, é certo, mas Meredith nunca desconfiaria que a sua fosse parte do pacote.

Que ingenuidade.

De qualquer modo, lá estava ela, uma coisinha jovem e fresca loucamente apaixonada por seu belo aventureiro/filósofo/mago, descendo a Glasshouse Road com essas pessoas a quem ela se sentia de repente tremendamente ligada, e havia essa sensação de ameaça, a princípio pequena, mal se notando, mas que se tornou mais forte a cada metro de terreno que eles cobriam. Alguma coisa, talvez uma porção de coisas, os espiava. Então ruídos sutis começaram a alcançá-los vindos de trás, e esses barulhos se aproximaram mais e mais enquanto o grupo, respirando em uníssono, ia em frente, Mallon na liderança. Aquelas coisas que os seguiam não soavam como motociclistas. Nem ao menos soavam como qualquer coisa humana. Ninguém olhou para trás, nem mesmo Hayward; nem Milstrap que, pela primeira vez, parecia ter esquecido as zombarias. Ele olhou de relance para Meredith para ver como ela estava, ou talvez apenas para ver se o *short* dela estava subindo, e seu rosto estava branco como queijo *cottage*.

Finalmente, *alguém* olhou em volta, ela não lembrava quem, e depois todos fizeram o mesmo. Menos ela. Meredith queria continuar andando, o que imaginava que fosse o que aquelas *coisas* queriam que ela fizesse, logo tudo estava tranquilo, não era preciso que ninguém se aborrecesse. Ela caminhava atrás de Mallon e de Don e de Eel e teve a impressão de que os três olharam para trás no mesmo momento — Eel virou a cabeça para frente em menos de um segundo, mas Spencer e Don continuaram olhando um pouco mais e seus rostos ficaram tão pálidos quanto o de Milstrap. Os dois encontraram os olhos de Meredith para checar como ela estava...

— Eu não estava checando como você estava — disse Don. — Eu precisava ver você.

...ou porque eles precisavam vê-la, o que quer que isso significasse. Mallon disse "Tropa, continuem andando, eles não estão aqui realmente, e, de qualquer modo, na verdade a aparência deles não é assim".

Ela novamente se afastou da narrativa.
— Mas qual era a aparência deles, Don? Eu nunca soube.
— Cães motociclistas, ou cães com jaquetas de motociclistas — disse ele, quase rindo da combinação de ameaça e absurdo dessa imagem. — Cães

grandes, de aparência selvagem, rosnando e em pé. Andavam com as pernas traseiras. Eu estava assustado demais para ficar olhando por muito tempo para eles, mas acho que tinham pés em vez de patas. Eles usavam botas de motociclistas.

— E Mallon continuou andando — disse ela. — Não consigo acreditar. Vocês não acham que isso era suficiente para alertá-lo a parar? Mas não, ele achava que ia mudar o mundo, achava que ia ver o que havia do outro lado.

"Queriam que ele continuasse e sabem por quê? Eu finalmente entendi. Tanto quanto Mallon, eles não tinham noção do que ia acontecer."

Mallon os manteve juntos, conseguiu que eles fizessem o que ele queria, que era chegar ao final daquela rua, passar por cima da barreira de concreto e entrar no campo. Nunca achando que estava sendo empurrado por forças que não entendia e não podia controlar — não o Spencer! Ele achava que era um dos senhores da criação e tudo que fizesse ia dar certo, principalmente naquela noite. Porque *era* quase noite, então; estava escuro e escurecia cada vez mais. Meredith não teria sido capaz de encontrar o ponto que haviam escolhido, mas Donald parecia ter uma boa lembrança de onde era e Mallon o acompanhou. Ele só olhou para trás uma vez e seu rosto relaxou, então Meredith pôde olhar também. Um bêbado solitário saía da Casa de Ko-Reck-Shun e andava cambaleante pelo meio da Glasshouse Road. *Aquele é o mundo velho*, Meredith disse para si mesma, *o que estamos deixando para trás — tão triste e perdido. Como será o novo mundo?*

Mallon disse:

— É isso, caras, vocês têm que se concentrar e fazer sua parte. Nesse meio tempo, vamos encontrar nosso local.

E Donald nos levou direto até lá. Você sabia onde era, não sabia? Bem ali, e sua voz estava triunfante quando você disse:

— É aqui, bem aqui, nessa depressão ou valezinho ou coisa do tipo. — Você estava tão orgulhoso de si mesmo! Não estou implicando com você, é só que vale a pena falar, só isso. Eles tiveram aquele momento de vaidade, de egoísmo, e tudo era dele, de Mallon. De qualquer maneira, Donald estava certo, claro, eles estavam à beira de um declive no campo, e mesmo à luz fraca e tudo mais, podiam enxergar o círculo branco que Donald e seu amigo haviam pintado, bem, marcado, despejando tinta no chão, do lado direito, onde o campo voltava a subir.

E sabem o quê? Aquele círculo estava bastante bom. Brilhava, realmente brilhava! O que era aquilo, você pensava, o reflexo da lua? Reflexo das estrelas? Que diabo fosse, aquilo funcionou, fez com que sentissem estar na presença de algo, como se tivessem sido *ordenados* e estivessem bem onde deveriam estar. "Desçam, entrem" o círculo branco brilhante dizia, "vamos começar". Até então, Meredith não tinha notado que Mallon estava carregando uma grande pasta. Até então, ela nem sabia que ele *possuía* uma pasta.

— Ele não possuía — disse Don. — Mais tarde ele me contou que a havia "pedido emprestado" a aquele rapaz de barba vermelha. "Tudo é tudo", lembra?
— Como se eu pudesse esquecer — disse ele.

Aquele sentimento de grupo, aquela coisa interconectada, ficou mais forte, e era realmente mágico o modo como tudo era sentido ali durante cerca de quinze minutos antes de todos começarem a ficar histéricos.
— Estamos no limite de alguma coisa aqui — disse Mallon. — Posso senti-la. Ninguém fale mais nada sobre isso porque podemos atrair o azar.
Logo antes de eles descerem à depressão do terreno, tudo, tudo ao redor, especialmente a lua e os milhões de estrelas, parecia absolutamente maravilhoso. Até os faróis dos carros que passavam pela estrada distante pareciam joias vivas! Meredith mal tinha vontade de caminhar junto com os outros, mas Brett e Keith estavam lhe lançando aquele olhar faminto e enrabichado novamente, aquele que sugeria que estavam torcendo para que um cavalo desembestado passasse galopando para que pudessem jogá-lo no chão antes que ele perturbasse uma mecha dos cabelos cor de mel dela. Eel e os garotos do secundário não tinham olhos senão para Mallon, e os de Hootie encontraram uma vez os olhos de Meredith e voltaram a estudar Eel como se em breve ele fosse fazer uma prova sobre ela.
Eles desceram para o círculo e ficaram em torno de Mallon enquanto ele se ajoelhava, abria a pasta e distribuía as velas e os fósforos. Depois

dispuseram as cordas em laçadas em frente ao círculo caso alguma coisa acontecesse e eles não conseguissem simplesmente pular no pescoço dela.

Sabem quando se pode sentir subitamente que as coisas crescem em intensidade? Foi assim depois que as cordas foram dispostas no chão. O ar como que ficou mais denso e a lua e as estrelas mais brilhantes. Os espaços entre eles pareceram encolher. A respiração de Meredith ficou mais apertada também, como se seus pulmões estivessem sendo espremidos.

Um depois do outro, eles acenderam as velas e as mantiveram levantadas. Vocês sabem a posição em que eles estavam, não? Mallon ao centro, de frente para o círculo branco. Boats e Donald um de cada lado, talvez a um metro e meio dele — mais perto que antes. À esquerda de Boats, Hootie, Eel e Meredith estavam juntos, com Hootie no meio. Eel e Meredith não queriam ficar lado a lado — no fundo, elas absolutamente não se gostavam nem confiavam uma na outra. Acabaram no mesmo grupo porque não queriam ficar perto de Hayward. Ele e seu colega de quarto estavam à direita de Donald. Os dois pareciam mais relaxados que os outros.

Boats partia o coração de Meredith pelo modo como queria tanto ser o favorito de Mallon, aquele que estaria com o líder quando a maré subisse. Roubaria a cúpula do Capitólio se achasse que Mallon aprovaria. Hayward, no entanto, estava pensando outra coisa. Continuava a lançar olhares furtivos para Meredith.

Quando Mallon pediu silêncio, até Hayward se aquietou. Ele disse:

— Levantem as velas com a mão direita. Concentrem-se na respiração. Mantenham a mente vazia. Ficaremos bastante tempo esvaziando a mente e olhando para o círculo branco. Então começarei a dizer as palavras que vierem à minha mente. Elas serão em latim e eu acredito, eu rezo para que sejam as palavras corretas. Essas palavras e o que nós trouxermos, tudo o que todos trouxermos para o campo, neste momento, determinará o que vai acontecer aqui.

Hootie, em seu lugar, balbuciou:

— Eles estão aqui de novo. Eu não gosto deles, eu não os quero aqui.

Mallon disse:

— Não há nada conosco ainda, Hootie, por favor, mantenha o silêncio.

Aquele maluquinho do Hootie disse, se minha memória não falha:

"Devo afundar ali e morrer imediatamente?"
— Silêncio — disse Mallon.
— Hawthornezinho — disse Hayward.
— Cale a boca — instituiu Mallon. — Por favor. Podem fechar os olhos.

Meredith fez o que ele mandou. O silêncio continuou por muito, muito tempo. Engraçado; depois de um ou dois minutos, Meredith podia *ver* todos eles com total claridade na sua cabeça. Mas, nessa visão, eles estavam todos, todos bem juntos, e ela podia ouvir a respiração deles e havia um cheiro terrível e repulsivo que era a respiração fedorenta de Keith Hayward. Na sua cabeça, ela podia ver Hootie cerrando a boquinha bonita como um botão de rosa e se forçando a olhar para o círculo brilhante; e via Eel arregalando os olhos e escancarando a boca e inclinando a cabeça para trás e dobrando a espinha de modo a fixar não o círculo branco, mas as estrelas flamejantes lá em cima, e Eel *vigiava*, e Meredith pensou "O que essa guria está vigiando e por que eu não posso olhar também?"; e, na sua cabeça, onde a visão era verdadeira, ela viu Eel gradualmente se aprumando e olhando para frente, não para o círculo, mas para uns dois, três metros à direita dele, para uma parte indefinida da elevação que era meio terra, meio relva queimada e marrom e mesmo isso estava ficando difícil de enxergar à medida que a claridade diminuía; e Hayward expirava vapores acres, sua vela sacudindo e seus olhos fechados suavemente para algum espetáculo que fazia sua boca tremer num sorriso; ao seu lado, Milstrap inclinava a cabeça e estreitando os olhos como se contemplasse algum fenômeno curioso que tinha acabado de surgir diante de si; e Mallon, o precioso e traiçoeiro Mallon, com a vela no alto e lágrimas brotando de seus olhos incríveis, sua beleza total como um campo carregado à sua volta, levantando a bela cabeça de mago e se preparando para falar ou cantar.

O mundo mudou naquele momento infindável antes de Spencer Mallon começar a entoar em latim, naquele espaço de tempo em que as palavras brilhantes inseridas no canto a se desenrolar pairaram próximas como pura possibilidade, faladas embora ainda não faladas, não obstante presentes. No silêncio suspenso, Meredith podia sentir a mudança em cada elemento do mundo presente para ela: o aperto e relaxamento simultâneo do ar, agora revelado pela primeira vez como uma membrana real que os envolvia a todos, aqui frouxa e flexível, ali firme e tensa. No longo, longo momento em que Mallon demorava e esperava que seu mais profundo eu lhe fornecesse palavras, Meredith sentiu o chão estremecer debaixo dos pés, imediatamente depois começando a sentir rastros da fragrância de algo cru, quente, doce e sexual. Tangerinas esmagadas, cana de açúcar, pimentas picadas fritando numa panela; a carne interna do suculento lábio inferior de Bobby Flynn, seu primeiro namorado sério; sangue fresco brotando de uma ferida, suor, lírios brancos taludos, sêmen, um figo recém-cortado, todos esses cheiros e fragrâncias e fedores enrolados uns nos outros, esfregando-se nos flancos e flutuando na direção deles vindos do mundo expansivo e ganancioso que Meredith pressentia atrás da membrana do próprio ar, um mundo que ela desejava abraçar e do qual, ao mesmo tempo, queria fugir.

Naquele longo momento, Meredith ainda viu todos eles: os garotos do secundário, a seu lado, agora radiantes de terror (não, só Hootie, cujo medo ela conseguia cheirar, separadamente do odor sensual de pimenta forte/lírio/lábio inferior de Bobby Flynn, que crescia por trás da membrana túrgida que os envolvia), Hootie, carregado de terror, e a pequena Eel por algum motivo radiante de, bem, *radiância*, um fenômeno que Meredith Bright achou surpreendente, mais que isso, mais que surpreendente, sim, espantoso, com os olhos arregalados, a alma visível para quem quisesse olhar, um moleque em fogo que, por mais surpreendente que fosse, Meredith escolheu não olhar mais no momento em que o ambiente começou a mudar e a escurecer; o pobre Boats fixava o círculo como se sua vida fosse verter por ele, também como se suspeitasse que algum dia teria que roubar aquilo também; então Mallon, as palavras começando a derramar dentro da garganta, provenientes de sua misteriosa fonte interior, os olhos fechados com força, a vela no alto como a tocha da Estátua da Liberdade, Mallon, mais alto que uma pipa, mais alto que uma *nuvem*, tão excitado que tinha uma ereção, cada veia e nervo do seu corpo palpitando de antecipação, animado pela sensação de que tudo estava prestes a ser mudado *agora*, *agora*, no momento antes do momento, o mais belo, a última gota e essência *do que tinha sido*, de tudo que seria perdido...

Então você, Donald, com os olhos fechados; Meredith viu você, tão bonito, observando Mallon do mesmo modo como o serviço secreto observa ao presidente, com suas esperanças secretas crepitando no coração e os talentos que você não sabia que possuía começando a brotar, pobrezinho, e, a poucos metros de distância, os rapazes da fraternidade, tão sem atrativos — como era possível que Meredith, por um segundo ao menos, pudesse ter achado Keith Hayward atraente? — parecendo presos numa armadilha, parecendo inseguros, sem convicção, pelo modo como seguravam as velas no alto, Hayward penetrando Meredith com os olhos, seu estúpido desejo animal tão feio quando comparado ao estranho doce poder sensual que começava a se mover com rapidez na direção deles de algum ponto distante além do envoltório de membrana do ar, o ponto distante que tinha atiçado a atenção e a curiosidade do amaldiçoado Brett Milstrap e que ele agora estava se esforçando ao máximo para discernir e espiar, o pescoço curvado, a cabeça inclinada e um fio de suor escorrendo da raiz dos cabelos no meio da testa...

Só então Meredith percebeu inteiramente a estranheza de poder ver com tantos detalhes com os olhos tão fechados.

Então, no exato momento em que as palavras de Mallon começaram a brotar de sua garganta, no exato momento em que ela ouviu a bela voz de Mallon e se deu conta de que ele estava *cantando* e, mais, cantando *em latim*, ela abriu os olhos e viu o que estava acontecendo no campo.

■

Não era apenas um acontecimento, isso foi o que a surpreendeu em primeiro lugar. Pequenos dramas, todos igualmente perturbadores e completamente fascinantes, se desenrolavam na pequena elevação diante deles. O círculo mal podia ser visto, e as cordas, Meredith percebeu, seriam inúteis. Não seria possível amarrar essas visões, não se podia prendê-las. Elas não eram sólidas, de maneira alguma, e eram mais cenas que meros seres ou criaturas. A única que ela podia enxergar claramente, no entanto, era a que se passava diante de Eel, de Hootie e dela. Diante de seu pequeno grupo, um velho com uma barba comprida e uma velha que se apoiava numa bengala (mas não era uma bengala, uma voz calma sussurrou em sua mente; aquele pedaço de madeira se chamava cajado) estavam de pé num terreno inteiramente branco em frente de um grande junípero. Um enorme porco e um dragãozinho coberto de escamas e asas caídas descansavam ao lado deles na terra branca e olhavam para Mallon com um olhar disfarçado e desconfiado, como se esperassem instruções. Assim que o casal idoso percebeu que estava sendo observado, suas cabeças giraram e revelaram, atrás, segundos rostos com narizes compridos, bicudos e inquisidores e olhos bruxuleantes.

— Espera aí — disse Don, a voz aveludada, mas agressiva. — Você realmente viu essa merda toda? E quanto aos cachorros, você sabe, as coisas-cachorros?

— Você não consegue ter paciência para ouvir o que eu tenho a dizer? De qualquer modo, os cachorros não eram importantes, não importa o que Mallon se dignou a compartilhar com você.

— Claro que eles eram *importantes* — disse Olson, um pouco alto demais.

Ela podia continuar? Um pouquinho mais adiante na elevação, na frente de Boats, parecia que um homem grande e com o rosto vermelho, vestindo farrapos ensanguentados, brandia uma espada, mas Meredith não conseguia enxergá-lo muito bem. Alguma espécie de animal empinava atrás dele. Talvez um veado, também, com galhadas. Essas coisas pareciam estar do outro lado da vidraça de uma janela, todas essas cenas eram assim, separadas deles por grandes janelas, de modo que os estudantes não podiam ouvir. Cada cena tinha seu próprio clima. Relâmpagos brilhavam por trás do sujeito grande com a espada, mas as pessoas em frente de Meredith, o horrível casal velho, vinham de um mundo inteiramente branco agitado por um vento forte que enrolava a barba do velho e arrancava os cabelos deles.

Diante de Mallon, ela vislumbrou uma mulher nua, o que não era uma surpresa, mas então ela notou que a mulher nua tinha uma cor branca esverdeada. Havia também um animal, uma coisa esquisita, que ela não soube identificar. Uma pomba balançava no ar em torno da mulher branca esverdeada, a mulher cor de cadáver...

Sabem, agora quando ela pensa sobre isso, era como se estivessem num museu. Essas cenas eram como dioramas diante deles, só que os dioramas estavam vivos e as coisas neles se moviam. Só o que ela conseguiu ver, lá onde Don e os rapazes da fraternidade estavam, foi um mundo maluco parecendo uma festa selvagem. Um rei montado num urso, balançando os braços e se sacudindo pra todos os lados, e uma rainha, uma rainha zangada, gritando e apontando uma vareta comprida pra lá e pra cá — o Rei Urso e a Rainha Vociferante, assim Meredith os chamou. Eles tinham um cachorro grande, um cão de caça de alguma raça, e eram todos de prata brilhante ou algo do gênero, e nenhum tinha rosto, apenas uma superfície lisa, líquida e brilhante. Atrás deles havia outras figuras de todo tipo dando saltos e cambalhotas e se via que era um mundo realmente barulhento...

Donald corria em círculos e Mallon olhava fixamente para frente como se estivesse prestes a entrar em choque; Keith Hayward não prestava atenção alguma a essas coisas surpreendentes que aconteciam bem diante deles, nem Milstrap. Keith olhava diretamente para Meredith e o rosto terrível de Hayward — porque era terrível, e qualquer coisa de diferente que ela já pudesse ter pensado estava completamente errada — parecia uma máscara de cimento pendurada diante de um fogo intenso. Meredith disse a si mesma "É melhor esse cara ficar no lugar, porque ele está completamente fora de si".

O mundo do Rei Urso e da rainha maluca transbordou de seu diorama e atravessou os outros, preenchendo seus espaços e os espaços intermediários. Todas as figuras prateadas cambaleavam, declamando para si mesmas com gestos bêbados e exagerados. Meredith achou que essa cena tinha uma atração selvagem e fantasmagórica. A cena a encantou, principalmente quando a rainha louca se virou em sua direção e apontou o cajado para sua cabeça.

Uma espécie de raio claro e granuloso saiu da extremidade do cajado e atingiu a testa de Meredith com o impacto de uma mariposa voando, passando pela parede de seu crânio e penetrando em seu cérebro, onde se tornou uma varinha curta e fria. A varinha pulsou uma vez e depois evaporou no tecido do seu cérebro.

A grande bênção tinha sido concedida e recebida.

O Rei Urso brandiu uma caneca de cerveja e deu um tapa na cabeça de sua montaria, e a Rainha Vociferante girou o braço a uma curta distância e apontou seu fuso (assim pareceu a Meredith) para Eel. Então Meredith não prestou mais atenção em pessoa ou coisa alguma, fosse personagem real visionário, animal visionário ou ser humano comum, pois toda a sua atenção estava focalizada nos três grandes princípios que tinham começado a se enraizar no centro de seu cérebro e que naquele momento limpavam as gargantas e se preparavam para ecoar. Quando falaram, no entanto, não foi com o tom de voz de político sulista e canastrão que ela esperava desse desfecho, mas com uma voz feminina, fina e serena.

E foi então, senhores, que Meredith Bright finalmente começou a entender as coisas. A grande bênção era, pode-se dizer, uma visão de um novo céu e de uma nova terra. Só que o novo céu e a nova terra não eram absolutamente o que as pessoas imaginavam que seriam, não, não, não. Meredith riu da disparidade entre como o mundo realmente era e o que quase todos, inclusive seu antigo eu confuso, imaginavam que ele fosse. O que surgiu da extremidade do fuso foi sabedoria — a sabedoria daqueles três grandes princípios.

Sim, Meredith sabia, Meredith entendia, os homens diante dela queriam ouvir mais a respeito dessa sabedoria que fora transmitida tão eficientemente de um reino além de todo entendimento, mas eles teriam que esperar, porque ainda tinham que aprender mais sobre os eventos daquela noite tão importante.

Muita coisa parecia acontecer ao mesmo tempo. A cena louca diante deles começou a se mover para frente, como para cercá-los, o que significava que eles se perderiam para sempre em algum espetáculo de horror eterno, mas a cena tinha se movido apenas a menor parte de um centímetro, digamos, a menor distância possível, que ninguém senão Meredith e talvez Eel teriam notado, e as coisas-cachorros estavam somente começando a se empertigar, quando duas coisas aconteceram na extremidade da fileira deles. A primeira foi que Keith Hayward, naturalmente sem notar o perigo a que estava prestes a se expor, aquele idiota, pulou para fora de sua posição e começou a correr na direção de Meredith. Ele queria agarrá-la e levá-la embora — Hayward queria sequestrá-la, ela entendeu: tinha *perfeita* clareza da missão dele. Essa intenção estava em seus olhos terríveis. Ou esse desejo, seja que nome lhe deem. Ele tinha passado fome durante muito tempo e faria a sua jogada.

Ao mesmo tempo, Brett Milstrap finalmente pôs as mãos no estranho ponto do espaço para o qual estivera olhando e em relação ao qual estivera intrigado durante tanto tempo. Ele estava se concentrando com tal intensidade que não notou que seu parceiro tinha ido embora e o deixado sozinho. Enquanto Hayward corria para Meredith, Milstrap se curvou e puxou alguma coisa que parecia a bainha da beirada do diorama eterno. Quando ele conseguiu enfiar os dedos através da fissura que havia detectado, fechou os punhos e puxou com força. Músculos que Meredith não sabia que o rapaz possuía saltaram em seus antebraços e ele se inclinou para a sua tarefa. Um pedaço de cerca de um metro e meio do diorama se descolou como uma tela flexível e tanto o Rei Urso quanto a rainha louca se viraram para ver o que ele estava fazendo. O rei bateu com os calcanhares nos flancos do urso, a rainha estarrecida vociferou e sacudiu sua vareta comprida, querendo que ele parasse...

Mas então Meredith não conseguiu ver mais nada, pois uma grande forma escura deslizou na sua frente e bloqueou sua visão. A princípio, ela achou que fosse uma das criaturas-cachorros, pois essas coisas todas começavam a andar para frente em ordem (Meredith percebeu) para proteger seu grupo dos alegres personagens acampados na eternidade, ou o que quer que fosse. Mas não era uma criatura-cachorro, era grande demais, e, além disso, tinha um cheiro realmente estranho, tão terrível que era quase belo. Sinceramente, se transformassem aquele odor em perfume, algumas mulheres o usariam sempre, e muitas o usariam talvez uma vez por ano, quando tivessem que tratar de algum pequeno assunto mais sério. Aquele cheiro, aquela fragrância estranha, deixou Meredith tonta, o que fez com que sua visão perdesse um pouco de confiabilidade, já que é difícil saber se você está vendo as coisas com precisão quando o chão está oscilando e os joelhos não funcionam e uma sensação engraçada de flutuação está tomando conta do que costumava ser a sua cabeça.

Certo? Quer dizer, *não se pode ter realmente certeza.*

No entanto, enquanto Meredith estava lidando com os efeitos daquele odor, que ela percebeu ser o mesmo cheiro vivo quente sensual de-laranja-tangerina-esmagada-dentro-do-lábio-inferior-de-Bobby-Flynn de que ela tinha gostado anteriormente, apenas exacerbado, pareceu-lhe que a criatura diante de si se virou bem devagar para ela e lhe dirigiu um sorriso beatífico apenas levemente perturbado pelo fato de os lábios sorridentes estarem vermelhos do sangue de Keith Hayward, e do fato paralelo de o corpo flácido e inteiramente morto de Keith Hayward, sem a cabeça e o braço direito, pender das mãos da enorme criatura. Ela não conseguiria realmente descrever essa coisa. Parecia transitar de algo como um King Kong baixo para um terrível gigante velho e nu com cabelos brancos abundantes, o bucho repleto de carne e ossos estilhaçados, e disso para uma coisa roxa quase caricatural que cuspia pedaços vermelhos e brancos de Keith Hayward enquanto a agraciava com seu sorriso. Na verdade, todos eles sorriam para Meredith Bright, o grande macaco, o gigante nu e a caricatura – todos sorriam, restos de Hayward Keith pingando e escorrendo de todas as três bocas, que eram na realidade a mesma.

■

Nesse ponto, tive a estranha sensação de que, enquanto Meredith me contava sorrindo a verdade sobre tudo isso, ela estava, embora talvez sem consciência disso, também mentindo, e mentindo sobre algo que eu só poderia definir como obsceno. Meredith Walsh, eu me adverti, habitava um reino moral vertiginoso. Fiz-lhe uma pergunta.

■

Não, o sorriso não espantava Meredith, por que haveria de espantar? Naquele tempo, e por um bom tempo depois, décadas na verdade, todos que cruzavam o caminho de Meredith Bright, inclusive pessoas que a olhavam do outro lado da rua, sem esquecer os motoristas dos caminhões de pizza das ruas de Madison, Fayetteville, Greenwich, Connecticut e outras, todas essas pessoas, esses homens tolos, sorriam para ela até o rosto doer. Era assim que funcionava. Se o Rei Urso e a Rainha Vociferante possuíssem rostos, eles teriam sorrido para ela também. De fato, embora não tivessem rostos verdadeiros, visíveis, eles sorriam para ela mesmo assim.

Meredith retribuiu o sorriso, claro, educadamente, e, quando ela fez isso, a criatura desapareceu. No espaço vazio que a criatura tinha acabado de ocupar, ela vislumbrou Brett Milstrap tomando uma decisão irrevogável, se é que foi isso. Pode ter sido um capricho, até um acidente. Milstrap tinha conseguido remover um pedaço comprido do caótico mundo do Rei Urso, expondo uma escuridão profunda penetrada por uma luz branca como um laser. Foi tudo que ela conseguiu ver, de qualquer modo. Milstrap se aproximou da abertura e foi sugado, e desapareceu instantaneamente. A abertura se fechou e, por alguns segundos, Meredith o viu lá no fundo do tumultuado mundo das pessoas e coisas brilhantes. Ele agitava os braços. Ele sabia que Meredith o vira e queria que ela o ajudasse a escapar! Brett Milstrap abaixou os braços, inclinou-se para frente e começou a correr o mais depressa possível, como se achasse que podia correr mais que o seu destino. Antes que tivesse dado três passadas grandes, ele sumiu de vista.

Meredith conferiu seus companheiros de viagem, perguntando-se se teriam testemunhado aqueles eventos extraordinários e, para seu espanto, descobriu que todos estavam em comprimentos de ondas separados. Bem, ela não tinha certeza de *como* sabia essas coisas. Empatia nunca fora o seu forte. Mas olhando para Boats, imediatamente soube que ele se encontrava num campo de cadáveres que chegava aos seus pés, perto de uma grande torre composta inteiramente de corpos de crianças mortas. Donald e Mallon viam ondas de luz rosa-alaranjada caindo e cachorros de pé nas patas traseiras com roupas humanas, só que Mallon via mais cães e cães mais malvados. Os cachorros de Mallon queriam matá-lo por causa de sua audácia e incompetência e ele precisou fugir, sair de lá depressa. A pressa era crucial por outro motivo: Mallon também tinha visto Keith Hayward ser rasgado em pedaços por alguma criatura enorme e feroz que ele não conseguiu identificar, mas que sabia que tinha sido ele a convocá-la para o campo.

Quando Meredith voltou o olhar para Hootie, o que viu foi um enorme sol flamejante lotado repleto abarrotado entupido de palavras e frases que quase a achatou. Ela achou que talvez fosse a face de Deus *queimando* através de todos aqueles parágrafos e frases que zumbiam se retorciam e se enrolavam, todos apresentando suas reivindicações e todos eles sagrados... Hootie era demais para ela. Ela sabia que se olhasse por mais um momento para o rosto de Deus, maciço e repleto de frases, racharia e cairia aos pedaços, um vaso quebrado, então fez o que devia e saiu correndo. Como Mallon e Donald ainda estavam lutando em meio à luz de neon que caía, ela pode ter sido a primeira a ir embora. De qualquer modo, a primeira a sair viva e na Terra.

E agora, Meredith imaginava que Donald sem dúvida queria que ela lhe contasse alguma coisa que explicasse os cachorros. Ele tinha ouvido alguma coisa, não? Muito tempo atrás, ele tinha ouvido um de seus amigos mencionar um "cachorro" — ou ouvido a pequena Eel dizer algo que ele não entendeu sobre "cachorros", certo? — e tinha sido bastante esperto para tirar alguma conclusão. Bem, aqui estava o que ela tinha a dizer. As criaturas que esses homens chamavam de cachorros, e sobre as quais Lee Harwell escrevera em seu divertido livro — não, claro que ela não o lera, mas ouvira falar bastante sobre o romance para saber o que ele tinha feito — não eram cachorros ou "agentes" ou qualquer coisa do gênero. *Eles eram o que nos impedia de ver o que não estávamos preparados para ver.* Todas essas pessoas ligadas a Mallon estavam agora marcadas e os "cachorros" estavam de olho nelas, não para mantê-las seguras, porque não se importavam com os seres humanos — Meredith achava que eles consideravam as pessoas lixo — mas para garantir que nenhuma delas saísse tanto da linha novamente. Meredith tinha visto as coisas-cachorros avançarem para o reino eterno e caótico e sabia como era a sua aparência real, mas ela não poderia, jamais, descrevê-las. Não era possível. Nossas palavras não chegam tão longe, lamento.

■

— Ah, os três grandes princípios? — perguntou Meredith Walsh, desfrutando seu momento mesmo que detestasse aqueles com quem o compartilhava. — Vocês querem saber quais são? Estão interessados em descobrir o que a rainha louca me enviou, que mudou completamente a minha vida?

— Se você quiser nos contar, por favor, conte — disse eu.

— Vocês estão morrendo de vontade de saber o que ela disse. E vão saber. Os três princípios são:

"Um. Se alguma coisa for de graça, pegue-a.

"Dois. As outras pessoas existem para você usá-las.

"Três. Nada na terra significa ou pode significar qualquer coisa além do que é."

Meredith Walsh tentou se assegurar de que aqueles homens tinham absorvido sua sabedoria. Evidentemente o que ela viu diante de si foi satisfatório. Ela se levantou e lhes dirigiu um sorriso gelado.

— E agora nosso compromisso chegou ao fim. Vardis os acompanhará até a saída. Adeus.

Obedecendo a um chamado misterioso, Vardis Fleck se insinuou na sala anônima, acariciando as mãos e balançando a cabeça em concordância com alguma proposição que só ele tinha ouvido. Indicou a porta com gestos servis e repulsivos e os dois foram na direção dela.

— Donald — eles ouviram a voz de Meredith chamar. Os dois olharam para trás. — Não me peça dinheiro novamente tão cedo.

a matéria escura

— Ela é vazia — falei para Don assim que viramos em direção à I-94 de volta para Madison. — O ser humano mais vazio que eu já conheci. Não há nada ali além de fome e desejo de manipular.

— Que foi que eu te disse? — perguntou Olson.

— No início, quando ela entrou na sala, juro, eu me apaixonei por ela. Vinte minutos depois, já a achava uma megera antipática com um ótimo cirurgião plástico. Quando saímos, não que não tivesse sido interessante, porque de fato foi, mas no final eu já estava louco pra sair de perto dela. E ela ainda estava escondendo alguma coisa.

— Bem, sim. Sempre. O que você acha que ela estava escondendo?

— Ela não nos disse o que viu quando olhou para a Lee.

— Para falar a verdade, acho que ela não olhou para Eel. Acho que não conseguiria. Ódio demais.

Lancei-lhe um olhar perplexo.

— Não é um pouco de exagero? — Olson não respondeu. — De qualquer maneira, o que eu realmente queria dizer é que ela estava escondendo alguma coisa sobre o rei e a rainha. Pode ser que estivesse escondendo alguma coisa que ela realmente não *sabia*.

— Ela suprimiu uma porção de coisas que não conhecia — disse Olson. —Todas aquelas figuras nos dioramas dela representam espíritos que Henrique Cornélio Agrippa afirmava que poderiam ser chamados pela invocação de certos ritos específicos. O Rei Urso e a Rainha Vociferante com o fuso, que gradualmente se impuseram, eram os Espíritos de Mercúrio que, de acordo com Agrippa, geram horror e medo em qualquer um que os invoque. Meredith disse que eles sorriram para ela, mas, segundo Meredith, Jack, o Estripador, também sorriria para ela. A garota verde e nua e o camelo e a pomba na frente de Spencer eram as formas dos Espíritos de Vênus, que supostamente são sedutores e provocantes. O rapaz vermelho e a outra coisa na frente de Boats eram formas dos Espíritos de Marte, que criam problemas.

— Talvez seja uma pergunta idiota, mas por que razão alguém chamaria esses personagens?

— Em primeiro lugar, porque pode; isso mostra seu poder, seu conhecimento, seu comando. Em segundo lugar, porque supostamente você é capaz de forçá-los a fazer coisas para você. Todos os personagens que Meredith viu são espíritos do mal, e quando você os invoca, deve ter Pentagramas e Signos prontos para contê-los. Pentagramas e Signos são, basicamente, símbolos escritos ou figuras sagradas dentro de um círculo duplo e cercados por versículos bíblicos e nomes de anjos. Todos esses fetiches mágicos são escolhidos especialmente para seja qual for o efeito que você está tentando criar.

— Mas Mallon não fez nada disso. Ele só tinha cordas.

— Ah, ele tinha uns feitiços também, mas não sabia nada do que eu acabei de te falar. Isso tudo está no livro *Sobre cerimônias mágicas*, de Cornélio Agrippa, que só foi publicado em 1565, trinta anos depois de sua morte. Mallon e algumas pessoas que pesquisaram sobre Agrippa na verdade só lidaram com seu *Três livros de filosofia oculta*, porque todo mundo achava que o outro livro era uma fraude. Bem, Aleister Crowley não, mas nenhum estudioso jamais levou Crowley a sério.

Agora já estávamos fora de Milwaukee, na I-94, e o sol brilhava sobre os vastos campos de ambos os lados.

— Antes de você mencioná-lo, eu nunca tinha ouvido falar de Cornélio Agrippa. No século dezesseis ele era uma pessoa importante? Um filósofo famoso?

— Acho que pode-se dizer que sim. Para pessoas como nós, Spencer e eu, ele foi o maior de todos os magos da Renascença, mas Agrippa teve uma vida dura. Foi soldado, estudioso, diplomata, espião, médico sem qualquer treinamento em medicina, professor e foi casado uma porção de vezes.

Muitas vezes não o pagavam. Para assegurar o patrocínio de que precisava para fazer o seu trabalho e disseminar as suas ideias, Agrippa teve que ficar pulando da Alemanha para a França e da França para a Espanha. O ponto alto de sua vida talvez tenha sido quando se tornou professor de teologia com a idade de vinte e três anos.

"Claro que, por onde passasse, o clero convencional o acusava de heresia, porque ele era, você sabe, interessado em magia, Raimundo Lúlio, cabala, astrologia. Ele tinha que lutar para conseguir meios de publicar seus livros. O cara foi mandado para uma prisão em Bruxelas porque não conseguia pagar suas dívidas, e os monges dominicanos de Louvain o acusaram de ímpio. As pessoas eram executadas por esse delito. Outros monges afirmaram que ele havia fabricado ouro, o que o fazia parceiro do diabo. Na verdade, ele dizia que viu fazerem ouro e sabia como fazer, mas que ele próprio não podia fabricá-lo. Quando tinha quarenta e nove anos, o imperador da Alemanha o condenou como herege e ele fugiu para a França, onde ficou doente e morreu. O cara tinha escrito cerca de um milhão de palavras e vivido cinco ou seis vidas."

— Meu Deus, ele devia ser o herói do Mallon.

— Com certeza. E meu também. Seu *Três livros* e o quarto são as obras mais importantes de sabedoria ocultista do mundo ocidental. E, apesar disso ou por causa disso, Agrippa morreu pobre, sozinho e cercado de inimigos. A longo prazo, parece que é a isso que o nosso tipo de magia nos leva.

Soltei um grunhido evasivo. Donald Olson não pareceu ofendido. Coloquei o cotovelo para fora da janela, fiz o ponteiro de velocidade subir até cento e dez e consegui mantê-lo ali por quase todo o nosso retorno longo e estranhamente calmo para Madison. Nos arredores da cidadezinha de Wales, a coluna de fumaça preta tinha desaparecido dos campos e do céu.

— Maldição — disse Don. — Eu daria um milhão de dólares para saber qual foi o texto que Mallon recitou lá. Quer saber de uma coisa engraçada? Ele também não sabia! Ele me disse que aquilo simplesmente lhe ocorreu e que depois não conseguia lembrar que diabo tinha dito.

— Graças a Deus — falei.

■

A uma velocidade constante de cento e dez quilômetros por hora, entramos em Madison e logo estávamos rodeando a praça e descendo para a garagem do estacionamento. Depois de termos descansado e nos reunido no salão, tirei meu telefone do bolso e tive uma longa conversa com a minha mulher. Eel, porque eu tinha começado a pensar nela novamente dessa maneira, estava cheia de novidades sobre os amigos e colegas da Confederação Americana de Cegos, suas experiências na cidade (uma peça de Tina Howe, a Nona de Mahler com a Orquestra Sinfônica Nacional no Kennedy Center, jantar com velhos amigos no apartamento deles em Watergate) e seus planos para os próximos dias. O pessoal de Rehoboth Beach e Missy Landrieu estavam pedindo que ela fosse presidir seu encontro na quarta-feira seguinte e ela estava pensando em ir. Tinha estado fora tanto tempo, mais uns poucos dias não fariam muita diferença. Lee compraria uma passagem para sábado. Além disso, Missy era uma figura, engraçada demais, e, como ele sempre dizia, a gente encontra as melhores tortas de caranguejo do mundo em Maryland. Ele não se importava, não é? Ela supunha que Don Olson ainda o estava parasitando.

— Ele está aqui comigo sim, mas não exatamente me parasitando. Eu lhe emprestei um dinheiro, mas ele me devolveu logo. E está ajudando muito nesse meu novo projeto.

Lee Truax tinha algumas dúvidas sobre esse novo projeto.

— Fomos encontrar com a ex-Meredith Bright esta manhã. Ela é um horror, mas tem uma história interessante sobre o que aconteceu naquele dia.

Lee Truax achava que Meredith Qualquer-que-fosse-o-seu-nome era como as versões beta de alguns desses sistemas de processamento de texto para cegos, que adulteram todas as terceiras palavras e transformam relatos cansativos em surrealismo!

— Bem, quando nós dois estivermos de volta em casa, eu vou te contar o que ela disse. Por exemplo, eu não sabia que vocês deram de cara com uma manifestação contra a guerra quando estavam a caminho do campo.

— Ah, aquilo não foi grande coisa. Nós nos escondemos atrás do muro de um estacionamento e ninguém notou que estávamos lá. Meredith fez um escarcéu sobre estarmos atrasados, mas ninguém mais achou que isso fosse importante. Agora, o que é aquilo nas suas mensagens sobre Hootie?

Tudo sobre Hootie, ou Howard, como ele era conhecido agora, era impressionante, eu disse. Seu aparente ataque histérico no dia em que ele saíra conosco do hospital, pela primeira vez depois de décadas, resultara num avanço estupendo. Por quatro dias incríveis, Howard Bly, o velho Hootie, tinha dado um passo gigantesco atrás do outro.

— Tudo começou com ele deitado no chão do hospital, dizendo uma coisa muito simples. Ele disse "Não faça isso. Volte atrás." As primeiras palavras que ele falou em trinta e sete anos, desde que entrou lá, que não eram citações. Então uma moça que trabalha no hospital chegou perto dele. Nós não sabíamos, mas ela já tinha tido muitas conversas com ele. Ela se aproximou, se ajoelhou e ele sussurrou alguma coisa. Você não vai adivinhar nunca o que ele disse para essa moça!

Eel achava que ele estava certo. E já que ela não poderia adivinhar, por que ele não contava?

— Hootie sussurrou "Ela é a nossa cotovia, e eu sei disso". Quando Pargeeta me contou, ela perguntou se aquilo fazia algum sentido. "Muito", respondi.

— Sim — disse minha mulher, parecendo relutante. — Isso faz bastante sentido, e somente ele poderia saber disso. *Realmente* saber disso, quero dizer.

Fiz uma pausa antes de fazer a pergunta que uma vez ela havia repelido, magoada.

— Vou conversar hoje com Howard sobre o que aconteceu no campo. Ele sabe e está preparado. Algum dia desses, você vai me contar o que *você* acha que aconteceu lá?

Ela também hesitou e por mais tempo que eu.

— Depois de todo esse tempo, eu posso tentar. Dill vai estar presente?

— Pode ser que sim. Eu ainda não sei. Você acha que eu vou entender por que você esperou tanto para falar? — Eu pretendia dizer uma coisa com essa pergunta, com sua resposta: — Vai, certamente — ela queria dizer outra.

— O que você vai me dizer não pode ser tão incrivelmente louco quanto a história de Meredith Walsh.

Ela deu uma risadinha.

— A minha está tão além de incrivelmente louca que acho que abre novos caminhos. Lembre-se... eu sou a Cotovia.

— Eu sei disso, mas não sei como é que sei.

— Às vezes eu fico pensando que você teve um casamento muito estranho.

— Todos os casamentos são estranhos. Basta que durem tempo suficiente.

— Ou talvez você tenha apenas uma mulher muito estranha.

Dentro de mim, brotaram palavras de onde elas estão diretamente ligadas aos sentimentos, e eu disse:

— Quanto a me casar com a minha mulher, a verdade é que eu faria tudo de novo.

— Ah, Lee. Isso é uma coisa maravilhosa de se dizer.

— Você tem que voltar para Rehoboth Beach?

Ela inspirou, e eu sabia o que ela ia dizer:

— Não, é claro que não, mas eu gostaria de ir lá. Não é longe de Washington e eu não vou ficar muito tempo.

— Você está pensando em ficar lá de quarta a sábado da próxima semana.

— Sim, se você não se importar. Provavelmente vou me hospedar no lugar de costume.

Exatamente como a ouvira decidindo o que fazer, agora percebia seu desejo de mudar deliberadamente de assunto.

— Acho que vou gostar de ver o Hootie também. Ele sempre foi um garoto tão bonito!

— Nesses últimos quarenta anos ele mudou um pouco.

— Eu ainda vou achá-lo bonito. Se ele realmente sair desse hospital, será que poderá vir para Chicago? A tempo?

— Você está falando sério?

— Me sinto em débito com ele. Na época em que eu podia ir visitá-lo, não me deixaram vê-lo. Então nós fomos para Nova York e a vida ficou muito ocupada e eu deixei que ele se tornasse parte do passado. E ele ficou lá, todo esse tempo, naquele lugar horrível. Será que ele funciona no mundo do lado de fora? Estará tão prejudicado que não será mais capaz de viver sozinho?

— Bem, ele certamente percorreu um longo caminho, e num tempo muito curto. Tenho que reconhecer, ele é muito charmoso. Na verdade, essa moça que trabalha no Lamont, Pargeeta Parmendera, gosta muito dele. Eles são amigos. Mesmo quando ele só conseguia falar usando citações de *A letra escarlate* e de um romance que achou lá pela enfermaria, eles tinham longas conversas sobre todas as coisas sob o sol.

— Pargeeta, sem dúvida, é muito atraente.

— Ela é incrível. No começo, pensei que fosse amante do chefe da psiquiatria, mas, em vez disso, foi babá das crianças do cara.

— E como é o Hootie agora?

Fiquei pensando em como explicar e me veio a descrição perfeita.

— Ele parece um personagem de *O ventos nos salgueiros*. Ele podia ser a toupeira.

— Parece ser um amor.

— Ele é um amor. É impressionante. Ele passou a vida inteira lá, mas não guarda ressentimento. Acha que era o lugar certo para ele. Disse que estava esperando ficar bom o bastante para que a gente pudesse aparecer e fazer com que ele ficasse ainda melhor.

— Você acredita nisso?

— Nem sei mais no que acredito.

— Você pretende continuar em contato com o Hootie, não?

— Eel, não vou deixá-lo agora.

— Você me chamou de Eel.

— Desculpe! Don tentou realmente chamar você pelo seu nome, mas sempre reincidia no erro. Depois de algum tempo, eu me peguei fazendo o mesmo.

— Na verdade, não me importo. A Eel foi uma boa menina, se bem me lembro. Mas você só pode me chamar de Eel na frente do Hootie e do Don.

— Combinado.

Lee Truax esperou um segundo antes de dizer:

— Parece que você está gostando mais do Don agora do que gostava antes.

— Temos passado um bocado de tempo juntos. Você sabe como, às vezes, depois de passar quatro ou cinco dias na companhia de uma pessoa, a gente começa a desejar que ela vá embora? Isso não aconteceu. Eu gosto de ter esse cara por perto, e tenho que reconhecer que ele tem sido de muita ajuda para mim.

— Você quer dizer, de ajuda para esse novo projeto.

— Bem, é verdade. Ele era um cara decente naquela época e eu acho que ainda é.

— Agora você se arrepende de não ter ido junto com a gente? — Ela ficou calada por um instante. — Gostaria de ter conhecido Spencer Mallon?

Acho que talvez o tenha conhecido esta manhã, eu pensei, então disse:

— Não.

— Você não pode estar falando a verdade.

— Se eu tivesse estado lá com o resto da sua gangue, não seria capaz de pensar a respeito de tudo sob este ângulo. Gosto de estar no meu pequeno ângulo próprio. É como estar em pé na calçada, olhando para dentro da janela panorâmica de alguém, tentando captar o sentido do que vejo.

Ela pensava sobre o que eu havia dito e eu podia imaginá-la com o telefone na mão, olhando cegamente para o quarto de hotel escurecido, as feições meio na sombra. Quando finalmente falou, foi com um tom caloroso que me surpreendeu:

— Um dia eu tentarei ajudar também, mas tenho que trabalhar isso.

Depois de desligar, eu me dei conta de que não havia contado nada sobre o nosso miraculoso resgate da morte na queda de um avião. Foi melhor assim, pensei. Ela não precisava ficar sabendo daquele incidente.

■

Quando entramos no estacionamento do Lamont, uma forma escura e esguia saiu da sombra de uma grande nogueira. O tremor de inquietação que me visitou desapareceu quando a figura deslizante alcançou a luz do sol e se tornou Pargeeta Parmendera.

— Oi — cumprimentei, embora percebesse que Pargeeta não estava com disposição para sutilezas sociais. Quando ela andou em direção ao carro, ficou claro que a ideia de falar com os amigos de Howard Bly dominava havia algum tempo a sua mente.

— Oi — disse ela, vindo direto e parando na minha frente. — Sinto muito, mas tenho que dizer isto. Eu esperei aqui fora porque tinha certeza de que vocês iam chegar mais ou menos a esta hora.

— Há quanto tempo você está aqui?

— Não importa. Uns vinte minutos.

— Você está em pé debaixo desta árvore há vinte minutos?
— Deve ter mais tempo, uma meia hora talvez. Por favor. Eu tinha certeza de que vocês viriam mais cedo ou mais tarde e queria explicar uma coisa antes de nós entrarmos. Não quero que vocês pensem que eu sou uma pessoa horrorosa.
— Ninguém pensaria uma coisa dessas, Pargeeta.
— Certo, mas você viu meu rosto, a expressão do meu rosto, que eu nem sei qual era. Só você *viu*.
— Eu não sei sobre o que você está falando, querida.
— Eu vi que você percebeu. Quando Howard estava sentado no chão e o dr. Greengrass estava falando com ele.

Eu me dei conta de que realmente sabia o que a estava preocupando. No rosto de Pargeeta eu tinha visto alguma coisa preocupada e conflitante e ela estava certa em pensar que aquilo havia me perturbado.

— Ah — falei. — Sei.
— Você sabe do que eu estou falando.
— Bem, talvez *ele* saiba — Don começou a dizer, mas se calou quando eu lhe dirigi um olhar irritado.
— Não foi sério — disse eu.
— Para mim é. Eu fiquei louca, preocupada com o que você pensou. Eu não sou má pessoa. Howard é maravilhoso e eu o adoro, mas não quero contribuir para que ele fique aqui para sempre.
— Você entendeu na hora que ele ia sair.
— Ele falou sem usar citações! E disse "Adeus" duas vezes!
— Você está certa. — Ela pensou que o adeus de Hootie tinha sido para ela.

Ela abriu os braços e seu rosto se contraiu.

— Por que eu sou a única pessoa que o *escuta*? Howard fala tudo, a gente só precisa entender a sua maneira de falar.
— Você não quer perder seu amigo, não é? Agora que está fácil de entender o que Hootie diz, ele poderá se mudar para um centro de reintegração.
— Bem, é — disse ela. — Veja só o meu dilema.
— E para piorar as coisas, você também está realmente orgulhosa dele.

— Você não estaria? É fantástico o modo como ele se permitiu falar novamente. E isso aconteceu por causa de vocês dois. Vocês apareceram e ele simplesmente desabrochou!

— Você faz todo o trabalho, então nós aparecemos e recebemos o crédito.

— É, é isso. Só que não parecia trabalho. — Ela levantou as duas mãos e limpou lágrimas que eu não tinha visto.

— Howard deve muito à sua amizade. Ele sabe disso.

— Howard quer ver a Eel. É a sua mulher, não é? O apelido dela era Eel e o dele, Hootie.

— Você tem tido longas conversas com ele.

— Enquanto eu ainda posso. Mas eu quero que ele veja a sua mulher novamente, eu realmente quero.

— Então temos que ter certeza de que você vai estar lá também, um dia.

— Já não está na hora de entrar? — perguntou Don.

■

O dr. Greengrass nos conduziu ao seu escritório e nos convidou a sentar. O progresso do paciente favorito de todo mundo continuava em ritmo surpreendente, embora ele tenha mostrado alguns sinais de recaída naquele dia, na ausência de seus amigos. Certo mau humor, perda de apetite e alguns episódios de gestos de "aspas" com os braços para indicar que estava selecionando suas frases de um contexto mais amplo.

— Embora, num certo sentido, eu deduza que tudo que Howard diz agora vem do contexto muito mais amplo de múltiplas fontes. Quase uma infinidade de fontes. É a sua alegação, de qualquer maneira. Eu não posso imaginar como uma memória humana pode armazenar tanto e, na verdade, me pergunto se isso é humanamente possível. Howard nunca parece precisar procurar uma expressão entre seus documentos mentais, ele simplesmente se sai com ela, qualquer que seja.

— Você acha que ele está trapaceando? — perguntei, sorrindo.

— Eu acho que ele ainda pode precisar do conforto de um texto subjacente, mesmo que seja uma colcha de retalhos infinita... mais teórica que real.

— Ou pode ser que nós simplesmente não entendamos como sua memória funciona.

— Pode ser — disse Greengrass. — Entenda, do meu ponto de vista, é preferível que Howard esteja apenas fingindo fazer citações a partir de uma multiplicidade infinitamente disponível de textos. Na prática, claro, faz pouca ou nenhuma diferença. Eu só quero que vocês se conscientizem de que Howard parece ficar significativamente mais seguro em seu progresso quando sabe que vocês estão por perto.

— Ele ficou triste porque saímos da cidade?

— Isso o afetou, vamos colocar assim. Estamos abertos à ideia de mudar Howard para um centro de tratamento residencial, mas neste exato momento nossa principal preocupação é nos abster de fazer qualquer coisa prematuramente, ou qualquer coisa que tenha a mínima chance de debilitar Howard.

— Nós compartilhamos a sua preocupação — assegurei. Don balançou a cabeça. — E estou contente de que esteja aberto à ideia de um centro de tratamento.

— Bem, eles são muito diferentes dos centros de reintegração, não são? Não posso fingir que seja provável que Howard conquiste algo novo permanecendo aqui em Lamont. Na verdade, há anos venho pensando que provavelmente ele experimentaria benefícios consideráveis indo para um ambiente novo, mas Howard nunca achou essa ideia minimamente aceitável. Ele simplesmente se fechava para mim. Até agora.

— Muito interessante — comentei.

Greengrass ergueu a cabeça e colocou uma caneta esferográfica na boca, aparentemente considerando alguma questão.

— Lembra-se de que o senhor prometeu dividir qualquer informação nova que pudesse obter sobre as fontes da patologia de Howard?

— Se eu tivesse alguma coisa que pudesse ser considerada esclarecedora, o senhor já teria sido informado a respeito.

— Certamente vocês discutiram o incidente envolvendo o sr. Mallon.

— Nós mais ou menos planejamos começar a falar sobre o campo hoje.

— Nesse caso, não vou detê-los por mais tempo. — Greengrass sorriu e começou a se levantar.

— Antes, deixe-me fazer uma sugestão — acrescentei. — Diga-me se há alguma possibilidade.

Greengrass sentou-se novamente.

— Por favor.

— Nossa presença parece ter uma influência positiva sobre Howard?

— Sobre o seu progresso, sim.

— Existem quaisquer limitações ou condições especiais para os centros de tratamento que o senhor estaria procurando para Howard?

— Que pergunta! Sim, primeiro, disponibilidade, claro. Adequação. As condições gerais da unidade.

— A localização é uma questão?

Dr. Greengrass recostou-se na cadeira e lançou-me um olhar cauteloso.

— Qual é a sua sugestão, sr. Harwell?

— Eu estive pensando se não seria proveitoso para Howard ficar em Chicago. Sou completamente ignorante a respeito deste tipo de coisa, mas minha mulher, através do trabalho dela, poderia conhecer pessoas que ajudariam a encontrar um bom lugar para Howard lá.

— Em Chicago.

— A primeira coisa que Howard disse para Pargeeta foi que queria ver a minha mulher.

— Ele se refere à sua mulher como Eel?

— Era o apelido dela no tempo de colégio. O nome dela é Lee, que, de trás para frente, é*...

— Você e sua mulher têm o mesmo nome?

— É o que parece. O senhor tira alguma conclusão psicológica disso?

— Nenhuma. Por que a pergunta?

— Uma pessoa que encontramos hoje de manhã insinuou que isso tem um significado desagradável.

— O nome das pessoas tem muito pouco a ver com suas ligações românticas — disse Greengrass.

— E também, naquela época, nós parecíamos gêmeos.

— Não admira que tenham se apaixonado! — O psiquiatra inclinou a cabeça e sorriu. Pensei que ele também se parecia um pouco com um personagem de *O vento nos salgueiros*. Quando o pensamento de Greengrass

---

* Eel, que em português é "enguia". (N.T.)

retornou ao nosso tópico anterior, o sorriso desapareceu. — Não acredito que exista qualquer obstáculo sério para instalar Howard em Illinois. Se fôssemos um hospital estadual, claro, isso seria impossível. Entretanto, esses códigos e restrições não se aplicam a nós. Como já expliquei a vocês, estou inteiramente empenhado em ver Howard ser encaminhado para um bom centro. Para mim pessoalmente, e eu quero ser completamente franco sobre este ponto, a questão central aqui se refere ao envolvimento de vocês no tratamento de Howard. Quanto vocês estariam comprometidos com o caso de Howard? Estou perguntando aos dois. Como o senhor avalia o envolvimento de sua mulher, sr. Harwell?

— Nós dois faremos tudo que pudermos.

— E eu também — disse Don. — Já está mais do que na hora de eu me estabelecer, e Chicago vai ser um ótimo lugar para isso. Eu não quero morrer pobre e sozinho.

Eu me virei e o olhei com assombro. Don sacudiu os ombros.

— Quero dizer, cara, que estou ficando velho demais para continuar vivendo assim. O que eu posso fazer, sabe, é procurar um apartamento pequeno e anunciar para conseguir alunos. Todo esse tempo que estou com você, Lee, eu tenho pensado nisso. Mallon deixou a estrada, e eu também posso fazer o mesmo.

— Você pode se sustentar desse jeito?

— Droga, claro que eu posso me sustentar. Vai ser com pouco, irmão, e eu nunca vou poder comprar uma casa num condomínio dos sonhos em Gold Coast, mas vai ser o suficiente para mim. Sabe por quê?

— Por quê?

— Se você vende sabedoria, sempre vai ter clientes. Vou imprimir uns panfletos, deixar nos bares, farmácias e livrarias, com isso eu vou conseguir umas cinquenta, sessenta consultas por mês. — Girou na cadeira e fixou o olhar em Greengrass. — Será uma honra para mim manter contato com o Hootie, isto é, com o Howard. Vou lá vê-lo uma vez por dia até ele ficar cansado de mim.

— E eu vou precisar de relatórios bons e confiáveis sobre este paciente. Relatórios mensais, digamos, ao menos pelos primeiros vinte e quatro meses.

— O senhor quer relatórios mensais? — perguntou Don — Puxa vida! Acho que vou deixar isso pro escritor ali.

— Acho que o doutor não está se referindo a nós — falei.

— Certo, sr. Harwell. Minha expectativa é receber relatórios mensais de qualquer centro de tratamento que admitir Howard. De certo modo, Howard sempre será meu paciente. É essencial que eu me mantenha informado sobre as condições dele.

— Isso não será um problema, será?

— Não — disse Greengrass. — Isso não será um problema. — Ele olhou para cima e pousou as mãos sobre a mesa. — Nosso maior problema é que todos nós ficaremos de coração partido quando e se Howard de fato se mudar daqui. Especialmente Pargeeta.

— Eu prometi que ela pode ir nos visitar.

— É muito gentil de sua parte, sr. Harwell. O que me diz de irmos ver o nosso paciente?

■

Num quarto colorido como uma sala de jardim de infância, Howard Bly estava sentado na beira de sua cama bem arrumada, vestido com uma camisa polo vermelha um pouco apertada, um macacão de listras lavado tantas vezes que o brim estava maleável como caxemira e botas Timberland de um amarelo vivo. Estava esplêndido. Seus cabelos ralos tinham sido molhados e penteados para trás rente ao couro cabeludo e seus olhos azuis, geralmente plácidos, brilhavam de prazer e entusiasmo.

— Você está usando seus sapatos de aniversário — disse Greengrass, sorrindo, e se virou para nós. — Nós demos para ele no ano passado. Ele os guarda para ocasiões especiais.

— Guardo sim — disse Howard. — Eu amo meus Timbs.

— Hoje você pode ir novamente ao jardim e se sentar à mesa de piquenique. É um bom lugar para conversar.

— Hoje eu vou conversar — disse Howard, radiante, para mim e para Don. — Vou contar coisas para vocês. E não vai ser como da outra vez.

— Você está se sentindo melhor agora — disse Greengrass.

Estávamos os três lá, ao lado da cama de Hootie, como médicos passando visita.

Hootie balançou a cabeça.

— Dill e Illslie estão de volta, e sãos e salvos.

— Dill e quem?

Largo sorriso de Howard Bly.

— Howard, como foi que você chamou o sr. Harwell?

O sorriso se alargou ainda mais.

— Illslie. Porque isso é que ele é. Antes ele era Gêmeo, mas agora ele é Illslie.

— Ah — falei. — Sim. Entendi. Sou o Lee da Eel*.

— Claro que é isso que você é. E eu me sinto melhor porque você e Dill estão de volta a Madison. Mas agora eu gostaria de sair com os meus amigos, por favor.

— Você está escondendo alguma coisa de mim, Howard?

Howard piscou o olho e depois sorriu.

— Nada mais que um brilho escuro no ar.

— Isso é de onde?

— De *A aposta da sra. Pembroke*, de Lamar Van Gunden, Permanent Press, Nova York, Nova York, 1957. Eu o achei atrás do sofá da sala de jogos, mas, quando o procurei de novo, ele não estava mais lá.

— Acho que os senhores deviam levar o seu amigo para os jardins de trás — disse o dr. Greengrass. — Quando ele começa a inventar livros, é para que se cansou de mim.

■

— Ele pensa que eu inventei, mas *A aposta da sra. Pembroke* existe realmente — disse Howard. — Eu nunca invento livros. Para inventar livros, você tem que ser escritor. — Eles iam avançando num ritmo cuidadoso sob a luz do sol amena e suave, na direção da mesa de piquenique à sombra de um enorme carvalho de copa ampla.

---

* Eel's Lee no original, em inglês, Lee de Eel (ou da Enguia), em português. (N.T.)

— Você estava preocupado com a gente? — perguntou Don.

— Claro que eu estava. Vocês quase podiam ter morrido. — Howard entrou na região de sombra, foi para trás da mesa e se sentou num lugar de onde podia ver todo o jardim dos fundos do Lamont.

Don deu a volta e foi ficar ao lado dele. Juntos, pareciam o fazendeiro e o vaqueiro ocupando o mesmo banco de piquenique: um fazendeiro esperto e bem-humorado, um vaqueiro velho e curtido de sol com alguma coisa em mente.

— *Quase podíamos ter morrido?* — perguntou ele.

— Sim, o que quer dizer com isso? — perguntei, deslizando para o banco em frente deles e fincando os cotovelos na mesa.

— Significa que vocês quase podiam ter morrido, mas não morreram, porque não podiam. O que, no entanto, não é o mesmo que "podiam quase ter morrido". Certo, certo?

— Acho que entendo o que você quis dizer — falei. — Mas como você soube? Um passarinho te contou?

— O brilho escuro no ar — disse Howard. — Uma vez eu o achei atrás do sofá da sala de jogos, mas, depois que o levei para longe, ele não estava mais lá.

— Muito bem — falei. — Chega de "quase podiam" ser diferente de "podiam quase", e chega de qualquer coisa que estava atrás do sofá da sala de jogos, está bem?

— Comigo está — disse Howard. Dessa vez, eu pude quase *provar* a citação: um livro fantasmagórico parecia se formar em torno das palavras, sussurrando com a linguagem de um sabor relembrado que fluía através de detalhes de todo tipo, e, através dessas especificidades, para dentro dos personagens. A experiência toda era como um gosto quente na minha boca.

Virei de costas para os homens do outro lado da mesa e fitei os jardins do hospital.

Diante de mim, um tapete verde e perfeito descia em forma de patamares na encosta de uma elevação. Sobre esses patamares largos e serenos, homens e mulheres em cadeiras de rodas deslizavam ao longo de caminhos de asfalto negro ao lado de cercas vivas de pouco mais de um metro. No meio de cada terraço corria um longo e brilhante canteiro de flores arrematado em suas extremidades por pequenos canteiros circulares. Apenas a quantidade suficiente de carvalhos e bordos lançava sombra suficiente. Os chafarizes estavam ligados e gotas de água eram espalhadas pelo vento leve. Seria um bom lugar para se terminar a vida, refleti. Por dentro, claro, o hospital era menos confortável. Considerando o contexto, os jardins eram um dado surpreendente — me ocorreu que foram acrescentados depois por alguém que tinha entendido que jardins extensos como aqueles ajudariam na cura dos pacientes do Lamont.

Sem olhar para trás para os outros dois, eu perguntei:

— Hootie, isto já era assim quando você veio para cá?

— Naquele tempo, era bem feio aqui fora, sargento.

— Sargento?

— Não ligue — disse Hootie. — Não ligue, não ligue pra nada disso. Eu não ligo.

— Tudo que você diz ainda é citação de livro?

— Tudo que eu digo — começou Hootie, e então, num instante como o do bater das asas de um pássaro, pareceu procurar em sua notável memória — é composto de uma variedade de citações. Como num liquidificador. Pescou, Jake? Frases que nunca se encontraram se juntam na maior intimidade! Meu médico não quer que isso seja verdade, mas é verdade e pronto. Ele preferia que eu tivesse acesso a uma linguagem inteiramente original, enquanto eu prefiro que não seja assim. Ninguém tem uma linguagem realmente original. A minha maneira de falar, porém, é infinitamente livre.

— É maravilhoso que você tenha se permitido deixar Hawthorne de lado, embora eu suponha que ele ainda esteja aí, em algum lugar.

— "Em termos de linguagem literária, é verdade" — disse Hootie, rindo de prazer.

— O que te permitiu fazer isso? — perguntou Don. — Quero dizer, sei que parece egoísmo, mas fomos nós?

— Eu me lembrei das minhas antigas aulas de inglês. — Ele fechou os olhos e juntou as sobrancelhas. — Quero dizer, eu lembrei que me recordava delas. E todos aqueles livros incríveis que nós lemos. Você se lembra? E você?

— Eu provavelmente me lembro da maioria — eu disse.

— Eu só li metade deles — disse Don. — Sendo eu um estudante de curso secundário mais típico que vocês.

— *O apanhador no campo de centeio* — disse Hootie. — *O sol é para todos. O senhor das moscas. Tom Sayer. Huckleberry Finn. O último dos moicanos. A glória de um covarde. Minha Antonia. Hamlet. Júlio César. Noite de Reis. Grandes esperanças. Um conto de duas cidades. Dombey e filho. Um cântico de Natal. O pônei vermelho. As vinhas de ira. Ratos e homens. O sol também se levanta. Adeus às armas. Uma paz em separado.*

"O Urso", "Uma rosa para Emily", "O cavalo de pau vencedor", "O ônibus celeste", "Lá em Michigan", "O grande rio de dois corações" e cerca de cinquenta outros contos. *Garoto negro. A morte do caixeiro viajante. Pigmalião. Homem e Super-homem. Rebecca. Farenheit 451. O grito da selva. 1984. A revolução dos bichos. Onde os anjos temem pisar. Orgulho e preconceito. Ethan Frome. Emma. A feira das vaidades. Tess of the d'Urbervilles. Judas o obscuro. O grande Gatsby.* O começo dos *Os contos de Canterbury*. Um bocado de poesia: Elizabeth Bishop, Robert Frost, Emily Dickinson, Tennyson, Whitman. Tem muito mais também. Por puro prazer, eu li cinco romances do James Bond e me lembro de cada palavra de cada um. E *Harrison High*, de John Farris. Esse todo o grupo leu.

— Todos esses livros estão dentro de você — eu sentia algo parecido com reverência.

— Tudo isso e mais ainda. L. Shelby Austin. Mary Stewart. J.R.R. Tolkien, John Norman. E. Phillips Oppenheim. Rex Stout. Louis L'Amour e Max Brand.

— Tinha esquecido quanta coisa a gente leu no curso secundário — disse Olson.

— Dizendo o óbvio, eu não. — Hootie estava rindo de novo.

— Só por curiosidade, essa é de onde?

— *Os sonhadores da lua* — respondeu Hootie. — Um grande romance. Sinceramente. Mas você me fez uma pergunta e eu gostaria de responder. Sim, eu acho que foram vocês. Depois de vocês virem me ver, e eu chorar e nós conversarmos, eu lembrei o que sabia. Eu lembrei o que tinha sabido o tempo todo durante cada minuto desses longos anos, esses caros, loucos anos, esses longos anos que se foram.

— Não faça mais citações desse aí — falei. — Esse tipo de texto me tira do sério.

— Sinto muito — disse Hootie. — Pensei que você fosse gostar dele. Bem, você estava perguntando sobre os jardins. O bom doutor e sua bela esposa são os responsáveis por tudo que você vê. Eles mesmos plantaram muitas coisas, mas contrataram jardineiros também.

— De onde vieram esses "jardineiros"?

— Sem pensar, de cinco ou seis livros pelo menos. Se você continuar me perguntando essas coisas, vai acabar se zangando.

— Eu não acredito em você — fale. — Estou com Greengrass. Às vezes você faz citações sim, mas em mais da metade das vezes você fala da mesma maneira que todo mundo.

— Parta a Cotovia e você encontrará música, bulbo após bulbo envolto em prata. O sol nasceu sobre um mundo tranquilo e brilhou sobre o mundo tranquilo como uma bênção.

— Emily Dickinson, conheça *Tom Sawyer* — disse eu. — Sei que você pode fazer isso. Você não precisa provar para mim.

— Eu não me importo se ele faz citações de livros ou não — disse Don. — O mais importante é que não está mais tudo em código! É como a fala de uma pessoa normal, pelo menos na maior parte do tempo.

Ele se virou para Howard e colocou a mão sobre o ombro dele. Hootie olhou-o com um sorriso expectante, como se já soubesse o que Olson ia dizer. Howard Bly tinha se tornado capaz de lidar com o desconhecido com total autocontrole.

— Hootie, antes de você começar a falar sobre o campo, eu e Lee queremos perguntar uma coisa para você.

— A resposta é sim — disse Hootie, balançando a cabeça.

— Calma lá, espere até ouvir o que eu estou pensando.

— Como quiser, mas a resposta ainda é sim. — Ele me lançou um olhar penetrante. — Aquele era todo meu. Assim era ele. Idem.

— Deus te abençoe — eu disse.

— O negócio é o seguinte, Hootie: estivemos conversando com o dr. Greengrass sobre você. Nós três ficamos imaginando se você poderia estar sentindo que em breve talvez esteja preparado para se mudar para um novo ambiente.

— Eu disse a você. Sim. Acho que sim. Onde vocês estão? Onde é isso? — Ele olhou para trás por cima da mesa, uma chama marota nos olhos. — E onde vocês moram? O que vocês são?

— Ô, cara, você está fazendo citações novamente — falei. — Eu moro em Chicago. Então, o que era aquilo?

— *Tess of the d'Urbevilles*. Se eu for para Chicago, posso ver a Eel? Posso ver vocês dois juntos?

Fiz que sim com a cabeça.

— E Dilly? Onde você mora? O que você é?

— Eu moro na estrada, basicamente, mas talvez me estabeleça em Chicago — disse Don. — Acho que realmente vou fazer isso. É uma cidade muito boa.

Hootie acenou com a cabeça.

— Já ouvi falar de Chicago.

— Um homem não pode ser adolescente para sempre.

— Nem uma criancinha.

Depois de enunciar essa frase encantadora, que podia ou não ter sido uma citação, Hootie virou a cabeça novamente para mim e proferiu outra frase surpreendente. O azul claro e tranquilo dos olhos dele, que eu me lembrava de quarenta anos atrás, ainda era o mesmo.

— Eel está cega, não está?

Eu o olhei por um longo tempo. Howard Bly não piscou.

— Como você pode saber disso?

— Foi a dama brilhante com a varinha. Eu vi tudo. Você não sabe o que eu vi. Nem *eu* mesmo sei.

— Mas você vai tentar nos contar.

— É por isso que estamos aqui. — Outro brilho dançou em seu olhar para mim. — É por isso que a pequena *Nuhiva* está saracoteando lá atrás.

— Joseph Conrad.

Hootie deu uma risadinha e colocou a mão na boca. Eu era um verdadeiro comediante.

— Jack London. Vocês estão prontos?

— Quando você quiser.

Hootie fechou os olhos e inclinou a cabeça para trás. Com o tempo e na velocidade de Hootie, a história foi surgindo.

A história de Hootie

Era o melhor dos tempos, era o pior dos tempos, a escuridão era intensa e a luminosidade, radiante. O que se sabia era somente o que se pensava que se sabia, nada mais. Era sobre a Unidade. Era sobre a Totalidade. Quando Spencer se pôs diante deles, quando Spencer abriu sua boca de ouro e *falou*, Hootie Bly ouviu coros angelicais. Mas com Keith Hayward, que de fato estava lá no primeiro dia em que, na presença deles, Meredith Bright havia realçado gloriosamente a lanchonete Tick-Tock pelo simples fato de entrar nela, Keith, que havia entrado minutos depois de a deusa radiante partir... com ele tudo ficou abruptamente de cabeça para baixo e surgiram insetos retorcidos e cobras enroscadas. Keith tinha algo a ver com aquele espetáculo terrível de deus e diabo do final, Hootie sabia muito bem disso, aquele negócio de Cornélio Agrippa que Mallon tanto amava.

Nem todo mundo que está no hospício é louco, vocês sabem. Num lugar como Madison, mesmo os loucos do hospício podem ter coisas interessantes para dizer. Não é preciso ser professor para ler um livro. Aquela gente de mercúrio brilhante não era um mistério total para o tipo de pessoa que andava bisbilhotando as mesmas estantes de biblioteca que Spencer Mallon costumava frequentar, isto é, quando ele não estava seduzindo garotas de universidade ou até mais novas.

Hootie *sempre* soube.

Dizem que o velho Cornélio Agrippa se deparou com algo que o abalou — o aterrorizou — de tal maneira que ele recuou totalmente e se tornou um católico devoto.

E nós tínhamos um bocado de medo naquele tempo, não tínhamos? Todos nós, o país inteiro. Alguém como Mallon podia sentir as coisas engrossando a ponto de explodir. É uma droga de dom esse, se me permitem dizer. Ele previu que todas aquelas pessoas importantes seriam assassinadas, ele sabia que a insanidade estava rugindo para todos nós... JFK, MLK, RFK, Malcolm... Toda vez que uma coisa dessas acontecia, Hootie Bly pensava em Keith Hayward e dizia para si mesmo: *Eu estive aqui antes, essa não é a minha primeira vez.* John, Martin, Robert, Malcolm, mais quem você queira jogar aí dentro. E quando explodiram aquele prédio no campus bem aqui e mataram um estudante? O mundo explode em chamas, fumaça sobe do fogo, pessoas feridas gritam. É assim que a gente se sente, entendem?, ainda que todo mundo esteja por aí aturdido. É como a gente se sente por dentro, no meio de uma guerra. Você é tomado por aquele sentimento de fim de mundo. Não é preciso armas e uniformes para se ter uma guerra.

Naquele dia terrível, Spencer estava sobressaltado como um gafanhoto. Ele levou seu alegre bando de crianças para o antigo cinema para ver o velho organista e um filme mixuruca e os deixou lá! Para fazer uma de suas coisas secretas. E quando ele acabou o que tinha que fazer e o filme terminou, Spencer os encontrou na calçada e os levou direto para o combate! Será que ele pensou que era um *acidente* o mundo estar se detonando na mesma e exata esquina onde ele deveria encontrar Hayward e Milstrap? Será que o líder e amado de Hootie ao menos pensou sobre aquilo tudo? Não, ele apenas os levou para trás de um muro de cimento e esperou! E quando finalmente tudo acabou, para grande alívio de Hootie — porque Hootie não era como Keith, ele odiava violência e agitação e todo mundo gritando como louco —, finalmente houve algo semelhante a quietude, se não a verdadeiro silêncio. Sons de água pingando e multidões em retirada e não mais pedras sendo atiradas e garrafas de cerveja se espatifando contra as paredes. Eles foram saindo furtivamente para a rua suja e encharcada, e quem estava vagando do outro lado da rua? O bom e velho Keith. Todo excitado. Olhos brilhando.

Eel foi, no entanto, a coisa mais importante. Mais tarde, Hootie Bly a viu *viajar* como ninguém nunca havia viajado antes ou desde então. E Spencer Mallon viu também e isso foi quase demais para ele. Para o pobre Hootie, entretanto, não houve o "quase". Para Hootie foi demais. Ele não pôde suportar. Nem isso. Pior. Hootie não só não pôde suportar, o que ele não pôde suportar nem foi tudo. Ele nem chegou perto de tudo. Ele ficou dobrado, amassado, completamente achatado.

No entanto, quando eles estavam se reunindo no meio da rua arrasada, Hootie olhou para Eel e Eel olhou de volta e sorriu, e um mundo inteiro saiu de seus olhos e o envolveu... quente e escuro e encantador, capaz de sustentá-lo e fazer com que ele continuasse a caminhar... não liguem se eu chorar, não será a última vez, com certeza. Ela fez aquilo pelo Hootie e foi só a primeira coisa surpreendente que ela fez por ele naquele dia.

Então eles andaram e andaram, e finalmente chegaram àquela rua amedrontadora, a Glasshouse Road, onde ogros e gnomos viviam todos os dias o dia inteiro, e, na Glasshouse Road, eles não estavam sozinhos. Hootie continuou olhando para a sua querida Eel o tempo todo, mas Eel olhou para trás por cima do ombro, e Hootie teve quase certeza de que Mallon fez isso também, e a maneira como o rosto da Eel se retesou, e ficou parecendo *seco* no segundo em que olhou para trás, mostrou a Hootie tudo que ele queria saber. Enquanto ela pudesse continuar andando, ele poderia andar também, mas ninguém o faria olhar. Ele podia ouvir uns ruídos de roupa de couro e o som de botas... eram os não cachorros, sabia disso. Não cachorros. A triste verdade é que, depois de tudo que aconteceu naquele dia, Hootie levou um longo, longo tempo para se acostumar novamente mais ou menos com cachorros.

As pessoas em Lamont, alguns homens em sua enfermaria, costumavam ter *acompanhantes* animais, não é assim que os chamam?

Por que isso acontecia? Por acaso não *sabiam*? *Qualquer coisa* pode se fazer parecer com um cachorro, não entendiam isso? Essas coisas, esses não cachorros, esses cachorros-ideias, Spencer os odiava e eles não o suportavam também. Certos dias, Hootie achava que eles não gostavam de nada, que andavam por aí como um bando de tiras zangados, prontos para arrebentar alguém. Outros dias, ele achava que eles não davam nada pelos seres humanos, que éramos apenas parte de algum trabalho que nunca entenderíamos por estar totalmente fora do nosso alcance.

Já Hootie... Hootie estaria olhando pela janela do seu quarto numa manhã, qualquer manhã, e veria uma dessas coisas lá fora no gramado, olhando para ele... dizendo: *talvez todos os outros tenham se esquecido completamente de você, mas nós, não.*

No resto de um dia como esse, Hootie não conseguiria comer. De noite, ele também não seria capaz de conciliar o sono.

Ele teria preferido segurar a mão de Keith Hayward a olhar para trás na Glasshouse Road.

∎

Então eles entraram no campo e tudo já estava arruinado porque escurecia. Meredith Bright estava irritada por causa do seu horóscopo. Hootie se sentiu mal com isso, porque acreditava que a maravilhosa Meredith Bright devia estar sempre feliz. Mas, quando chegaram mais perto, puderam enxergar o círculo branco com bastante facilidade. Ele estava brilhando. Brilhando? Ei, aquele círculo praticamente os levou direto para ele. Certo, Meredith estava tendo o seu ataque e queria parar tudo, mas todos os outros, cara, eles tinham *embarcado*. Até Keith e Milstrap.

Na verdade, ao entrar no campo, não se via o círculo branco. Para *vê-lo* realmente, era preciso entrar na pequena depressão, na dobra, e então ele aparecia bem na sua frente na elevação coberta de relva. Só que, este era o lado engraçado, antes de chegarem lá, de certa maneira eles o podiam ver. Podiam ver alguma coisa, uma luz ofuscante como um anel de centelhas brancas sobre o chão escuro, semivisível — um sinal! Estavam sendo avisados para onde deviam ir!

Depois tiveram que fazer aquela coisa com as cordas. Em seguida, carregando as velas, tiveram que se posicionar do lado oposto ao círculo branco e brilhante. Meredith e Eel estavam zangadas uma com a outra, então Hootie foi forçado a se colocar entre elas como uma espécie de barreira, não que ele se importasse. Estar perto de Eel tornava mais fácil ficar de olho nela. E Eel, cara, ela estava observando tudo: Mallon, com certeza, e Boats e Dill, mas ela vigiava Hayward e Milstrap também.

Aqueles caras, eles estavam *de fora*. Era assim: você faz o seu negócio e nós fazemos o nosso. Havia uma coisa particular se desenrolando ali. Era o que parecia. Todo mundo estava empolgado, todo mundo estava totalmente envolvido na cerimônia, só aqueles dois pareciam estar compartilhando uma brincadeira. É engraçado, quando se pensa no que aconteceu com eles — eles praticamente sorriam com *desdém* para Mallon. Isso fez Hootie se sentir nauseado, porque não havia lugar para desprezo naquela cerimônia. O que eles precisavam era de amor e respeito mútuo, e em vez disso tinham... um sorriso *desdenhoso*. A agitação de suas entranhas dizia a Hootie: *É melhor colocar os seus patins, porque nada vai dar certo aqui; dê uma olhada*, já *está errado*. Nunca ignore avisos vindos de suas entranhas agitadas. Tê-los ignorado significa que o pequeno Hootie aceitou toda a merda terrível que estava esperando por ele. Disse: *Não vou, não posso, vou ficar aqui não importa o que aconteça, NÃO vou deixar Spencer Mallon!*

E exatamente como antes, no minuto em que Spencer os mandou pegar os fósforos e acender as velas e segurá-las no alto, aquelas outras coisas foram chegando. Como um bando de mariposas, de brilhos cinzentos e sombras marrons, mas sem ser mariposas. Em imagens breves e vívidas, lampejos e jatos de luz iluminavam patas e focinhos e dentes pontudos e botões cintilantes em coletes e paletós. A fita acetinada de um chapéu capturou o clarão da chama de um fósforo, depois voltou à obscuridade fervilhante.

E outras vieram também, escondidas entre aqueles não cachorros em pé. Coisas ruins. Eel sabia delas, mas ninguém mais.

— Não estou gostando disso — disse ele. — Elas estão aqui novamente.

Mallon mandou que ele se calasse, e, por alguma razão, uma frase triste e amarga de *A letra escarlate* se desenrolou em sua mente e saiu de sua boca: *Devo afundar aqui e morrer imediatamente?*

Mallon de novo mandou que ele se calasse, e Hayward xingou-o, então Mallon mandou que Hayward também se calasse.

Keith Hayward dirigiu um sorriso malicioso e um aceno de cabeça a Meredith, mas o rosto dela se imobilizou numa máscara de desagrado e ela o ignorou. Meredith não sabia dos Outros, Keith também não. Será que Eel sabia? Ele achava que Eel sabia de tudo, porque ela já estava em outra esfera, sim, ele podia ver, Eel tinha dado um passo além, um passo *para fora*. Seu pobre coração ficou dobrado e amarrotado de dor, porque ele sabia que nunca poderia segui-la. No entanto, ao mesmo tempo, seu coração amarrotado e dobrado se expandia de amor pela maravilhosa Eel, que podia conhecer tamanha liberdade. Sua cabeça de menino foi se inclinando para trás, seus olhos escuros brilharam bem abertos e um ligeiro sorriso surgiu em sua boca. Foi isso que aconteceu: para Hootie, naquele momento Eel se tornou a Cotovia, exatamente como Mallon havia dito. Ela estava alçando voo e estava cantando, embora ele não conseguisse ouvir uma nota, tão presos à terra e grosseiros eram seus ouvidos.

E então o que chegou aos seus ouvidos foi o som às avessas de Mallon à beira do discurso. Era um grande, grande momento. Elétrico. Crepitante. Como o invisível lampejo de um relâmpago, o profundo, inaudível retumbar de um trovão. Spencer Mallon respirou e o ar mudou. Num segundo, quando Mallon estava de pé em seu lugar, com a vela levantada, os olhos fechados, a bela boca começando a abrir para a saída das palavras inspiradas, o ar se encorpou e os envolveu. Envolveu Hootie Bly, com certeza! Como um tecido, como um lençol, macio, escorregadio, frio ao toque. Como ainda era meramente ar, elementos e seres podiam trafegar através dele, mas não sem algum esforço.

    Em todo o entorno deles, formas sombrias deslizavam pela atmosfera do outro lado da membrana que os envolvia, e Spencer inalou mais profundamente, trêmulo com o poder do que em momentos sairia de sua boca, e o mundo em volta deles escureceu, e o pequeno Hootie começou a perceber que parte do que os esperava lá fora, no mundo além da membrana que os envolvia, era puramente hostil. Imediatamente depois de registrar as presenças sombrias que estavam à espera, ele começou a sentir o odor quente, azedo e malcheiroso delas. Esse fedor luminoso flutuou em sua direção, se enroscou em suas narinas, vagou, picante, para dentro de sua cavidade nasal, e, como um ácido, gotejou em sua garganta.

    Mallon já estava cantando. Talvez a expressão seja entoando um cântico. Cercadas por música, as palavras emergiam dele e explodiam na atmosfera — Hootie não chegou a notar a transição do excessivo silêncio às avessas para essa glória retumbante, de bronze: sentia como se um ou dois segundos pertinentes tivessem sido cortados do filme de sua vida. Então eles irromperam.

    Ele teve tempo apenas de vislumbrá-los, um gigante vermelho com uma espada, um porco gigante, um velho e uma velha, um rei bêbado feito de espelhos molhados. O terror fez com que ele fechasse os olhos. Medo por Eel, medo por seu amado Mallon, fez com que os abrisse de novo. Ele não poderia enterrar sua cabeça na areia enquanto esses dois estivessem em perigo.

    Foi como se eles tivessem, todos menos Eel, ido para o inferno. Embora na verdade fosse noite, o sol vermelho havia reaparecido, enorme e perto demais da Terra.

    Na elevação escura, três metros a direita do círculo pintado, uma coisa vaga, escura e extremamente zangada tremeluzia dentro e fora do alcance da visão. Algumas moscas giravam tontas sobre ela, atraídas por seu terrível fedor de bode, porco, esgoto, morte, ao mesmo tempo todos e nenhum desses maus cheiros — o fedor do vazio total, da ausência total. A criatura imunda não *queria* ser vista; não era como os terríveis deuses-demônios que saltavam ao redor dela; eles exigiam atenção e a coisa sinuosa e tremeluzente desejava não ser notada. Ela fazia seu trabalho sem ser vista, Hootie concluiu. Apesar de sua atividade constante, tinha sido criada por alguma terrível mão ou instrumento para ficar abaixo do radar humano.

Depois dessa percepção, Hootie enfrentou outra muito, muito pior, que o fez parar onde estava. Era como se uma mão sobrenatural tivesse afrouxado uma válvula e todo o sangue tivesse sido drenado de seu corpo. Hootie fora lançado na paralisia de um confronto com uma completa e total desolação, na qual nenhuma ação, nenhuma combinação de palavras, nenhuma emoção, mesmo que poderosa ou refinada, teria qualquer significado, poderia fazer a menor diferença. Tudo fora achatado pelo abanar do rabo daquela criatura, se ela possuía um; pelo movimento de seus olhos, pela passagem através da resistência do ar de sua mão blasfema. Tudo estava arrasado, transformado em sal, transformado em merda.

Suas pernas fraquejaram e ele caiu de joelhos, a cuja entrega a coisa demoníaca reagiu com um violento espasmo e conseguiu por fim se furtar à vista. O movimento rotativo das moscas e um desenho avançando pela relva mostraram a Hootie aonde a terrível obscenidade estava indo. Como o sol vociferante, parecia vir em sua direção. Hootie poderia ter se mexido tanto quanto poderia ter traduzido o bronze derretido das frases de latim que saíam da boca de Mallon. O demônio do meio-dia, o Demônio do Meio-Dia, porque isso é o que ela era, deslizou mais meio metro na direção dele. Ele e Eel a viram, ninguém mais.

Apenas pouquíssimos segundos, Hootie calculou, restavam para ele. Do outro lado de Spencer Mallon, a quem ele agora entendia que ia perder pelo simples expediente da morte, não, morte não, *apagamento*, os companheiros de quarto condescendentes, nocivos, estavam se entregando a impulsos diferentes: o vil Keith Hayward estava correndo na direção do grupo de Hootie, com passadas vigorosas que o levariam direto a Eel. Seus olhos eram pedras negras e suas mãos se projetavam como garras. Brett Milstrap, de algum modo ainda capaz de aparentar que achava tudo em torno vagamente absurdo, deu um jeito de fazer um rasgo no tecido da cena da casa de loucos que se desenrolava na sua frente. Hootie vislumbrou uma grande escuridão e uma única luz, mecânica e repulsiva.

Então ele percebeu que a gigantesca esfera de sol noturno, de cor amarela, depois vermelha, depois amarela novamente, pulsando com o que ele reconheceu ser uma espécie de consciência, tinha oscilado das profundezas do céu e se aproximado ainda mais do campo. No que deveria ter sido o último segundo de vida de Howard Bly, precisamente simultâneo ao desaparecimento de Brett Milstrap do nosso reino, o avanço de Keith Hayward cruzou com o da criatura que se movia na direção de Hootie. Através da repentina fonte de sangue que abruptamente substituiu o rapaz da fraternidade, Hootie olhou, por um momento apenas, a bola pulsante e flagrante que se arremessava na direção dele e percebeu que ela era muitíssimo perigosa. Somente no possível último segundo, compreendeu que aquela esfera não era só uma coisa, mas que, em vez disso, era feita de muitas e muitas palavras e frases: palavras quentes, sentenças em ebulição, muitos, muitos milhares de frases, se debatendo e se enroscando como cobras monstruosas, interligadas, infinitas. E ele conhecia todas aquelas frases: elas estavam dentro dele.

Ele nunca poderia descrever a miscelânea de contradições que se seguiu. No momento em que o sol de frases em ebulição o atingiu, ele foi absorvido por sua substância e desapareceu deste reino. Ele saiu do seu corpo, que foi consumido, e se encadeou numa confortável sequência sujeito-verbo-objeto e de lá numa conexão de orações independentes que o dispersaram no meio de uma colmeia de pontos-e-vírgulas. Ele se tornou um índio numa grande floresta e seu nome era Uncas. Ao mesmo tempo, funcionários entediados e indiferentes com aparência de cachorros em pé, vestindo roupas antiquadas, o levaram, meio carregado, meio sustentado, para dentro de um quarto vazio com uma única janela no alto e lá deixaram que ele se deitasse numa cama estreita encostada na parede mais distante. Alguém que ele não pôde ver lhe trouxe sopa. Algo invisível o amedrontou tanto que ele urinou nas calças. Várias sentenças complexas o ergueram, carregaram-no ao inverno e o despejaram na parte de trás de um vagão perseguido por lobos. Ele disse: *Eu não preciso de remédio*, embora seu rosto estivesse mais pálido e magro e sua voz, mais trêmula que antes. Uma truta saltou de um riacho de trutas espanhol e caiu dentro de seu cesto forrado de junco. Uma mulher feroz e formal vestida de preto rodopiou para fora de uma grande janela que se abria sobre a costa rochosa, encapelada da Cornualha. Ele, agora uma ela sem nome, desejava saltar? Spencer Mallon partiu seu coração para sempre indo embora sem um olhar, sem uma palavra, dentro de uma ondulante nuvem amarelo-alaranjada que fedia a cadáveres, esgoto e eternidade. Uma mulher com o rosto sujo castrou um porco que gritava e atirou seu pênis nele. Um coelho morreu. Um cachorrinho morreu. Um imperador morreu. Ele estava apaixonado por uma enfermeira italiana e, depois da morte dela, voltou para casa na chuva. Uma estante caiu em cima de um homem antipático e sem dinheiro e o matou. Um homem num belo uniforme atirou um livro numa fogueira feita inteiramente de livros em chamas. Chorando, Hootie Bly novamente mijou nas calças e foi engatinhando não sabia para onde, vigiado por cachorros-ideias, cachorros-espantalhos, cachorros-cabides.

Dezoito horas depois, um guarda desconfiado o encontrou no meio de um caos de carteiras de cigarro e papéis de chicletes desbotados, camisinhas velhas e empoeiradas e garrafas de cerveja quebradas debaixo das arquibancadas do estádio Camp Randall. Ele não se lembrava de ter percorrido a distância considerável entre o campo da agronomia e o estádio de futebol e, na verdade, tinha apenas uma ideia muito vaga da localização do estádio. Parecia provável que, numa procura cega por abrigo, ele tivesse chegado lá por acidente e entrado na estrutura sem nenhum reconhecimento de sua função. Quando o guarda cutucou seu ombro e disse que, diabos, o que quer que ele estivesse fazendo ali, teria que dar o fora imediatamente, Hootie piscou e fez uma citação Hawthorne que dizia que trilhando caminhos sombrios ele se conservaria simples e ingênuo, com um frescor, uma fragrância e um pensamento puro como o orvalho.

O guarda do estádio o arrastou para o escritório e chamou a polícia da cidade.

■

Um pouco depois de seis horas, eu e Don retornamos ao Concourse e subimos aos nossos quartos por alguns minutos antes de nos encontrarmos novamente no salão. Quando Don entrou no bar, enquanto eu o cumprimentava, pedia um copo de vinho, passava um minuto tagarelando com o *barman* e levava nossas bebidas até o outro lado do salão para retomar nossa mesinha redonda, mandei meios sorrisos e olhares antecipatórios que indicavam que estava segurando, com certa dificuldade, uma informação nova e vital.

Sentamos, e Don disse:

— É melhor você contar logo, se não vai explodir.

— Sei, sei — disse eu. — É o cúmulo da coincidência. Você não vai acreditar.

— Eu já não estou acreditando.

— Mas você vai. — Hesitei por um momento. — Tinha uma mensagem no telefone do meu quarto. Do Boats. Ele ligou lá para casa e minha assistente, que acabou de chegar da Itália, disse onde estávamos. Adivinha onde James Boatman está morando agora?

— Claro — disse Don. — Pensando bem, em Madison. No esconderijo dele.

— Talvez ele tenha se mudado. Agora Jason mora a cerca de dez a quinze minutos de carro daqui. Do lado leste, na área da Willy Street, onde quer que seja isso. Ele disse que tem grandes novidades e quer nos contar pessoalmente.

— Como ele parecia estar?

— Ele parecia... eu diria... que ele parecia feliz.

— Isso é uma grande novidade — disse Don. — Como ele soube que estávamos aqui? Como soube onde nós estávamos hospedados?

— Foi isso que eu perguntei a ele. Mas, pensando bem, só existe uma maneira de ele ter sabido.

— Você está querendo dizer... que a Eel ligou pra ele? Bem, mas por que eu deveria ficar surpreso? Ela me ligou, não foi?

— Imagino que ela tenha mandado um e-mail pra ele — disse eu, e acrescentei que eu nunca tinha me dado conta do quanto ela se mantinha em contato.

— Você realmente não percebeu isso, não é mesmo? — perguntou ele.

As indicações de Boatman nos levaram a uma casa ampla de dois andares com estrutura de madeira na Morrison Street. Ela podia não ser bonita, mas certamente não era um mero esconderijo. Uma calçada inclinada com o pavimento quebrado levava a três degraus de madeira e uma varanda comprida na frente precisando de lixa, telas novas e várias demãos de pintura. A casa toda, que um dia fora de um tom verde folha bonito, agora estava um tanto amarelada. Samambaias flácidas, quase mortas, pendiam de um lado a outro do revestimento de argamassa de ambos os lados dos degraus. No lado direito da casa, um caminho com marcas de pneus levava a uma garagem que parecia prestes a desmoronar. Oposta à casa, do outro lado da Morrison Street, uma descida íngreme de uns cinco ou seis metros, coberta de vegetação, dava na beira do lago Monona. A construção e suas vizinhas, na verdade a vizinhança inteira, imaginei, desceu da respeitabilidade original de classe média à deterioração constante da hospedagem para estudantes. Precisando de uma pequena renda, uma viúva ou mãe solteira tinha alugado alguns quartos a estudantes de pós-graduação — a área era distante demais do campus dos estudantes universitários — e, finalmente, milhares vieram, entocando-se nas casas ao mesmo tempo em que criavam cooperativas de alimentos, lojas de homeopatia, centros de acupuntura, restaurantes étnicos ruins, lojas de alimentos naturais e cafés com nomes bonitinhos. O que Jason Boats estava fazendo num lugar como aquele?

Seguimos pelas pedras da calçada quebrada, subimos os poucos degraus e apertamos a campainha ao lado da porta telada. Logo a porta que dava para a varanda foi aberta, expondo por um momento a silhueta escura, embaçada pela malha da tela, de uma figura ampla de avô. A figura avançou e alcançou a maçaneta da porta de tela, emergindo à luz da noite o suficiente para se revelar como Jason Boats. Ele estava sorrindo e, para nós dois, Donald Olson e eu, o desembaraço e a amabilidade do sorriso indicavam que algum elemento central do homem o havia abandonado. Um fogo tinha se apagado. Ele estava relaxado demais para ser Jason Boats, além de velho demais e gordo demais: apenas alguns cabelos grisalhos penteados para trás cobriam a cabeça calva, linhas fundas sulcavam seu rosto alarmantemente pálido, e ele tinha criado uma barriga pequena, mas nítida, que rodava pelo mundo à sua frente.

Ao abrir a porta de tela empoeirada, ele disse:

— Ei, caras, é muito bom ver vocês! Venham, vamos entrar!

Isso também não se parecia com o Jason Boatman dos velhos tempos, que era tenso e frequentemente mal-humorado. O velho Jason teria dito algo como: — *Tudo bem, vocês chegaram. Finalmente.*

Antes de entrar na varanda, Olson me dirigiu um olhar que dizia: *O que há com esse cara, e o que ele fez com o verdadeiro Boats?*

— Meu Deus, vocês dois aqui, juntos, isso é bom demais. — Exalando afabilidade em vez de ansiedade, Boats andou em direção à porta da frente e a abriu, fazendo uma espécie de gesto de "tenham a bondade, cavalheiros" com uma mesura com o braço livre. — Entrem, amigos, entrem. Bem-vindos ao meu castelo.

A porta dava diretamente para uma ampla sala de estar, onde uma fileira de ganchos para pendurar casacos e uma seção de azulejos no chão demarcavam uma área de entrada. Mais além havia um corredor que levava a uma série de cômodos menores e que os separava do cômodo maior, onde mobília antiga, marrom e confortável, rodeava uma mesa de café de madeira. Uma televisão de tela grande ocupava quase toda a parede em frente. Prateleiras de madeira escura com quase nada exceto uns poucos CDs, algumas estatuetas pequenas e um ou outro pote de cerâmica cobriam a parede à direita e a meia parede que separava a sala de estar do ambiente de jantar e da cozinha. Apesar de ter janelas amplas na frente, a sala de estar, onde Jason nos indicou um sofá e cadeiras, era permanentemente escurecida pelo telhado da varanda, que bloqueava a luz do sol.

— Sentem-se, sentem-se, rapazes. Céus, mal posso acreditar que vocês dois estão aqui. Onde vocês estão? Os dois hospedados no Concourse?

— Sim — respondeu Don. — Viemos para passar algum tempo com o Hootie.

— Sim, acho que ela me disse isso. — Jason se sentou numa cadeira ao lado da mesa, novamente indicando o sofá, e então, antes que eu pudesse falar, quase de imediato, se pôs novamente de pé. — Cara, que aconteceu com a minha educação? Vocês gostariam de beber alguma coisa? Está mais ou menos na hora, não está? Tenho cerveja na geladeira, tenho vodca, e isso é tudo.

Nós dois pedimos vodca.

— Se você tiver o suficiente — acrescentei. — Se não, cerveja está ótimo. Mas que bom que a Lee mandou um e-mail pra você e que a gente pôde se encontrar. Eu não sabia que ela mantinha contato.

— Na verdade, não mantém. Eu recebo um e-mail por ano, talvez. A Eel sempre conseguiu descobrir onde eu estava, não sei como. Não se preocupem com a vodca, tenho bastante. Mas vou beber cerveja.

Nós nos acomodamos no sofá e ele deu dois passos em direção aos fundos da casa, à cozinha.

— Mas então, como está Hootie? Sabem, nunca me ocorreu ir visitá-lo. Pensei que ele não conseguisse falar ou coisa parecida.

— Não é bem assim — falei, e expliquei a antiga técnica de comunicação de Howard Bly. — Mas agora ele não precisa mais citar Hawthorne. Porque ele tem uma dessas memórias incríveis: cada frase, cada *palavra* de tudo que ele já leu está disponível e ele pode combiná-las da maneira que quiser. Portanto, na realidade ele tem uma liberdade verbal completa. E eu acho que ele trapaceia metade do tempo; acho que ele apenas fala e finge que está citando alguma coisa.

— Mas isso é um enorme avanço. Imagino que eu poderia visitá-lo também, não é?

— Claro que pode — disse Don. — Mas você tem que agir rápido. Provavelmente, antes do final do ano, ele vai se mudar para um centro de tratamento em Chicago.

— Puxa! E vocês têm alguma coisa a ver com isso?

Olhamos um para o outro e eu disse:

— Nós tivemos um efeito positivo sobre ele, é preciso que se diga. Estou realmente feliz por ter ido a Lamont e tenho certeza de que Don também está.

— Certamente — disse Don.

— Grandes mudanças por todo lado — disse Jason. — Isso faz a gente pensar. Em todo caso, volto já com as nossas bebidas, rapazes.

Podíamos ouvi-lo sacudindo cubos de gelo, colocando copos sobre o balcão e fazendo outras coisas na cozinha. Enquanto tudo isso acontecia, eu concluí duas coisas a respeito desse outro antigo amigo dos tempos de secundário. A primeira foi que o mais sem raízes e amarras de todos os meus velhos amigos, mais sem casa até que Donald Olson, tinha se estabelecido. Olson ao menos tinha dividido, de vez em quando, acomodações com seus seguidores, mas Boatman tinha passado de um quarto sujo de hotel para outro.

A outra conclusão a que cheguei foi a de que eu estivera certo: alguma coisa tinha abandonado Boats, e essa característica era a paixão. Em nossos anos de curso secundário, todos nós tínhamos paixão por muitas coisas: música, esporte, livros, política, um pelo outro, nossos pais, em sua maioria abomináveis... Spencer Mallon! Mas a paixão de Jason Boatman tinha sido principalmente feita de raiva. Suas necessidades eram insaciáveis, suas carências, impossíveis de serem satisfeitas; todos os seus desejos foram empurrados para dentro, onde não podiam ser realizados. Ao menos para as pessoas de sua idade, a magnitude do seu sofrimento o tornava atraente. (Éramos jovens, é tudo que posso dizer.) A raiva apaixonada tinha abandonado Boatman e os resultados tinham sido inteiramente benéficos. A única desvantagem era que agora Boats ameaçava se tornar um chato de galocha.

Jason voltou da cozinha e contornou a mesa da sala de jantar, segurando logo acima da saliência de sua barriga uma bandeja oval de metal com três copos, uma garrafa de Budweiser e duas tigelinhas. Quando pousou as tigelas sobre a mesa, vimos que uma delas continha azeitonas gregas pretas e brilhantes e a outra, castanhas de caju e amendoins torrados. Boatman comprava na loja de produtos naturais dos estudantes; talvez até pertencesse a uma cooperativa de alimentos!

— Achei que a gente devesse comer umas coisinhas gostosas — disse ele erguendo a garrafa de cerveja. — À sua saúde, cavalheiros.

Murmuramos reciprocidades e bebericamos de nossos copos cheios até a borda.

— Isso é realmente muito bom — disse Boatman. — Sabe, Lee, houve ocasiões em que pensei em ver você, talvez, conversar com você, estar um pouco com você, fazer uma pequena reunião. Pensei nisso. Passou pela minha cabeça.

— E por que você não fez nada a respeito?

— Bem, em primeiro lugar, até nos encontrarmos por acaso em Milwalkee daquela vez, eu não sabia como entrar em contato com você. Quero dizer, seu nome não consta de nenhuma lista telefônica, não é?

— Não, mas existe uma porção de catálogos de editores e escritores que têm meu endereço ou o do meu agente. Alguns têm meu número de telefone. Você podia ter me procurado no *Quem é quem*. Lá tem tudo.

— Pessoas como você estão no *Quem é quem*. Pessoas como eu nem sabem onde encontrar um desses livros. De qualquer modo, como ele é?

— Parece uma enciclopédia, dois volumes gordos e vermelhos.

— Eu nunca botei os olhos num livro desses.

— Você podia ter tentado a livraria local. Mas Boats, quando eu te dei o meu cartão, não te disse que você podia me ligar quando quisesses?

— Sim, mas eu achei que você não tivesse sido *sincero*. E ainda tinha outro problema. Antes daquela vez, a última vez em que eu te vi, você e a Eel estavam se preparando para viajar para Nova York para fazer faculdade e tudo o mais. Desde então, você ficou famoso. Foi capa da *Time*! E ganhou muito dinheiro! Por que alguém como você ia querer falar com alguém como eu? Cara, quando pensava em você, eu ficava intimidado.

— Gostaria que não tivesse ficado. — No íntimo, entretanto, eu não estava totalmente infeliz por Boats ter ficado intimidado demais para se aproximar de mim. Então, outra coisa me ocorreu. — De qualquer modo, a Lee te deu o número do meu telefone, não deu? Você só não quis usá-lo.

— Não, a Eel nunca me deu o seu telefone, só o endereço. Mas eu nunca escrevi nenhuma carta pra ela.

— Por que não?

— Por quê? Ela não queria que eu escrevesse. — Ele disse isso como se devesse ser algo óbvio, até para um idiota como eu.

Jason se virou para Don Olson.

— Como você o achou?

— Eu estava em cana. Muitas vezes, as bibliotecas das prisões têm esses catálogos de escritores. O catálogo não tinha o número do telefone dele nem nada, mas tinha o endereço do agente dele. Então eu escrevi para o agente e ele ligou para Lee e Lee disse "Sim, o cara é autêntico", então o agente me respondeu com todas as informações. E foi isso.

— Bem, estou contente porque eu pude fazer isso hoje, cara. E vocês dois provavelmente nem sabem que eu me tornei honesto há uns cinco, seis anos.

— Você se tornou honesto? — exclamou Don. — Surpreendente.

— Eu enjoei de roubar merda e comecei a ter a sensação de que meu recorde perfeito seria ser quebrado em breve. Então eu fiz um pequeno teste comigo mesmo.

— Que tipo de teste? — perguntei.

— Fui a uma loja pequena e tentei roubar um grampeador porque o meu velho tinha quebrado. Quase me pegaram. Se eu não tivesse visto o gerente olhando para mim através da vitrine, teria sido pego. E foi assim que eu soube que precisava de outro tipo de trabalho.

Boats explicou que depois de um pequeno período de miséria gasto buscando ideias e lendo anúncios de empregos, ele concluiu que possuía apenas uma única qualificação utilizável no mercado de trabalho. Certamente poderia obter algum rendimento demonstrando a donos de cadeias de lojas e gerentes de depósitos e varejo como evitar que pessoas como Jason Boatman roubassem o que quisessem quando bem entendessem. Ele poderia mostrar às pessoas como fechar as brechas pelas quais ele e os do tipo dele se esgueiravam, algumas vezes literalmente.

— Então, foi o que aconteceu — explicou Boatman. — Comecei lá na cooperativa da universidade. Disse ao gerente "Fique aqui e me observe. Você não vai acreditar no que vai ver". Eu o coloquei no segundo andar perto das caixas registradoras, recomendei que me vigiasse cuidadosamente e entrei em modo de operação. Ele manteve os olhos em mim enquanto eu andava em volta, levantava coisas e as punha de novo no lugar. Tenho uma mochila, mas não parece que estou colocando coisas dentro dela. Quinze minutos depois, fui até o cara e disse "E aí?"

— "E aí o quê?", ele disse. "Você não fez nada".

— "Isso é realmente interessante", eu disse, "tendo em vista que acabo de surrupiar uns quinhentos paus de merdas suas". Nesse momento, esvaziei os bolsos e tirei coisas de baixo da camisa e pra fora das calças, das meias, dos *sapatos* e, finalmente, de dentro da mochila. Livros de arte, livros de contabilidade, canetas tinteiro, echarpes dos Badgers, agendas dos Badgers, uma luminária dos Badgers, lâmpadas halógenas, "Você diz uma coisa e eu coloco no balcão". Talvez eu não tivesse mais a capa mágica de vodu de Spencer Mallon, mas ninguém poderia dizer que eu não era um bom ladrão.

— "Meu Deus", o cara exclamou. "Você roubou tudo isso debaixo da minha vista?"

— "Eu não roubei nada disso", eu disse. "Eu só mostrei a você que eu poderia ter roubado. Agora, nos velhos tempos, muitas vezes eu saí desta loja com duas vezes o que está ali bem na sua frente, começando, acho, três gerentes atrás e chegando até você. E enquanto eu, estava roubando os caninos da sua boca, vi dois garotos fazendo o mesmo que eu só que não tão bem. E mais, um de seus caixas está fazendo coisas suspeitas com a gaveta da caixa registradora."

"Então eu mostrei para ele o que eu estava falando. Nós expulsamos dois ladrõezinhos das estantes de livros e, vinte minutos depois, o infeliz que fraudava a caixa registradora estava a caminho da cela de uma prisão, e eu tinha um novo emprego ganhando seiscentos dólares por semana. O gerente ficou tão satisfeito comigo que escreveu uma carta de recomendação que me rendeu trabalho de consultoria num depósito e numa cadeia de mercearias, e hoje eu sou o presidente da O Ladrão Necessário S.A.*

— E então, em que você está trabalhando agora? — perguntou-me Boats. A mais inocente de todas as perguntas, a menos respondível, palavras que as pessoas dirigem aos escritores quando mal os conhecem e não têm ideia do que dizer para tais criaturas estranhas. — Isto é, se é que você pode falar sobre isso — acrescentou ele, redimindo-se.

O que falar? Como responder? Escolhi oferecer uma versão simples, resumida, do que parecia ser a verdade.

---

* No original "It Takes a Thief, Inc." (do ditado "It takes a thief to catch a thief" / "É necessário um ladrão para pegar um ladrão"). (N.T.)

— Por algum tempo, pensei em escrever um livro de não ficção sobre os assassinatos do Matador de Mulheres em Milwaukee. Depois tentei trabalhar num novo romance. Estava indo muito lentamente. Por fim, uma coisa aconteceu que, de algum modo, me trouxe Hootie de volta, e todo o meu passado como que me submergiu. O que aconteceu naquele campo parecia tão crucial para todos nós que eu tinha que solucionar aquilo. Eu tinha que *ver aquilo por dentro*. Você entende? Eu tinha sido deixado totalmente de fora, que é uma coisa que eu fiz comigo mesmo, certo, mas que, por alguma razão, eu não podia mais *suportar*.

"Bem naquela época, Don apareceu, recém-saído da prisão. Minha mulher participou muito disso também. Combinamos que ele podia ficar comigo um tempo, o bastante para se reerguer, se me contasse tudo que pudesse se lembrar daquele dia. Sobre Mallon em geral."

Pisquei. Tomei um gole da minha bebida. Essas ações pareceram vagamente robóticas.

— E Don foi realmente útil. Através dele eu pude falar com a antiga Meredith Bright.

— Oh, Deus — exclamou Boats. — Eu ainda me sinto um pouco extasiado quando penso em Meredith Bright.

— Faça de tudo para nunca mais se encontrar com ela — disse eu. — Ou, se a encontrar, torne o encontro o mais breve possível. E, mesmo assim, ela ainda causa uma primeira impressão incrível.

— Ela te contou o que se lembrava daquele dia?

— Em detalhes — disse eu.

— E Hootie também?

— Ele tinha coisas interessantes a dizer.

— Bem, eu gostaria de poder me lembrar de mais alguma coisa sobre aquilo tudo, mas não há jeito. Eu lhe contei tudo que podia me lembrar naquele dia em que nos encontramos do lado de fora do Pfister.

— Sim — falei. — As crianças mortas.

— Crianças mortas por todo lado. Uma torre de crianças mortas... — Ele fez uma careta e levou uma das mãos ao rosto. — Não me lembre disso. Foi sempre muito difícil tentar manter essa imagem fora da minha cabeça. É engraçado, agora que penso nisso. O que eu pensei que conseguiria depois que deixei de ser um criminoso e entrei no negócio contra o crime realmente chegou para mim. Paz, sabe? Minha vida inteira, nunca sequer pensei que ela existisse, achava que fosse uma espécie de boato que contavam aos otários, e depois que comecei a ficar velho e parei de arrombar depósitos e quartos de hotel... verdadeira paz!

— Vamos pagar um jantar pra esse gato velho aqui — disse Olson.

— Boa ideia — disse eu.

Como se não tivesse ouvido essa troca de palavras, Jason Boatman afundou na cadeira e ficou olhando para o próprio colo, onde suas mãos seguravam o copo como se fosse uma tigela de esmolas. Agora, com o ambiente escurecendo, os cabelos escassos penteados para trás sobre a calva pálida pareciam ser de prata.

— Esperem. Eu costumava ficar tremendamente incomodado com uma experiência estranha que eu tive — disse Boatman, falando para suas mãos, seu copo e sua barriga. — Nem sempre, mas de vez em quando. Havia uma coisa realmente terrível nela. Ele olhou para nós sem levantar a cabeça. — O nome que eu dava a essa coisa era... bem, eu a chamava de... — Ele abanou a cabeça, levantou o copo e o abaixou sem beber. Depois, sacudiu a cabeça. Um espírito estranho e trêmulo se instalara nele, modificando suas feições, calando sua língua.

— Como você chamava isso, essa coisa?

O espírito trêmulo voltou os olhos para mim, deu um gole na bebida e se tornou de novo Jason Boatman. Ele disse:

— A matéria escura.

— Matéria escura? A coisa científica, o troço invisível?

— Não, não isso. — Boatman se remexeu na cadeira e olhou lentamente em torno da sala, parecendo querer se certificar de que os pequenos potes e a fileira de quinze centímetros de CDs estavam em seus devidos lugares. — Eu não posso ter certeza total de nada que se refere a esse, hum... tópico. Foi uma coisa que me aconteceu no lago Michigan, e depois na margem. Em algum lugar, eu nunca soube com certeza onde. Não foi só estranho, foi muito mais que isso.

Ele se virou para mim.

— Essa experiência veio do mesmo lugar que a torre de crianças mortas, mas de muito *atrás* daquele lugar, do final dele, do fundo, onde tudo, tudo que sabemos e com que nos importamos escorre e nada significa mais nada. Foi isso que me derrubou. Vi que uma coisa não significa mais que a outra.

Boats virou a cabeça na direção de Don.

— Foi sobre você. Você e Mallon. Você sabe como eu queria o que você conseguiu. Eu teria feito qualquer coisa para que Spencer me escolhesse. Nessa noite em que eu estava em Milwaukee, senti quase como se eu pudesse, não, que eu realmente *poderia* ter uma segunda chance. Vocês gostariam de ouvir o que aconteceu? Lee, isso veio do campo, tenho certeza disso. Levou um bocado mais de tempo para chegar aqui, só isso.

— Por favor — falei.

— O que eu consegui não foi assim tão fácil de suportar — disse Don. — Só pra você ficar sabendo.

— Cala a boca e escuta — ordenou Boats.

A matéria escura

A primeira coisa que vocês precisam entender, *disse Boats*, é que a relação dele com o lago Michigan não era como a da maioria das pessoas. Para Boats, o lago estava totalmente ligado ao seu pai, e não de uma maneira boa. O lago Michigan era onde seu pai ia trabalhar, deixando a mulher e o filho para trás em Madison — era uma das coisas que afastavam seu pai dele. Em muitas noites, Charles Boatman telefonava dizendo que estava cansado demais para dirigir de volta para casa, que ia dormir ali mesmo na oficina. Algumas vezes, seu pai estava bêbado quando dava aqueles telefonemas, bêbado e drogado ao mesmo tempo; o velho era um verdadeiro devasso. Algumas vezes, quando Boats atendia o telefone, ele ouvia música e gargalhadas por trás da voz arrastada do pai. Naturalmente, de tempos em tempos, o garoto tinha permissão para ir a Milwaukee e ficar nas garagens de barcos que seu pai estava alugando, e eram geralmente ocasiões especiais. Longe da Shirley, seu pai ficava bem mais relaxado, e farrear com ele podia ser divertido. O problema era que, fora construir barcos e vendê-los para pessoas ricas, farrear era praticamente a única coisa que realmente importava para Charlie Boatman. Então, o lago Michigan não simbolizava só a ausência do pai, mas também o comportamento descuidado e selvagem do velho quando estava nas suas margens.

E o lago era diferente por si só, Boats achava. Não se parecia com o lago Mendota ou com o lago Monona, junto aos quais ele cresceu — não, ele parecia ser de outra espécie. O lago Michigan parecia um oceano. Do lado do campus que dava para o lago Mendota era possível ver as casas elegantes que ficavam do outro lado, mas o lago Michigan nem parecia ter um lado oposto. A coisa se estendia mais e mais, quilômetros e quilômetros de águas em movimento, começando com um tipo de verde claro nas margens e ficando de um azul plano e frio mais e mais profundo quanto mais longe se ia. Lá fora, o lago Michigan parava de fingir ser um corpo de água simpático e amigável como o lago Mendota ou o Random, e mostrava sua face verdadeira e brutal, sem nenhum sentimento além de uma insistência obtusa. *Eu sou, eu sou, eu sou.* Isso era o que o lago dizia quando você ia longe o bastante para perder as margens de vista. *Eu sou, eu sou, eu sou. Você não é, você não é, você não é.* Se não prestasse atenção a isso, você estaria liquidado; não teria chance.

Houve um garoto em Milwaukee que morreu de frio ao passar a noite num veleiro no lago Michigan na primavera de 1958 ou 1959. Boats se lembrava de seu pai falando sobre isso com ele, dizendo para que fosse esperto e nunca ser surpreendido numa situação como a daquele garoto. Mas imaginem só. A mesma maldita coisa acabou quase acontecendo com Boats quando ele tinha onze anos, alguns meses depois que seu pai, Charles Boatman, anunciou que estava apaixonado por aquela garota, Brandi Brubaker, então ia viver com ela dali por diante e só voltaria a Madison de vez em quando. Foi uma mensagem e tanto. E teve um efeito e tanto. Shirley ficou danada da vida e bêbada por alguns anos e o pequeno Boats foi jogado pra lá e pra cá na esteira dos acontecimentos.

Uma noite ele fez uma coisa realmente estúpida: foi para a estrada e levantou o polegar. Deus mais uma vez teve pena de um tolo e levou-o a Milwaukee em duas caronas fáceis e rápidas. O problema era que Boats não sabia exatamente onde ficavam as garagens de barcos e oficinas de seu pai, então começou a procurá-las por quilômetros para o norte, perto das marinas em frente ao lago na própria Milwaukee e não nas de Cudany, que não eram tão chiques. Boats, um menino de onze anos, tinha imaginado apenas que, se chegasse aonde os barcos estavam, ou ia ver os galpões e garagens de barcos do pai ou poderia perguntar a alguém onde eles ficavam. Todo mundo conhecia Charles Boatman, não conhecia? Ei, o cara era a alma da festa e um construtor de barcos de primeira classe. Só que Boats não conseguiu encontrar ninguém que conhecesse seu pai. Começou a escurecer e a fome estava começando a deixá-lo desesperado. Ele decidiu "pegar emprestado" um pequeno barco de um cais em algum lugar, entrar com ele no lago e ir contornando a margem até que aparecesse um conjunto familiar de construções. Ele vagou ao longo da costa do grande lago por quilômetros — indo para o lado errado, depois soube — e finalmente deu com um veleiro Sunfish preso num cais particular aos pés de um grande penhasco com um lance extenso de degraus na pedra.

Boats foi até o cais, soltou o pequeno barco, levantou a vela e rapidamente pegou uma brisa moderada que o soprou para as águas profundas. Depois disso, deu tudo errado. Embora o menino fosse um bom marinheiro, ele foi longe demais e perdeu a linha da costa com a chegada do crepúsculo. Por algum tempo, as luzes da cidade lhe deram uma vaga noção de onde estava, mas depois de algumas horas sendo levado, vagando sem rumo, navegando não sabia para onde, começou a imaginar que via pequenas luzes piscando para ele de todos os lados. Sobreveio um nevoeiro. Ele sabia que estava longe das margens, mas não fazia ideia da distância que tinha navegado. Como um idiota, tinha sido negligente e não trouxera uma bússola. Por fim, amarrou a vela, deitou-se no fundo desconfortável do barco e desmaiou de ansiedade e exaustão. O frio e a fome o retalhavam fatia por fatia. Toda vez que acordava, tinha alucinações. Parecia que o tinham trancado de noite dentro de uma grande loja de departamentos e, enquanto o Sunfish flutuava com ele por belos corredores, ele arrancava camisas e suéteres, lâmpadas e bandejas, coadores e panelas das prateleiras.

Às dez horas da manhã seguinte, o barco que salvou sua vida minguante chegou gritando de dentro do nevoeiro denso, seguindo o feixe de luz circular, rastreador, do holofote e emitindo alarmes ressoantes que ele não ouviu até a embarcação de resgate estar em cima dele. Um oficial da patrulha do porto entrou no pequeno veleiro, enrolou-o num cobertor cinza e entregou-o para seu companheiro, que disse:

— Seu merdinha, espero que você saiba dar valor à sorte que teve.

Duas noites no hospital, e a sensação de ter tido força, de algum modo, se ordenou numa corrente viscosa, como o óleo de um carro. Seu pai urrou; sua mãe pegou um ônibus dos Badgers para Milwaukee e levou-o de volta para casa. Ele realmente soube dar valor à grande sorte que teve: a família que vivia na mansão sobre o penhasco com degraus entalhados descendo até o cais teve pena dele pela provação que tinha passado e não registrou queixa pelo roubo do veleiro. Quando perguntado sobre os motivos para fazer o que fez, ele sempre respondia:

— Acho que só queria ver meu pai novamente.

■

— E ainda é a única maneira que tenho para explicar aquilo — disse Boatman. — Mas, da segunda vez que eu entrei no lago Michigan num barco roubado, eu não estava planejando surpreender meu pai. Eu achava que ia ter uma reunião com você, Dilly, e com Spencer Mallon. Achava que ia ter uma segunda oportunidade!

Ele se levantou.

— Se vocês vão me convidar para jantar, vamos logo. Estou com fome, e existe um lugarzinho que eu gosto na Williamson Street que se chama Jolly Bob's. Comida caribenha; a gente faz um pouco de exercício andando até lá.

■

Jolly Bob's, lembrei quando atravessamos a porta da frente, era exatamente o lugar que me fizera acrescentar "restaurantes étnicos ruins" à lista de estabelecimentos que brotavam numa região como aquela. A garçonete estudante universitária atrás do balcão sorriu quando nos aproximamos e tive a sensação desconcertante de que ela havia lido meu pensamento. Ainda sorrindo, ela nos levou para uma mesa no fundo do restaurante.

Boatman fez um gesto para que nós dois sentássemos de frente para a grande janela e para a diversão do pátio cheio de gente.

— Posso buscar alguma coisa pra vocês beberem? Vocês estão me parecendo um grupo bastante sedento.

Ela achou graça porque sentiu cheiro de álcool na nossa respiração. Pensou que éramos três velhos assanhados e cômicos querendo aproveitar os últimos anos de vida. Sentamos, e a janela atrás de Jason Boatman transformou-o numa silhueta escura.

— Pra mim só água, por favor — falei. — Mas ponha um pouco de vodca dentro.

Animada, fazendo um espetáculo de submissão aquiescente que de modo algum implicava que achasse qualquer graça nessa performance, a garçonete inclinou seu rosto para Boatman.

— Um Purple Meanie* — ele disse.

— O quê? — perguntou Don.

— É o que se bebe aqui — respondeu Boats. — Drinques de frutas. Eles são ótimos. Quero um Painkiller** também.

— Obrigada, caro senhor — disse a garçonete. Ela estava achando que éramos todos idiotas.

Eu disse:

— Se é isso que se bebe no Jolly Bob's, vou mudar o meu pedido: quero o mesmo que o meu amigo. Um Purple Meanie. Pode ser?

— Certamente, senhor. — Seu sorriso se tornou um tanto fixo.

— A mesma coisa aqui, então — disse Don. — Só que eu gostaria de um Painkiller.

— Voltarei logo com os cardápios — disse ela e se afastou.

— Pelo menos você não a algemou pelo pulso e quis saber o nome dela — comentei.

— Não fale em algemas perto de mim — disse Boats.

— Eu mudei muito — disse Olson. Ele se voltou para a sombra total em que Boats tinha se transformado. — Assim que eu cheguei em Chicago, liguei para o Lee e pedi que ele fosse me encontrar no Mike Ditka's. Aquele era o meu primeiro dia fora da prisão e eu peguei um pouco pesado demais com a nossa garçonete. Era uma mulher bonita. Aliás, essa garota também é.

— Sabe a conclusão a que eu cheguei noutro dia? — perguntou Boats. — Todo jovem é bonito. — O fato de seu rosto estar só meio visível fez seu pronunciamento soar oracular.

---

* Purple Meanie (malvado púrpura) é um drinque composto de cerveja, licor de amora, pernod e cidra. (N.T.)

** Painkiller pode significar analgésico, mas no caso é um drinque caribenho feito com rum, suco de abacaxi, leite de coco e nozes picadas. (N.T.)

— Bem pensado. E, além disso, verdadeiro.

A jovem voltou com as bebidas e os cardápios e, um pouco depois, nós pedimos casquinhas de frutos do mar, peixe frito, camarão ao coco e carne de porco.

— Agora que nós estamos acomodados e que tudo está bem, Jason, talvez você possa nos contar sobre a segunda vez que roubou um barco e entrou no lago Michigan. Por que você imaginou que ia ver o Mallon e o Don? Estava bêbado?

— Não. Embora naqueles tempos eu às vezes perdesse o controle na hora de beber. Não naquela noite, porém. Eu estava hospedado no Pfister, trabalhando lá também, mas naquela noite eu pensei que poderia caminhar até a beira do lago depois do jantar. Era verão, os dias eram longos e tínhamos ainda cerca de uma hora de luz. Eu subi a Wisconsin Avenue partindo do Pfister, passei pelo Memorial de Guerra, atravessei o estacionamento e virei na direção de uma marina que avistei à distância. Mesmo antes de chegar lá, uma coisa engraçada aconteceu comigo.

A voz de James Boatman, praticamente a do jovem que ele havia sido, emanava de sua figura indistinta. Determinadas feições só se tornavam verdadeiramente visíveis quando ele se virava para olhar um de seus ouvintes ou quando se inclinava para frente. Pensei que parecia quase como se ele estivesse vestindo uma mortalha e tentasse suprimir a imagem infeliz.

A matéria escura II

Vozes pareciam vir de dentro d'água, *disse Boats*, como se um navio de cruzeiro tivesse ancorado fora de visão e todos os passageiros estivessem no convés fazendo algazarra. Sem dúvida o barulho de uma grande multidão, sem dúvida o barulho de uma festa. Algumas coisas não se podem confundir. No entanto, estava tudo errado: era impossível. O som se transmite através da água, todos sabem, embora não a uma distância tão grande. Boats não conseguia ver esse navio, portanto ele deveria estar a mais de um quilômetro de distância, pelo menos. Àquela distância, ele poderia ouvir algum barulho, leve, mas dificilmente tão distinto. Vozes abriam caminho em meio ao tumulto e ele quase podia distinguir palavras soltas. Uma voz aguda de mulher ria muito alto e um homem com um timbre ressonante de tenor repetia a mesma coisa muitas vezes. Soava como uma ordem, um comando. Todos os outros tagarelavam ao mesmo tempo, alguns no máximo que os pulmões permitiam. O riso alto sobressaía como se o navio tivesse se aproximado bastante. Boats ouviu o homem com a possante voz de tenor pronunciar as palavras *Eu preciso do que você precisa*, antes de sua voz desaparecer sobre a água.

A festa acabou e o navio seguiu adiante; qualquer que fosse a explicação, o som de muitas vozes abruptamente desapareceu no silêncio.

Eu preciso do que você precisa?

Ele seguiu em frente. A marina parecia estar muito longe. A alucinação auditiva, se tivesse sido isso, o perturbava. Decidiu-se pela explicação de que o vento, ou alguma estranha propriedade da água, tinha conseguido soprar vozes por quinze ou vinte quilômetros através do lago. Tinha ouvido uma festa numa barca, não num navio de cruzeiro, no qual as pessoas se divertiam e perdiam a cabeça. Isso acontecia em muitas festas, mas, agora que tinha tempo para pensar nisso, aquela em específico parecia quase infernal. Realmente turbulenta e um pouco demoníaca. Ficou satisfeito por não estar naquela barca.

Agora ele tinha chegado ao fundo estreito do enorme estacionamento atrás do museu de arte. Havia uma série de jardins à sua frente que levavam a um gramado com um pequeno lago com patos. Além desse gramado ficava a marina, uma sequência complexa de compridos *piers* curvos, desenhados como quebra-mares e pontilhados de centenas de barcos de passeio, alguns com mastros esguios e eretos, outros mais sólidos, mais largos, com casas de leme que pareciam chapéus brancos e rígidos. Uma brisa que ele não sentia balançava os barcos. À sua direita, o lago Michigan enviava mais e mais ondas e espuma que faiscavam à luz que brilhava bem longe, no azul mais profundo sobre sua superfície monumental. Boats passou por cima da barreira baixa de concreto do fundo do estacionamento e colocou um pé calçado de tênis sobre o gramado flexível.

Um tumulto de vozes brotou no ar à sua direita, uma mulher soltando uma risada alta, histérica e perigosa. Uma voz de tenor soou como um trompete: *Eu preciso do que você precisa.*

Ele gelou e os sons desapareceram. Seu instinto protetor de ladrão lhe disse para voltar ao hotel, fazer as malas e sair daquela cidade.

Ele colocou o pé direito no gramado. Jason Boatman não seria assombrado por um efeito de som sobre a água. A aparência da grande marina o agradava. Lembrava um pouco seu pai, de uma forma boa: os barcos de Charles Boatman eram muito bem construídos, cada um (agora Boats entendia) uma obra de arte, como um violão feito a mão de mogno e carvalho, cada centímetro brilhante, o produto de um trabalho seguro e cuidadoso. Seria um prazer localizar alguns deles balançando ao lado do cais naquela marina, que certamente era particular. Por que não dar uma olhada?

Ao mesmo tempo, um instinto medroso lhe dizia para retornar ao hotel, fechar a conta e pegar o primeiro trem que saísse da estação do centro da cidade. Não é estranho? Alguns fragmentos de som vêm da água e ele quase deixa que esse *fenômeno* o tire dali.

Todo mundo, como vocês sabem, é constituído de duas pessoas: o cara que diz não e o que diz sim, o que diz *Meu Deus, não vá lá dentro* ou *Você não pode tocar naquela coisa* e o cara aventureiro e mais atirado que diz *Vai dar tudo certo* ou *Vamos lá, só um pouquinho não faz mal*. Boats geralmente ficava do lado do segundo cara, embora quatro ou cinco vezes o outro o tivesse impedido de entrar no que provavelmente seria areia movediça. Sua longa carreira fora da lei tinha reforçado uma convicção da juventude: a de que não se entra numa situação sem se ter ao menos 80% de certeza de que se pode sair dela. Avalie as possibilidades e não seja muito ganancioso em relação às suas chances.

Dessa vez, no entanto, como não havia nada em jogo, ele não tinha nada a perder. Alguns barulhos estranhos tinham conseguido acordar o sr. Vambora Daqui e a ansiedade do cara estava em marcha rápida. Não fazia sentido. Boats decidiu passar por cima desses sinais histéricos de aviso e entendê-los mais tarde, se conseguisse.

No entanto, era verdade que a voz de tenor tonitruante e o riso alto que saíam daquela algazarra o tinham inquietado, quase como se esses horríveis sons de festa o recordassem de algo que o seu eu mais cuidadoso e talvez mais sábio tinha embrulhado e enfiado atrás de um armário. Por um segundo, menos que isso, outra coisa, outro elemento, um cheiro, colocou em cheque sua confiança: ozônio e granito molhado, mais um cheiro sugestivo de amplos espaços estranhos, um sopro de eletricidade fluindo através da escuridão do espaço profundo, um sopro de carne apodrecendo...

No último momento do dia no qual ele ainda teria alguma escolha quanto ao que fazer, Boats pensou *Cara, há alguma coisa esquisita lá no lago*. Mas, mesmo então, antes de se ver andando novamente para a marina distante, tudo já estava resolvido. Ele ia roubar um barco feito por seu pai, navegar nele pelo lago Michigan, que uma vez quase tinha conseguido matá-lo, e lá, em suas distantes margens ou extensões, encontrar o que fosse que esperava por ele. Como em oposição a um acordo já em vigor, Boats olhou para trás por cima do ombro e observou um redemoinho rápido e súbito no ar se congelar e se solidificar num homem de um tipo que já fora familiar, ao menos na festa da sede da fraternidade Beta Delta e no romance mais famoso de Lee Harwell, acompanhado do modo usual.

E essa aparição do nada, uma torção do tecido do ar, vinda do mesmo espaço amplo e escuro cujo cheiro ele tinha acabado de perceber, de um homem de aparência alerta com um terno cinza apresentável e o cabelo cortado rente, servia apenas para reforçar o que tinha acabado de resolver. Ao lado do homem, um cão grande e escuro, com uma pelagem preta densa ao redor do pescoço e um rabo como uma espada curva, ficou de pé e balançou a cabeça para capturar Boats com seus olhos brilhantes e atentos. Ele podia pensar o quanto quisesse em fazer as malas e pegar trens para cidadezinhas prósperas e modorrentas, mas não podia voltar ao Pfister. O caminho tinha sido impedido.

Então, agora um desses agentes, poderiam ser chamados assim, estava vigiando Boats pelas costas, e o cachorro não era nada como um cão de verdade. Se perguntassem a Boats, isso o tornava mais amedrontador. Aquele agente e seu vira-lata vinham do mesmo lugar que aqueles barulhos que poderiam ser ou não de algum grande iate particular onde bêbados estavam farreando.

Se alguém grita *Eu preciso do que você precisa*, está dizendo *Eu preciso de você*? Está dizendo *Seus desejos me saciam*?

Boats teve que circundar o laguinho dos patos. A grama parecia dura como cerda. Os patos levantaram as asas por cima das cabeças quando se aproximou e, quando ele olhou para trás depois de ter passado, eles continuavam a flutuar desse modo, asas por cima das cabeças, parecendo envelopes dobrados, coisas inanimadas sem consciência. O agente avançava às suas costas, a um metro e meio de distância, não prestando tanta atenção a Boats quanto o cão aparentemente feroz.

O céu escureceu. As nuvens pararam de deslizar pelo céu e imediatamente pareceram ter sido pintadas na superfície plana e dura acima deles. A claridade remanescente, tão pálida que era quase azul, não retinha nenhum calor. A atmosfera em torno da marina tinha um caráter neutro e morto, o caráter do que é inerte e imóvel. O gramado sob seus pés, que não cedia mais, parecia seco e barulhento, como se tivesse ficado quebradiço, mas seu verde vibrante não havia se alterado. Depois de mais dois passos barulhentos, Boats ficou curioso e se abaixou para inspecionar a grama paradoxal.

Cada haste idêntica tinha sido implantada, como por uma linha de montagem, num cone elevado de plástico marrom escuro. Com suas bordas perfeitamente arredondadas, os cones lembravam pequeninos vulcões. Boats tentou arrancar uma haste de um dos cones modelados e foi obrigado a lhe dar um puxão brusco e forte que receou o partiria em dois. Em vez disso, a haste verde se soltou, seguida de um pequeno barulho de ar da cratera e do som de pequenas peças de metal se ajustando. Ele segurou a haste que arrancara de seu encaixe e a viu encolher-se em sua mão. Quando ela ficou como um palito arqueado, ele a largou, ficou novamente em pé e continuou pisando ruidosamente pelo gramado até chegar ao muro de concreto branco no limite da marina.

Ele saiu do gramado, notou que as impressões que tinha deixado estavam ficando de um tom marrom pálido e olhou para trás. Em todo o lado do lago dos patos, pegadas marcavam sua passagem com impressões de grama cor de areia e morta. Na calçada, o homem de terno cinza abriu a mão paralelamente ao chão e a levantou alguns centímetros. O cachorrão, já ereto e alerta, levantou o rabo, mostrou os dentes pontudos e trotou pelo gramado. Como que chamuscado, o falso gramado morria sob suas patas e carreiras ordenadas de marcas de patas seguiam a criatura em seu trajeto em direção a Jason Boatman. O animal parou a seis metros de distância. Uma cor azul uniforme e inerte encheu o ar. Obrigando-se a ficar parado, Boats observou o cão. Ele parecia uma coisa empalhada num carrinho. O colar de pelos parecia artificial e ele achou que era possível ver cada um dos dentes ameaçadores e perfeitamente brancos do cachorro saindo de uma pequena elevação rosa, moldada, que não se parecia de modo algum com um tecido de gengiva verdadeira.

Naquele momento, movimentos de asas e cantos de pássaros reanimaram o ar e Boats olhou para cima. Uma cotovia voava, girando em seu curso. Ela estava clamorosa e gloriosamente presente, ardendo de vida e derramando uma melodia sem fim, fresca e apaixonada, que quase fez seu coração parar. Boats pensou: *Essa maldita vida dolorosa é cheia de bênçãos.* Depois, tão abruptamente quanto tinha surgido, a cotovia desapareceu.

Como, vocês perguntam, ele sabia que era uma cotovia? Ele deve ter se enganado, vocês vão dizer. O cara é um criminoso deslavado, não um observador de pássaros, não é mesmo? Será que ele não sabe que nunca foram vistas cotovias neste continente? Que elas *não existem* neste continente? O cara viu foi uma andorinha. Bem, repensem, amigos, porque quando Boats finalmente conseguiu chegar em casa do seu encontro com a matéria escura, ele procurou "cotovia" na enciclopédia. E lá estava, um pássaro marrom um tanto comprido com listras pretas na parte superior das asas e branco fosco na parte inferior. Havia uma foto e era o pássaro que ele vira, sem dúvida; exatamente o mesmo pássaro. Deixem que eu lhes diga, aquele canto, aquela melodia da cotovia... bem, tudo que ele pode dizer é que a ouviu e que era algo especial, sem dúvida.

(— *Bem que eu podia estar lá* — quase falei.)

No ar azul, debaixo do sol cintilante, a lembrança da cotovia já se esmaecendo, ele se dirigiu para a rampa comprida e curva e em minutos localizou um dos barcos do pai, uma pequena chalupa com uma grande vela balão de nylon amarelo vivo que pendia como um trapo do mastro. Apenas para se assegurar de que estava certo, ele se agachou na beira do cais e olhou para a parte mais alta do casco. Exatamente onde esperava que estivesse, encontrou, levemente marcado a fogo, o nome de seu pai, C. BOATMAN, 1974, junto com seu logotipo, as letras C e B juntas sem espaço entre elas, de modo que parecia uma letra de um alfabeto desconhecido. Mas, na realidade, ele não precisava ver o logotipo: a chalupa tinha a aparência ordenada, *Alles in Ordnung,** comum aos produtos de Charles Boatman. Quando se via um

---

* Em alemão no original: tudo em ordem, tudo bem, sem problema. (N.T.)

deles, a gente podia ter certeza de que também era rápido como o diabo. É engraçado, quando se pensa nisso. Aquele cara, cuja vida era uma bagunça, que ficava chapado por longos períodos do dia, que detestava autoridade e que teve uma ligação sentimental, de uma vida inteira, com a classe trabalhadora, construía esses barcos perfeitos que essencialmente eram brinquedos para as pessoas ricas. Os pobres podiam aprender a velejar se fossem criados nos lugares certos, mas era preciso ter muito dinheiro para comprar um produto Charles Boatman.

Uma única corda enrolada num gancho de metal prendia a chalupa ao cais. A vela balão deveria ter sido descida, dobrada e guardada numa bolsa, mas pendia do mastro como uma coisa morta. O proprietário devia ter chegado com pressa na marina, pulado fora, prendido o barco e corrido para uma reunião, pretendendo voltar assim que possível. Mas onde estava a vela principal? O proprietário agoniado não estava à vista. Nem ninguém mais, a não ser a criatura com o cão atento. Os dois ainda o olhavam fixamente, esperando pelo que ele faria em seguida.

O mundo parecia estar *errado*. Nenhum carro passava pelo Memorial Drive, ninguém corria ou caminhava pela trilha, os patos se encolhiam congelados sob o estranho ângulo de suas asas, e o que ele conseguia ver da cidade parecia morto. Todos os sinais de trânsito estavam vermelhos. Diante dele, todo o lago tinha adotado o tom de um hematoma.

A ideia de ir embora velejando, de fugir, trouxe com ela a lembrança de ter soltado um barco Sunfish de um cais particular e velejado em busca de seu pai.

Como se uma janela no espaço tivesse aberto, a algazarra rouca da festa flutuante explodiu em sua direção como se estivesse a dez metros de distância: a terrível gargalhada alta, a voz retumbante com sua misteriosa e agressiva declaração. No momento em que o locutor trombeteou sua mensagem, tudo foi cortado novamente, como se a janela tivesse sido fechada ou se um gigantesco rádio tivesse subitamente perdido o sinal do Canal Festa. O que se seguiu não foi puro silêncio, mas silêncio atravessado por duas vozes. Embora ele não conseguisse distinguir as palavras que diziam, as vozes lhe pareciam familiares; mais que familiares, tão queridas quanto as vozes dos espíritos tutelares de sua infância. Muito antes de identificar essas vozes, ele compreendeu que as conhecia intimamente e que, nesse estágio da vida, nada que elas dissessem poderia ser inútil ou desnecessário. Que elas tivessem retornado significava que tinham retornado *para ele*, que *o tinham procurado*. Ele precisava ouvir o que estavam dizendo.

Então, o cachorro se adiantou, e o sol poente se tornou cor de ferrugem, e podia-se ouvir a mais grave das vozes dizer: *Você não acha...* (murmúrio indistinto)*... acha que precisamos...?* Ao que a segunda voz retrucou: *... Eu preciso do que você precisa...*

Grandes movimentações como de paredes de ferro deslizando para frente e enormes seções de blocos de concreto se ajustando perfeitamente no lugar alcançaram um alinhamento mental intrincado, e ele soube quem estava falando lá longe no lago. A primeira voz pertencia a Spencer Mallon e a segunda voz era de Donald "Dilly" Olson.

Ele está em algum lugar novo, disse Mallon.

Nós somos o que ele precisa, disse a voz de Dilly.

Sem parar para pensar por mais tempo do que levou para visualizar as ações, Boatman desenrolou a corda do gancho, pulou do cais para o barco e se empurrou para longe. Ele se viu fazer isso, depois o fez, passo a passo, sem considerar as consequências. Quando estava quase chegando a um ponto morto, a única brisa do estranho mundinho ao seu redor soprou a vela balão amarela e, de modo surpreendente para Boats, rodopiou o barco para o lago.

Não que ele fosse um marinheiro muito ruim, pois era bastante bom para se manter ereto e chegar aonde queria e tinha todas as noções básicas, mas agora padecia de duas grandes desvantagens. Seus sentimentos em relação ao pai o tinham impedido de amar os barcos e a navegação; portanto, seus instintos eram toscos e às vezes equivocados; além disso, ele nunca tinha velejado num barco equipado apenas com uma vela balão. Tanto quanto sabia, ninguém mais tinha também, ao menos por escolha própria. Não contar com a vela principal tornava toda a empreitada mais complicada, mais difícil devido a um fator exponencial. A vela balão era uma vela extra que permitia que se velejasse mais rápido na direção do vento e não estava presa ou colocada em posição para fazer o papel da vela principal.

Ele tinha que governar o barco usando tanto o leme quanto o mastro da vela balão, mas primeiro tinha que orientar a vela, uma tarefa impossível quando não havia vento. Nesse instante bateu uma boa brisa e ele teve que lutar para enganchar a adriça e as escotas aos três ângulos, e, enquanto Boats puxava as escotas, o barco adernou e virou para a esquerda, girando sobre si mesmo tão violentamente que quase mergulhou o convés no lago. Ocorreu-lhe que eram necessárias realmente três pessoas: uma para guiar, outra para equilibrar e ainda outra para manejar o mastro. Um homem sozinho tinha que lutar para manter um nível mínimo de controle. Por fim, quando Boats estava reclinado e puxando os cabos, a marina tinha desaparecido e ele não tinha ideia de para onde tinha sido levado. O ar tinha se tornado cada vez mais azul, embora ainda estivesse transparente. O sol desaparecera, e a água estava quase preta.

Subitamente, os ruídos da festa trombetearam de um lugar que poderia ser logo além da esquina, se existissem esquinas em lagos. A mulher que gritava, o maluco que berrava, o tumulto das vozes que tagarelavam: ele saudou sua volta. Considerou-os uma convocação, uma chamada barulhenta às armas. À medida que um vento novo enchia a vela, puxou a escota, e, como um galgo pulando do portão, o barco partiu na direção da festa invisível. Em minutos, a algazarra cessou, permitindo que duas vozes familiares tremulassem através do silêncio. Ele captava suas entonações e a cadência de suas frases, mas não as palavras.

Então ele avistou uma extensão arenosa de praia que terminava numa fileira de árvores. Parecia uma ilha de desenho animado. Uma névoa escura pairava como uma nuvem baixa por entre os troncos das árvores e ao longo do início da areia. Se não agisse depressa, ia encalhar e causar danos irreparáveis ao barco. Boats empurrou o mastro e levantou a cana do leme, e o barco girou, ficando de lado para o vento. A vela amarela desabou. Tudo parou de se mexer.

Acima do batimento de seu coração, Boats ouviu Spencer Mallon dizer *O tigre É a mulher e a mulher É o tigre, e essa é a parte que ninguém...*

Entende? Pensa sobre isso?

Boatman entrou na água. Sua pele ficou dormente e enrugada e ele sentiu o pênis se retrair. Tocou uma substância viscosa que se contorcia como algas apodrecidas se enrolando em seus tornozelos e queimando as solas de seus pés. Apenas com muito esforço conseguiu libertar os pés das garras das algas e precisou repetir o esforço a cada passo conforme caminhava, guiando o barco em direção à praia e à névoa que pairava sobre ela. Quando a quilha raspou o fundo, ele se livrou das algas, pisou na areia, foi para a frente do barco e o arrastou até três quartos dele estarem fora da água.

Boats tinha quase certeza de que as vozes tinham vindo de dentro da mata. Sons baixos e sutis que poderiam facilmente ser as vozes em volume reduzido continuavam a vir do meio das árvores. Assim que avançou pela areia, a névoa baixa se precipitou e o envolveu, apagando tudo à sua frente. Ele gritou:

— SPENCER! SPENCER MALLON! ME AJUDE!

Nenhuma voz respondeu, e ele seguiu aos tropeços, seu humor declinando com terrível rapidez da expectativa ao desespero. Tinha sido atraído para essa praia, que devia ser uma ilha, porque certamente ela não existia em nenhuma parte do litoral do lago Michigan entre Milwaukee e Chicago; não, não existia. O mundo tinha se tornado amargo e morto, e o mundo morto o havia capturado. Com os braços abertos, ele deu um passo à frente, depois outro.

Sabendo que era inútil, gritou:

— MALLON? PODE ME OUVIR?

A neblina gelava sua pele e se enfiava pelo nariz e pela boca. Ele nunca tinha se sentido tão perdido na vida. O que tinha acontecido?

Desde que as vozes insanas haviam atravessado a água, o mundo ao redor tinha se deformado e escurecido. Grama que não era grama morria aos seus pés, o lago se transformou num gigantesco hematoma, o sol esfriou e ficava cor de ferrugem, um daqueles cães horríveis era uma mera coisa inanimada. O mundo escurecido o havia persuadido a entrar num barco sem vela principal e o tinha lançado em seu coração desgraçado, nesta talvez-ilha onde ele não enxergava nada devido à neblina que cheirava a amônia e tinha gosto de cloro quando escorria garganta abaixo.

Ele disse a si mesmo que pelo menos continuasse a andar. Tateando com as mãos, tossindo, Boats avançou e sentiu os dedos tocarem a casca de uma árvore. Ele era um tolo e tinha chegado ao fim da linha. Ter roubado um dos barcos de seu pai parecia parte da brincadeira cruel.

O timbre inconfundível da voz de Spencer Mallon chegou até Boats de mais fundo na mata e ele se virou na direção dela. Um galho grosso arranhou seu rosto e um punhado de gravetos se enredou em seus cabelos. Boats se forçou a não gritar, embora fosse o que ele tinha mais vontade de fazer. Enquanto passava os dedos pelos cabelos para tirar os gravetos, ainda podia ouvir Spencer Mallon, obviamente conversando. Mantendo as mãos em torno da cabeça como uma gaiola, deu pequenos passos em direção à voz. Apertou os olhos que queimavam e só viu a lã espessa da névoa.

A voz de Mallon dizia:

— ...pegou aquela mão cortada e jogou no canto... cachorro... levou a mão para fora, o pulso do homem ferido... tomando um gole do copo...

— Pegajoso do seu próprio sangue! — Boats gritou, relembrando o que seu herói dissera no salão de baixo do restaurante italiano. — O copo estava pegajoso do seu próprio sangue!

A cena do salão tinha reaparecido para ele completa e inteira, como se guardada numa redoma. Ele podia ver Mallon, astuto e ridiculamente bonito, em sua mesa, ladeado por aquelas mulheres maravilhosas. Enquanto Boats observava, na clareza da memória retornada, Mallon girou a cabeça para a esquerda e apertou os olhos em direção a algo que era visível somente para ele: uma figura que emergira para a existência e quase imediatamente desaparecera.

Boats disse:

— Você viu uma daquelas coisas-cachorro, não?

A voz de Dilly flutuou até ele de entre árvores distantes que pareciam se vestir com a névoa, diluindo sua substância enquanto a delas aumentava.

...o que ele precisa, o que nós todos precisávamos, o que precisamos agora...

— DILLY! — gritou Boats. — CARA, VOCÊS DOIS SÃO EXATAMENTE O QUE EU PRECISO!

...pegajoso do seu próprio sangue, garoto... enquanto o cachorro rasgava aquela mão em pedaços...

Os olhos de Boatman ainda ardiam e sua garganta parecia em carne viva devido à neblina que ele engolira. Ele podia ver a neblina entrelaçada às grossas árvores diante dele, pendendo delas como teias de aranha, esgarçando-se à medida que ele entrava na mata.

...pedaços... articulação e cartilagem... pingando do focinho preto...

Boats se sentiu preso a dois estados de ânimo contraditórios, absolutamente paradoxais. Estava animado, quase alegre; e tinha vontade de vomitar. Toda a animação parecia ser ridicularizada por alguma falsidade subjacente, uma escuridão cínica momentaneamente resumida na imagem de uma mão humana mutilada, abocanhada por um focinho terrível, pingando sangue.

— EI! ESTOU AQUI! — gritou Boats, perguntando-se por que eles pareciam não ouvi-lo. Açoitado por galhos finos e baixos, ele deu dois passos à frente e teve que parar, abrir a boca e se curvar para frente. Teve convulsões no estômago, mas nada saiu. Foi a névoa venenosa, ele pensou (e imediatamente disse a si mesmo *Não, não foi, névoa não é venenosa, não dá vontade de vomitar*). A náusea passou.

...*esse jovem imprudente e idiota* — disse a voz de Mallon — ...*enfim se percebe alguma sensatez.*

— Não — disse Boats — não é isso que você queria dizer.

A violência está entranhada no tecido de nossa época...

O nascimento é violência.

— As centelhas divinas anseiam por se reunir — citou Boats. Ele se curvou e passou por baixo dos galhos e pela névoa atenuada. — Isso também está certo, não?

Uma luz suave, azul-clara, enchia uma clareira a cerca de vinte metros dentro da mata. Nessa clareira, visível apenas nos rápidos vislumbres que os espaços entre as árvores permitiam, movimentava-se um homem louro que dizia: *Vivemos numa época de profunda transformação.*

O coração de Boats se expandiu de amor.

— Spencer! Spencer Mallon! Olhe para trás!

Embora devesse ter ouvido sua voz, Mallon não lhe deu atenção. Boats andou mais depressa, atabalhoadamente, dando encontrões nos troncos das árvores e tropeçando em raízes altas, similares a cobras. Arranhou a testa num galho, e o sangue desceu rápido, passando pelo olho e chegando à face. Ao limpá-la com a mão, espalhou sangue por todo o lado do rosto. Esfregou a mão na camisa e deixou uma mancha borrada. Andou até uma distância de três metros da clareira e viu a fonte de todo o sentido de sua vida, Spencer Mallon, de costas para ele, usando *jeans*, camisa de cambraia, jaqueta de safári e botas de caubói. Seus cabelos, de aparência áspera e um tanto longos demais, tendiam a balançar quando ele se movimentava. Mesmo por trás, ele parecia impressionantemente jovem. Jason "Boats" Boatman tinha chegado à tediosa idade de quarenta e cinco anos: alguns longos e igualmente tediosos anos depois, ele toparia com Lee Harwell, o escritor que já fora famoso, na calçada da entrada lateral do Hotel Pfister. Donald "Dilly" Olson estava ainda mais escandalosamente jovem. Sentado, com as costas apoiadas numa árvore, um cigarro, provavelmente um Tareyton, pendendo entre o médio e indicador da mão direita, e vestindo seu uniforme de secundarista, camiseta, *jeans* gastos e mocassins, Don Olson parecia jovem porque tinha apenas dezoito anos.

Boats havia esquecido que Dilly tinha sido um rapaz tão bonito. De verdade, ele deveria ter ido trabalhar em filmes ou coisa parecida.

— Sim, totalmente — disse Olson. — Por falar nisso, isso aí nunca aconteceu.

— Não com você — disse Boats. — Comigo, aconteceu.

Fazendo um esforço mais concentrado para limpar o sangue do rosto, Boats se aproximou do limite da clareira e parou entre dois bordos. Luz solar azul e sem calor pousava como lantejoulas em seus braços e pernas. Apertou seu lenço sujo contra o ferimento que latejava na testa.

— Ei, caras — disse ele. — Sabem de uma coisa? Estou me sentindo bastante estranho com essa merda toda. O que fizemos, voltamos no tempo?

Dilly olhou para ele e levou o cigarro aos lábios. Inalou e soprou uma baforada rápida e fina. Seu rosto era uma máscara de tédio.

Mallon se virou devagar, com uma autoconsciência que beirava a de um bailarino. Agora que Boats era muito mais velho que o Spencer Mallon que tanto o havia encantado, conseguia ver no rosto do homem todas as características que lhe escaparam no secundário: preguiça, vaidade, egoísmo e disposição para enganar. Outra coisa também: a vigilância inata do verdadeiro exibido. Todos esses traços eram visíveis nele, mas não eram tudo o que era visível. Quando Mallon cruzou os braços e inclinou a cabeça, fazendo os cabelos penderem com charme para um lado, Boats viu que Mallon realmente tinha uma qualidade *além*, a aura de estar de posse de *mais*, também de ser ligeiramente maior que seu corpo, o que então ele descobriu que agora se recordava com um amor abandonado. O homem era um mago de nascença.

— Bem, na verdade não, Jason — disse Mallon, sorridente. Ele havia registrado cada uma das percepções imediatas de Boats. — É bom te ver de novo também. Mas isso não é possível. Ninguém pode voltar no tempo. O tempo não é linear, absolutamente. Em vez de andar para trás e para frente, ele se move *para o lado*. O tempo é um campo amplo de simultaneidade. Um membro do meu pequeno bando feliz aprendeu essa lição, bem, eu posso dizer, da maneira *mais difícil*, mas talvez seja melhor dizer que ele a aprendeu *profundamente*. Foi Brett Milstrap, claro, o colega de quarto de Keith. Keith representava um enorme potencial, eu achei, por ser tão perverso, mas eu nunca me importei muito com Brett. Imagino que você o tenha visto de vez em quando, quando faz suas rondas.

— Sim — respondeu Boats —, eu o vi. Mas... então esse sou eu agora, onde estou, e vocês são você e o Dill de 1966, o que me enlouqueceria se eu já não estivesse tão enlouquecido, e, para falar a verdade... Jesus, lamento estar sangrando assim, eu bati a cabeça num galho lá atrás... bem, o que eu ia dizer é que sempre tive esperança de ver você novamente, porque achava que você poderia me explicar tudo.

— Espere sentado — disse Dill, entediado e hostil.

— Você quer parar de sangrar? Não há problema. — Mallon apontou o indicador para a testa de Boats. A ferida parou de latejar. — Melhor agora. Jogue esse lenço nojento fora.

Boats se sentiu estranho ao fazer aquilo, mas, diabos, era 1966. A poluição ainda não tinha sido inventada. Ele tirou o lenço da testa e o jogou para trás.

— Está se sentindo melhor agora?

— Na verdade, não. O que está acontecendo?

— Por Deus, garoto. Você finalmente nos vê de novo depois de tantos anos e isso é tudo que consegue dizer? Está bem. Vou explicar novamente.

Ele andou para frente e esticou o braço direito para diante.

— Imagine que isso é uma estrada. No tempo. Uma estrada grande, atravessando todo o tempo. Certo? — Ele esticou o braço esquerdo para o lado e o manteve rígido, parecendo um guarda de trânsito louco. — E essa é uma estrada menor e mais estreita, uma rodovia estadual, não uma interestadual. Elas se cruzam em mim; eu sou o cruzamento aqui. Quando você chega a mim, pode se desviar, você pode ir aonde quiser, porque essas interseções estão em toda a parte.

— E foi assim que eu cheguei a você?

Mallon abaixou os braços e sorriu de um jeito que não parecia nem caloroso nem amigável.

— Bem, é mais como nós chegamos até você, Boats. — Ele se virou e fez um floreio teatral com o braço direito. — O sangue descia pela mandíbula do cachorro. Manchava de vermelho o seu focinho. O sangue corria por toda a superfície do bar. Você não acha que aquilo era uma *mensagem*?

— Você está me passando uma mensagem? — perguntou Boats.

Os ruídos da festa explodiram ao seu redor, muito próximos, debochados, insanos e hostis. A multidão oculta gritava e ria, a mulher invisível gargalhava alto. Como se fosse ordenado pela algazarra a fazer a sua parte, atrapalhando-se para ficar ereto, Dilly abriu a boca anormalmente e numa voz de tenor densa e insistente que perfurava a cacofonia em torno, trombeteou: *EU PRECISO DO QUE VOCÊ PRECISA EU PRECISO DO QUE VOCÊ PRECISA EU PRECISO DO QUE VOCÊ PRECISA...*

Mallon encarou Boats novamente, acenando com a mão para dispensá-lo. Numa voz baixa, meio sufocada pelo barulho, ele disse:

— Você não estava escutando? Volte e comece de novo.

■

O barulho ensurdecedor cessou; a luz azul esmaeceu. O mundo escureceu pelo espaço de três quadros: apenas um momento, quase imperceptível, no entanto uma cessação, um apagamento total, embora breve.

■

O último bordo interrompeu a visão de Boats da clareira, e no entanto ele ainda tinha a sensação de que ela estava vazia. Àquela distância, ele deveria poder vislumbrar as figuras cujas vozes o tinham conduzido até ali, mas tudo que podia divisar através dos troncos dos bordos era uma oval ensolarada com capim alto, fechada por outro agrupamento denso de árvores.

— SPENCER! — gritou ele. — DILLY! ONDE ESTÃO VOCÊS?

...pegou aquela mão cortada e atirou-a no canto — disse a voz de Mallon — *...cachorro... levou a mão para fora, o pulso do homem ferido... bebendo de um copo..*

— Pegajoso do seu próprio sangue — sussurrou Boats. — O copo estava pegajoso do seu próprio sangue.

Como ele sabia essas palavras?

Ao lado de uma grande raiz exposta como uma mangueira de incêndio mal enterrada, um trapo vermelho e branco atraiu sua visão, ele se abaixou e o pegou. De maneira impossível, parecia muito com um de seus imensos lenços muito macios, para os quais ele tinha uma variedade de usos. Boats podia quase jurar que o lenço era seu, mas ele tinha sido largado ali, molhado e manchado de sangue, por outra pessoa. Ele nunca tinha estado nessa ilha — nesse litoral? — na vida. Boats deixou cair o lenço encharcado perto da raiz e ele se dobrou sobre si, como uma réplica em origami de um pato escondendo a cabeça debaixo da asa estendida.

Então ele se lembrou de onde tinha ouvido as palavras de Mallon. — Você disse isso no La Bella Capri...

A voz de Dilly o silenciou antes que pudesse dizer "lá no porão".

...do que ele precisa, do que ele precisa, ele só sabe isso, só pensa nisso, ele é assim desde adolescente... eu preciso, eu preciso, eu preciso, já basta, outras pessoas também têm necessidades e não saem por aí roubando para viver...

A voz de Mallon interveio, apagando a de Dilly: *...o cachorro rasgou a mão em pedaços... articulação e cartilagem... sangue pingava daquele maldito focinho preto...*

Boats passou pela última árvore e olhou em volta ferozmente, embora soubesse que a clareira estava vazia. Quando cessou a ilusão de que poderia vislumbrar seus perseguidores rindo dele atrás das árvores do outro lado do terreno aberto, um desapontamento amargo o atravessou, que era tanto específico quanto familiar. Boatman sentiu que o vestira como um casaco velho durante a maior parte de sua vida. Agora, a voz de Spencer Mallon vinha de alguma fonte invisível, mas que não era Mallon.

Mallon não estava presente, Mallon era a ausência que se vira ao avesso.

A voz de Mallon dizia: *A violência está entranhada no tecido de nossa época...*

— Você continua a dizer isso, mas qual é a utilidade disso? — perguntou, Boats, aproximando-se do lugar de onde a voz parecia vir.

Os capins altos, cor de mostarda, rarearam, criando quase uma pequena clareira dentro da clareira. Desse buraco no capim amarelado veio a voz de Spencer Mallon dizendo: ... *esse jovem imprudente e idiota... enfim se percebe alguma sensatez.*

Boats se curvou sobre a divisão circular nos capins e olhou para baixo. Uns vinte centímetros abaixo da parte superior e esfiapada do capim havia um toco irregular de árvore com a borda estraçalhada onde o tronco tinha se quebrado. Um pequeno gravador preto estava apoiado contra a parte elevada da borda. A voz de Spencer Mallon saía da maquininha e dizia: *Em vez de ir para trás e para frente, o tempo anda de lado.*

Boats estendeu a mão e pegou o gravador. Tinha sido fabricado na Alemanha e funcionava perfeitamente. Muito antes de parar de executar sua função, ele estaria obsoleto, uma novidade histórica, um brinquedo que ninguém mais ia querer usar com o objetivo de transportar sons através do tempo.

Jogue fora esse lenço nojento, pedia Mallon.

— Eu já joguei — respondeu Boats. Ele olhou em volta do toco e localizou uma pedra de bom tamanho aninhada no capim a cerca de um metro de distância. Partículas de mica salpicavam seus ângulos afiados. Boats deu um passo e levantou a máquina preta sobre a cabeça.

Antes de Boats espatifar o gravador alemão na pedra, destruindo para sempre sua perfeição inútil, a voz de Mallon disse: *Última chance, seu idiota.*

∎

Outra cessação; outro apagamento em escuridão absoluta.

∎

Dessa vez, ele emergiu da escuridão em confusão total, perplexo, sentindo-se como se acabasse de ser disparado por um rifle e voado, feito uma bala, uma grande distância em incrível velocidade. Todo o seu corpo doía, principalmente as pernas e o peito. Os braços pareciam macarrão, e a cabeça latejava. Apenas gradualmente teve consciência de que estava usando um cabide de arame para arrastar um triângulo fino de madeira polida, com cerca de um metro e meio de base, por um chão poeirento de concreto recém-pintado de azul-escuro. O gancho do cabide se encaixava num furo feito na coisa triangular e seus dedos estavam enganchados num dos ângulos do cabide. Confuso e cansado, Boats parou de arrastar o triângulo de madeira e tentou descobrir onde estava.

Uma grande parte do chão de concreto estava pintada com o azul-escuro sobre o qual ele estava. Onde o azul terminava, o chão estava pintado de um cáqui-claro que se estendia por talvez três metros antes de dar lugar a uma grande área pintada de verde-escuro. Das três áreas pintadas, a azul era de longe a maior, e a cáqui, a menor. Boats não entendia. Ele havia estado em alguma espécie de ilha, tinha quase certeza disso, e Spencer Mallon o tinha mandado para... um grande porão? Uma fábrica abandonada?

Boats largou o cabide de arame e o pesado triângulo de madeira caiu no chão com um estrondo. No centro da madeira polida ele viu um conjunto de letras familiar e um símbolo que conhecia bem. A marca de seu pai, o C e o B acoplados. À curta distância estava uma página rasgada de um dos cadernos que ele usava no curso secundário. Foi até lá e a pegou no chão azul. Nela estava escrito *Lago Michigan*.

— Lago Michigan — disse ele, deixando cair o papel.

Boats se virou e olhou para a larga faixa cáqui a cerca de vinte metros. Ele estivera tentando puxar o triângulo de madeira do azul para o marrom. Uma segunda folha de caderno estava na pintura marrom e outra, bem distante, na verde. Ele andou com dificuldade até a pintura marrom e se curvou sobre a folha de caderno. Escritas nela, em grandes letras de imprensa, estavam as palavras *Praia ou Costa*.

— Certo — disse. — Eu meio que entendo.

Levou apenas momentos para que cruzasse a praia pintada e entrar no setor verde onde, depois de mancar mais um pouco, pegou outra folha de caderno. Claro que estava escrito *Mata ou Floresta*. Aprumou-se e viu que o cômodo, que já era enorme, tinha aumentado. À frente dele, a grande distância, três cadeiras dobráveis formavam um círculo imperfeito em torno de um objeto pequeno que ele não conseguia distinguir. Anteriormente, havia registrado a presença de paredes, provavelmente de blocos de cimento, nos lados e na frente e no fundo do porão; agora já não via paredes, nada que definisse o espaço em que estava.

Na verdade, não era nada, concluiu. Era o lugar em que nada era qualquer coisa e tudo era tudo.

Jason Boatman teve um súbito vislumbre do rosto de Keith Hayward no campo de agronomia, aparecendo e desaparecendo, parecendo aflito por antecipação na oscilação da luz de vela. Ele tinha notado isso naquela ocasião? Boats achava que não, mas tinha acabado de ver a imagem de Hayward olhando fixamente para alguma coisa, ansioso de fome, faminto, esperando aquele momento pavoroso. Boats achava que sabia para quem Hayward estava olhando com aquela expressão. E não era para quem vocês achavam que fosse, não era não.

Boats deduziu que esperavam que ele andasse até as cadeiras. Tinha a sensação de que suas pernas não poderiam dar nem mais um passo, e sua cabeça tinha se estabilizado numa confortável e constante pulsação. Seu tórax doía como se um fisiculturista o tivesse acertado várias vezes. Não tinha vontade de ir a lugar algum, mas, onde tudo era tudo, não havia lugar algum, pois todos os lugares eram o mesmo.

Deu um passo infeliz para a frente e um galho invisível bateu em sua testa, abrindo uma ferida que latejou e sangrou. Um cartão branco no chão exibia a palavra LENÇO.

— Sim, obrigado — disse Boats, apertando a manga contra o ferimento.

Pingando sangue no concreto pintado, Boats saiu da faixa cáqui e entrou na área verde, que agora parecia se estender até o horizonte. Olhou por sobre o ombro e viu que o mesmo se dava com a parte azul do chão — como o lago que representava, ela excedia a capacidade dos olhos de abarcá-la. Depois forçou suas pernas doídas a se moverem em direção às cadeiras.

Um cartão numa das cadeiras dobráveis tinha escrito MALLON. Nos outros dois cartões estava escrito DILLY e BOATS. Imediatamente atrás da cadeira de Dill havia outro cartão em que se lia ÁRVORE. Olhando para o que as cadeiras circundavam, Boats se sentou onde estava o seu cartão, cruzou as pernas e juntou as mãos. Seis ou sete bonecos velhos, bem gastos, tinham sido despojados de toda roupa que vestiam e colocados um sobre o outro. Nas cabeças redondas, quase todos os olhos estavam fechados, mas dois bonecos olhavam para cima, atentos e cegos para a eternidade. Nenhum dos pequenos corpos tinha mais gênero do que o sugerido por seus rostos ambíguos. Sujeira que parecia parte do material escurecia os rostos plásticos; rachaduras e fissuras atravessavam as cabeças de cerâmica. A maior parte dos cabelos dos bonecos tinha sido arrancada ou queimada.

— Isso é interessante — disse ele. — Uma criança é a mesma coisa que um boneco. Ambas não significam nada. É um mundo de merda.

E era a isso que aquilo se referia, ele supôs. Um corpo doído, um cômodo vazio, uma pilha de bonecos velhos e surrados. Notas deixadas para trás por um deus ausente e irritado. Era uma paródia de significado, uma zombaria vazia — zombaria inteiramente sem humor. Nada significava mais do que o cabide de arame que usara para puxar o "barco" para a "praia ou costa". O cabide de arame expressava uma morte em vida. Expandindo para o infinito por todos os lados, a morte em vida o cercava.

Num impulso, sabendo que não lhe permitiriam a última palavra, Boatman se curvou sobre a pilha de bonecos para examinar um dos cartões e viu que, enquanto estava refletindo, os bonecos surrados tinham se transformado em bebês mortos. O que estava agora debaixo de sua mão estendida era uma versão reduzida do que ele vira no campo. Chocado demais para respirar, chocado demais até para arfar, ele puxou a mão de volta. Sangue de sua mão pingou na pequena pilha de corpos que jaziam com as bocas abertas, as cabeças penduradas, os dedos flácidos, pequenas fileiras de dentes brancos contra o vermelho baço das bocas, a pele machucada, com crostas, de um branco morto, os pequeninos pênis brancos, as pequenas fendas fechadas... Por alguma razão, eram os dentes o que mais o horrorizavam, tão inertes e expostos.

Num instante, a transformação se reverteu e ele estava novamente com a pilha de bonecos nus no mundo plano e morto do cabide de arame. Até seu alívio era um deboche desesperado e sem humor.

Boatman estendeu mais uma vez a mão sobre os bonecos estatelados, com morte nos rostos, mais devagar que anteriormente, e se inclinou para diante até tocar o cartão onde se lia MALLON. Fechou os dedos na borda do cartão e o trouxe para si. Através do nome no cartão, ele podia ver a sombra de alguma coisa escrita do outro lado.

Ele o virou devagar. No verso do cartão uma única palavra tinha sido escrita em letras de forma cuidadosas, de ângulos retos. PARABÉNS.

o fenômeno do voo

Uma semana depois

Mal acreditando no que estava fazendo, aluguei um Honda Accord vermelho-sangue no Aeroporto Regional Wicomico de Salisbury-Ocean City, para o qual eu tinha feito uma série de voos desconfortáveis e inexplicavelmente atrasados; nesse carro viajei pela Ocean Highway até a U.S. 13, dizendo de vez em quando para os cantores de gospel e mercadores da salvação que o rádio do Accord enviava para mim "Sei que não devia estar fazendo isso, é a coisa mais idiota que já fiz", e dali para Rehoboth Beach. Rodei, procurando um estacionamento municipal, ao longo das ruas de mão única, passando por lojas de presentes, pousadas e cafés. Passei por Lake Avenue, Lakeview Avenue e Grenoble Place. Vinte minutos depois, inteiramente perdido, parei junto de um policial que tomava sorvete sentado numa bicicleta e lhe perguntei se havia um estacionamento perto do Hotel e Centro de Conferências Golden Atlantic Sands, onde quer que ele ficasse. O policial disse:

— O senhor está com sorte hoje, e bem-vindo à nossa cidade — e apontou uma vaga do outro lado da rua. — Aquele edifício grande e comprido bem na nossa frente por acaso é aonde o senhor quer ir, o belo Hotel Golden Atlantic Sands.

— Posso fazer um retorno?

— Só desta vez — respondeu o policial e ajudou no descumprimento da lei escorando a bicicleta num poste, caminhando para o meio da rua, estendendo uma mão imperiosa (enquanto ainda tomava sorvete) e parando o escasso tráfego. Rapidamente girei o volante e atravessei duas pistas vazias, depois dei ré até conseguir me enfiar na vaga. Saí do carro, registrei a chegada no parquímetro e gritei:

— Obrigado!

Olhei para a grande extensão do hotel e lamentei o impulso que tinha me trazido até ele. Num certo sentido, eu sabia, Jason Boatman tinha me levado a esse passo: a história de Boats tinha me incentivado no planejamento de minhas passagens e a realmente levar adiante essa proeza. Em 1994, desgastado por uma vida de furtos, Boats tinha visto o cinismo universal de Meredith Bright levado a seu auge. Se as coisas do mundo existiam como entidades físicas, não existiam diferentemente do vazio gestual de um cabide de arame. George Cooper tinha chegado à mesma aridez e isso havia destruído o que restava de sua vida. Num mundo como esse, poucas coisas valiam a pena, e a melhor delas era a verdade.

Eu queria compreender o que meu longo casamento realmente tinha sido: eu queria saber qual a sua verdadeira forma. Era a história de cooperação e ajustamento que eu havia imaginado que fosse, ou meu papel nele tinha sido apenas secundário, porque havia muito tempo — talvez desde o começo! — tinha sido usurpado por outro? Mesmo depois de tanto tempo, esse não era um ponto que devia ser esclarecido?

Depois que Olson e eu voltamos a Cedar Street, ponderei comigo mesmo e depois telefonei para o setor de reserva do hotel agora à minha frente. Quando um funcionário atendeu, pedi para falar com um hóspede chamado Spencer Mallon. O funcionário me informou que, embora o sr. Mallon fosse realmente esperado no Golden Atlantic Sands, sua chegada não estava marcada para antes de vinte e quatro horas. Sim, o sr. Mallon era um hóspede frequente do Golden Atlantic Sands, ele tinha satisfação em dizer. O sr. Mallon era um cavalheiro fino que fazia boa figura no ambiente informal de Rehoboth Beach.

— Aristocrático — comentei.

— Eu diria que é uma excelente descrição do cavalheiro — disse o funcionário.

Será que ele poderia verificar também se a sra. Lee Truax era esperada na mesma ocasião?

— Oh, a sra. Truax! — o funcionário exclamou. — Todos aqui a conhecem, ela é uma pessoa maravilhosa! Todos nós a amamos, sinceramente. Bem, aqui estou eu tagarelando como uma gralha. Bem, ela *é* especial. O senhor deve saber também, se a conhece.

— Ah, sim, eu a conheço.

— Gostamos de dizer que nosso hotel é a segunda casa da sra. Truax; ela fica conosco com tanta frequência... Vamos ver. Não, não consigo achar nenhuma reserva em nome dela; imagino que levará algum tempo para termos o prazer de sua companhia novamente. Há alguma outra maneira em que eu possa lhe ser útil, senhor?

Não, mas obrigado por perguntar.

Onde Eel ficaria enquanto estivesse nessa comunidade praieira, senão no hotel onde todos a amavam tão profundamente?

Na verdade, havia uma resposta razoável para esta pergunta. Liguei novamente e perguntei se a CAC tinha feito reservas de qualquer tipo para os próximos dias. Não, foi a resposta, a CAC não havia solicitado nenhuma acomodação até o seu encontro em maio do próximo ano. Portanto, a porta tinha sido fechada. Eel tinha me dito que "provavelmente" ficaria no lugar de costume: a pergunta que me instigava então era se ela ficaria ou não com outra pessoa lá.

Liguei para seu celular, mas ela não atendeu. Três horas depois, tentei novamente, com resultado apenas um pouco mais satisfatório. Ela estava ocupada demais para falar, ligaria mais tarde. Onde ela estava hospedada em Rehoboth Beach? Não, ela ainda não estava lá, ela sairia de Washington no dia seguinte. Bem, onde ela estava em Washington? *Onde?* Era uma pergunta que raramente eu fazia. Mas se eu realmente queria saber, ela estava no quarto de hóspedes de sua amiga da CAC Heidi Schumacher, que tinha uma bela casa em Georgetown — ela estava sendo para Heidi o que Dilly era para mim! Quanto a Rehoboth Beach, havia algumas possibilidades. O que estava acontecendo, eu estava preocupado com ela? Apenas curioso, eu disse. Sou uma senhorinha cega, não posso ficar muito desregrada, ela me disse. Não se preocupe, não se preocupe com nada. Fique calmo, trabalhe um pouco, ela estaria em casa depois do fim de semana, e então poderiam fazer preparativos para Hootie.

Ligue quando chegar a Rehoboth Beach, eu havia pedido. Ela prometeu e ela realmente me telefonou, mas a ligação estava tão ruim que eu mal entendi uma palavra. Desde então, nada. Incapaz de evitar fazer isso, eu tinha dito a Don que precisava sair da cidade a negócios e que voltaria em um ou dois dias. Meu contador, meu agente, era entediante demais explicar, mas eu tinha que ir. E depois disso, dei um telefonema, arrumei a mala e, sem esperanças, fui.

Eu *sabia* que estava sendo louco. A salvação do meu plano ridículo era que, se Lee Truax por acaso estivesse andando pela calçada de madeira quando eu estivesse de tocaia por ali, ela seria incapaz de testemunhar minha vergonha. Essa reflexão não deixava de ser vergonhosa, ou seja, eu ter sido capaz de pensar nisso. Fiquei ao lado do carrinho feioso, olhando para o hotel onde minha mulher era uma hóspede querida, e disse a mim mesmo que não era tarde demais para dar as costas ao lugar e ao meu plano idiota. Tudo que eu precisava fazer era me sentar ao volante, dar partida no carro e dirigir até o Aeroporto Regional Wicomico para aguardar o próximo voo que poderia começar o processo de me levar de volta ao que parecia agora a terra dos sensatos. Por que eu estava ali, afinal? Porque eu achava que a minha vida poderia ter sido salva por um homem motivado pela culpa de ter me corneado? Porque minha mulher mal tinha se dado ao trabalho de inventar uma boa razão para vir a essa cidadezinha? Porque eu sabia que Spencer Mallon ainda estava vivo e tinha boas razões para continuar visitando o lugar?

Tranquei o carro e passei pela placa do hotel para pegar um caminho lateral e chegar ao passeio de madeira. Se tivesse que ver os dois, pensei, seria ali — e pela primeira vez me dei conta de que, embora minha mulher fosse incapaz de me ver, Mallon não era.

Logo que pisei no passeio, tive que encarar a segunda constrangedora constatação do dia, de que estávamos no começo de junho e, embora a costa de Delaware estivesse quente, enevoada e úmida como a cidade de Nova York em meados de julho, a temporada ainda não tinha começado. Embora alguns turistas e pessoas em busca de distração estivessem entrando e saindo das lojas e das lanchonetes, eram muito menos numerosos do que eu havia previsto. Eu me senti exposto como se um holofote me iluminasse. Se não quisesse ser visto, eu precisava de um disfarce.

Na primeira loja em que me pareceu provável, examinei uma prateleira cheia de bonés e chapéus e paguei pouco mais de trinta dólares em um chapéu de palha de aba larga com uma franja de palha desfiada que balançava. Em outro balcão da mesma loja, comprei por vinte dólares um enorme par de óculos de sol de lentes tão escuras que eu mal consegui enxergar o trajeto até a porta. Um pouco mais adiante no passeio, comprei de uma máquina um exemplar da *Cape May Gazette* e o levei para um banco perto do gradeado que dava para a extensa praia. Alguns casais muito bronzeados, alguns com livros que não liam, estavam deitados em toalhas e espreguiçadeiras.

Eu me sentei na beirada interna do banco, abri o jornal, me recostei e, através das lentes escuras e por baixo da tela da franja de palha, lancei um longo olhar em ambas as direções antes de concentrar minha atenção nas amplas portas de vidro que levavam ao interior do hotel no qual minha mulher tinha se tornado uma figura tão querida.

Foi isso que eu fiz durante as cinco horas seguintes, com muitas sacudidas no jornal e olhares compridos para o lado, e também com algumas inspeções rápidas na praia extensa e um único intervalo para urinar. Às seis horas, faminto, coloquei o jornal dobrado debaixo do braço, peguei minha mala no carro e atravessei a entrada principal do hotel para me registrar.

Deram-me um quarto no quinto andar, o que despertou um leve eco, não de algo que eu vira ou ouvira, mas de algo que me fora descrito, parte de uma história, uma anedota. Eu tinha ouvido isto: *Você espia o ponteiro subir e o vê parar no quinto andar... O próximo elevador desce e abre as portas e você entra nele e aperta o cinco e o botão Fechar a Porta antes que outra pessoa possa entrar.* A anedota, a história, tinha a ver com Spencer Mallon e alguma tolice "alucinante" que ele impingira como sabedoria. Sua reaparição mental fragmentária agora era uma coincidência absolutamente sem sentido.

O elevador me levou ao meu andar sem incidentes. Em completa paz, conforto e silêncio, segui as setas dobrando várias esquinas e cheguei ao meu quarto, o 564. As tarefas que em outros tempos um empregado do hotel realizava, como acender as luzes, abrir os armários, mostrar o banheiro, agora o hóspede cansado faz sozinho e, assim, é poupado da despesa enorme de cerca de cinco dólares. Continuando em estado de paz, conforto e silêncio, tirei o chapéu e os óculos, abri o zíper da mala, arrumei as roupas sobre a cômoda e carreguei os objetos de higiene para o banheiro, onde um olhar indiferente ao espelho deu fim à paz, ao conforto e também ao silêncio. O que o espelho exibiu me fez gemer "Oh, Deus!"

Eu parecia ter envelhecido pelo menos dez punitivos anos. Um velho encolhido e derrotado me encarava. O velho era Lee Harwell, mas numa encarnação que eu jamais desejaria que alguém visse. Meus olhos pareciam afundados e vermelhos, como se estivessem cheios de sangue. Rugas sulcavam meu rosto e meus cabelos estavam opacos e cor de chumbo. Minha cabeça inteira parecia ter murchado, e meus dentes pareciam enormes e amarelos. Meus ombros se curvavam diante do indício de um tórax côncavo. Qualquer encanto ou atração que tivesse sido visível um dia agora existia como uma horrenda paródia de si próprio. Que eu me sentisse tão bem apenas minutos antes me espantava. Eu estava claramente cambaleando à beira da exaustão.

Percebi que o espelho tinha me dado um choque moral: aí está você, foi isso que fez de si mesmo.

Para evitar olhar mais para meus olhos injetados, joguei água fria no rosto e esfreguei. Sob minhas mãos, os contornos e planos pareciam familiares e inalterados. Quando abaixei as mãos, aquele animal depravado e moribundo ainda me encarava do outro lado do espelho. Fugi do quarto, peguei os óculos escuros no caminho e os coloquei antes de chegar ao elevador.

Na descida, encolhi-me num canto, imaginando quanto tempo ainda levaria para que eu precisasse de uma bengala. O elevador parou no terceiro andar, e duas garotas louras e esguias, no início da adolescência, entraram, seguidas pela mãe, também loura e esguia e, como as filhas, vestida com uma camiseta justa e *jeans*. Suas sandálias de dedo revelavam pequenas unhas vermelhas, recém pintadas. Eu me afundei ainda mais no meu canto e evitei mostrar os dentes. As garotas lançaram olhares arrogantes e irritados para mim, e a mãe me ignorou completamente. No saguão, elas saíram depressa, como que se afastando de um cheiro ruim. Procurei pelo saguão até localizar uma escadaria que levava a um arco de madeira escura, investiguei e descobri o restaurante principal do hotel, o Ocean Room.

O restaurante tinha iluminação reduzida e paredes com lambris decorados com gigantescos peixes empalhados. A opacidade de minhas lentes tornou difícil até enxergar em seu posto a recepcionista que, iluminada por baixo, tinha uma leve semelhança com uma cabeça cortada flutuante. Ela reservou um olhar curioso para os meus óculos, mas foi educada demais para fazer perguntas. Eu me senti um vampiro idoso.

Da listagem sem fim do garçom, pedi sopa de cebola, frango assado com cogumelos e molho de pinhões. Com uma taça de *pinot noir*. Discretamente, examinei o salão à procura de dois rostos que, tinha certeza, brilhariam como holofotes através das trevas das minhas lentes. Embora no restaurante houvesse muitas cabeças grisalhas, nenhuma pertencia a Lee Truax ou à criatura com poderes sobrenaturais que tinha se dirigido a mim no aeroporto de Dane County. Minha sopa chegou.

Depois da sopa mais que aceitável, veio um frango pouco inspirado. Quando dispostos sobre o peito de um frango seco e cozido demais, cogumelos e pinhões não dão as mãos e cantam. Como ainda estava com fome, esforcei-me para terminar a refeição, depois assinei a comanda e saí da mesa.

Do alto das escadas, examinei o saguão. Eu estava aborrecido, e os pinhões, ainda irritados com os cogumelos. Um padre de batina passou depressa pelo saguão seguido por uma mulher soluçante. Qual a razão *daquilo*? Envoltos em tagarelice e risadas, um grupo de adolescentes saiu de um elevador e se virou em direção à saída para a calçada de madeira. Uma fila de homens e mulheres de aparência frustrada esperava junto ao balcão de entrada para se registrar. Um monte de pessoas entrou no elevador de onde os adolescentes saíram, entre elas um homem admirável de cabelos prateados e roupas pretas soltas que se virou de frente quando as portas do elevador começaram a se fechar. Só tive tempo de notar as maçãs do rosto proeminentes. Seus cabelos seriam longos demais para um homem de sua idade? Será que seus olhos penetravam a escuridão? Três ou quatro mulheres que mal vi estavam perto do homem. Desci depressa as escadas, vigiando os números vermelhos brilhantes que acompanhavam a subida do elevador.

Será que uma das mulheres no elevador era pequena, de cabelos brancos e surpreendentemente encantadora? Os funcionários da recepção e as camareiras a adoravam?

No momento exato em que o número cinco apareceu na janela de LED, me lembrei de todo o contexto do fragmento de memória que me ocorrera no balcão de registro. Era parte de uma história que Eel havia contado sobre Spencer Mallon. Mallon tinha descrito um discípulo sem nome — um *você* — que o seguia até uma virada do corredor de um quinto andar, onde ele estava escondido atrás de uma entre duas portas. Você tinha que escolher uma das portas e decidir se deveria bater nela ou não. Se fosse o quarto certo, Mallon o recompensaria com a sabedoria; se você fizesse a escolha errada, pragas terríveis atingiriam a pessoa que ele amava. Você escolhia, você batia, — não importava em que porta, pois você já tinha admitido o mal na equação. Algo assim, de qualquer modo. A história acabava no ponto em que você supunha que ela realmente começava, quando a porta se abria.

De volta ao meu quarto, eu estava agitado demais para ir para a cama. Peguei o telefone e pedi para ligarem para o quarto do sr. Mallon. Ouvi então o som estridente e desagradável de um telefone tocando e tocando. Finalmente, uma gravação me pediu para deixar uma mensagem. Desliguei.

Fui ao banheiro e acendi todas as luzes. Não estava com a aparência exatamente normal, mas parecia mais jovem e saudável que antes. Meus olhos estavam vermelhos, mas não completamente vermelhos, e minhas faces não estavam afundadas e cortadas por fissuras. Meus cabelos pareciam saudáveis também, cor de estanho e não de chumbo. Meus dentes estavam longe de serem como os de Moby Dick, da brancura dos de uma estrela de cinema, mas eram dentes normais, não presas. Joguei água fria no rosto novamente, então me virei e puxei a toalha da prateleira. Depois de enxugar o rosto, estava corado como se tivesse caçado galos selvagens num brejo escocês. Meus ombros ainda estavam curvados. Obriguei-me a ficar ereto. A melhora foi pequena, mas definitiva — não parecia mais um vampiro. Decidi me recompensar pela renovação física com uma chegada ao bar do saguão. Só tinha bebido uma taça de vinho no jantar e ainda não eram nove horas. De qualquer modo, sempre gostei de ler em bares e havia meses que não tinha esse prazer.

Sozinho no elevador, chequei meu cabelo e minha postura nos espelhos esfumaçados. Sim, lá estava eu de volta, vivo e bem acordado.

O bar do saguão, o Beachcomber, ficava enfiado atrás da escada que levava ao Ocean Room. Uma parede de vidro com portas de vaivém levava a um espaço retangular comprido e pouco iluminado com mesas e sofás espalhados, ancorados num balcão brilhante, que emitia luz, ao fundo. Casais vestidos informalmente se esparramavam nos sofás, acenando com os braços e apontando coisas enquanto falavam. Em duas mesas, jovens atléticos tentavam seduzir moças atraentes. Uns poucos homens sozinhos com expressão de expectativa embalavam suas cervejas em outras mesas. Faziam uma pausa em suas viagens, esperando a chegada da próxima aventura. Desejei-lhes boa sorte.

No bar, peguei um banco, coloquei o livro ao meu lado e, quando uma loura jovial de seus quarenta anos com uma camisa de cambraia azul e um colete preto com THE BEACHCOMBER bordado no peito me abordou e, sorrindo, perguntou o que eu queria, eu disse o nome do primeiro uísque de puro malte que me veio à cabeça. Puro, com um copo de água ao lado. Com prazer, eu a observei se movimentar pelas fileiras de garrafas empilhadas, puxei o livro para minha frente e o abri.

Voltando com a minha bebida, ela perguntou:

— O livro é bom?

— Até agora, tem sido bom — respondi. — Não morde, não fuma, sempre abaixa a tampa do vaso sanitário.

— No entanto, ele gosta de se sentar em bares — disse ela. — Nunca se sabe, ele pode ter um temperamento rebelde.

— Provavelmente tem. — Mostrei a capa. — Considerando a origem.

— Minha mãe é fã de Tim Underhill.

— Ótimo. Tim é meu amigo.

Ela deu um passo atrás, fingiu espanto nos olhos arregalados, depois riu e se inclinou para mim.

— Então... como ele é?

— Um cara estranho, bem estranho — falei.

Pensando em quão inventivo eu deveria ser em relação à imaginária estranheza de Underhill, dei um gole no uísque e virei para olhar para a parede de vidro, as feias portas de vaivém e o saguão adiante. Passando pelo vidro e saindo do campo de visão, avistei o homem de cabelos prateados e roupa preta que tinha visto do alto da escada. Uma pessoa menor, uma mulher, se apressava ao lado dele.

Escorreguei do banco e puxei uma nota de vinte dólares.

— Desculpe, tenho que ir.

Quando cheguei ao grande saguão vazio, vi o casal entrando num dos elevadores. A mulher desapareceu de vista num dos lados do elevador antes que eu pudesse ter algo como uma noção adequada sobre ela. Uma família de três pessoas de *shorts* e camisetas se amontoou no elevador e apenas tive um vislumbre do homem quando ele se inclinou para apertar o botão do andar. Depois, ele desapareceu do lado do elevador, junto da mulher que o acompanhava.

O homem do elevador poderia se Mallon; do mesmo modo, poderia ser um estranho de cabelos grisalhos. Tive uma sensação de que era um estranho, mas essa sensação incorporava uma grande parcela de dúvida, vinte e cinco ou trinta por cento, talvez. Da mulher, eu não tinha visto quase nada.

Andei pelo saguão, vigiando os números de LED ascendentes acima do elevador. O elevador parou no três. Os turistas ou o homem grisalho? O número três ficou no mostrador por muito mais tempo do que eu esperava. O elevador no final da fileira se abriu e uma pequena tribo bronzeada surgiu, animada, tagarela e jovem, provavelmente indo para um clube. Mais ninguém esperava o elevador. Decidindo agir no momento em que o fiz, corri para dentro do elevador, apontei meu cotovelo e apertei 5 e Fechar a porta. Por que usei meu cotovelo? Desde que me registrara no Golden Atlantic Sands, eu tinha aberto portas com o antebraço ou com as costas da mão. Até então, nem tinha percebido esse comportamento esquisito. Era como se uma parte oculta de mim estivesse fazendo planos secretos para destruir algum inimigo e operasse na escuridão, esperando seu momento.

As portas deslizaram suavemente e se juntaram, e eu comecei a subir. Meu coração passou para uma marcha mais rápida. Não sei se estas transformações físicas aconteceram realmente ou não, mas achei que sentia as seguintes alterações em meu corpo: os ombros se dobraram para frente sobre meu tórax côncavo; os olhos se encheram de sangue; vida e vitalidade foram drenadas do meu rosto. Meus lábios se repuxaram para trás, mostrando os dentes. Dentro do meu terno de linho, meu corpo pareceu definhar e enfraquecer.

As portas se abriram no quinto andar. Uma voz nítida e sombria recuava no corredor. Corri a tempo de ver as bainhas de um casaco preto e de um vestido prateado sumirem na virada do corredor. Iam na direção do meu quarto. Toda vez que fui para o quarto e voltei, provavelmente passei pelo quarto deles. Andei até a curva do corredor e virei exatamente na hora em que duas portas, a meio caminho da próxima virada do corredor e lado a lado, se fecharam.

Consternado, andei pé ante pé até ficar entre as duas portas, dos quartos 515 e 517. Dormiriam em quartos separados, Eel e Mallon ou quem quer que fossem? Ocorreu-me que, apesar das aparências, as três pessoas que compartilharam o elevador com o casal poderiam afinal não ser de uma mesma família, e o casal mais velho tinha um quarto no terceiro andar, a moça aqui no quinto. Ou ao contrário.

Não queria me aproximar das portas, para talvez captar alguma coisa reveladora lá de dentro, não, mas foi exatamente o que fiz. Seguiu-se o desapontamento. Não ouvi nada. Mais precisamente, ouvi o ruído surdo de uma voz masculina atrás da porta do 517 e alguma coisa parecida com um pássaro, gato, uma coisa rápida, aguda e animal atrás da porta do 515.

Desculpe. Pensei que um amigo meu estivesse hospedado neste quarto. Desculpe, acho que anotei o número errado do quarto. Desculpe, meu amigo disse para eu vir, bem, achei que fosse aqui. Por favor, desculpe, lamento incomodar.

Só queria ver se era mesmo você. Só queria descobrir o quanto fui enganado durante esses anos. Lee, isso começou quando você estava no *secundário* e vem acontecendo *desde então*?

Levantei a mão para bater, não fazia diferença em que porta. Certo, no 515, por causa daquele barulho estranho. Levei minha mão para perto da madeira; abaixei-a. Novamente levantei a mão e dessa vez percebi que minha pele parecia frágil e feita de papel, tão fina que estava quase transparente. Manchas descoloridas, que eu não notara até então, se destacavam aqui e ali na minha mão ossuda, como manchas de girafa.

— Oh, não — falei e fugi pelo corredor até a próxima virada e até a próxima e adiante até alcançar a relativa segurança do 564, onde inseri o cartão de plástico magnetizado com dedos trêmulos, depois meio que caí para dentro do meu quarto. Na escuridão, tateando, joguei água no rosto.

As cortinas pesadas já tinham sido fechadas, e portanto o quarto estava escuro como uma cripta, como um túmulo. Não havia necessidade alguma de consultar o espelho. Tateei meu caminho até a cama, sentei-me e acendi o abajur no mínimo de luz. Depois abri o frigobar, examinei o conteúdo, achei duas miniaturas de garrafas de uísque puro malte apenas um pouco inferior ao que eu abandonara no bar e as esvaziei num copo à mão. Então caí na única cadeira confortável do quarto e considerei minha situação.

Tinha dirigido até um grande deserto e ficado sem gasolina. Em alguns minutos, urubus estariam voando em círculos no céu. Claramente, imaginei que meu corpo tinha se tornado o de um vampiro idoso. Na luz sombria, estiquei minha mão esquerda. Aqui e ali, minha pele estava um pouco brilhosa, mas não tinha nenhuma mancha feia de girafa. A vergonha tinha causado essas distorções. Na minha imaginação ativa demais, um mago de terceira linha tinha me salvado da morte num desastre de avião por se sentir culpado por manter um longo, longo caso de amor com minha mulher; essa ilusão tinha me impelido através de metade do país e me encorajado a agir como uma paródia tola de Lew Archer. Um falso detetive perseguindo a infidelidade de minha mulher, seria possível ser mais idiota?

Eu corria o risco de seguir Jason Boatman pelo lago Michigan adentro num barco roubado. Um dia mais de acampamento no passeio de madeira, atrás de uma franja de palha e de um jornal, me afastaria do cais e me levaria a fazer buscas na névoa.

Tirei meu celular do bolso, olhei para ele alguns segundos, depois apertei o 1, o número de discagem abreviada de minha mulher. O telefone dela passou imediatamente para a caixa postal. Eu disse:

— Sou eu. Só telefonei para dizer que te amo. — Desliguei, desliguei o celular e bebi um gole do copo que estava na minha mão. Então, despejei o resto de uísque na pia.

Antes de sair do Golden Atlantic Sands, coloquei os óculos escuros e o chapéu de palha no móvel que tinha sido a minha cama e coloquei um relógio Hamilton entre eles.

Lee e eu tivemos muitas conversas intensas nas primeiras semanas depois de sua volta. Eu queria acreditar nela, queria, pelo menos tanto quanto conseguisse. Estas são algumas coisas que Lee Truax me disse:

— Sim, eu fiz sexo com ele, uma vez e só uma vez, quando tinha dezessete anos, em outubro de 1966. Por isso Meredith Bright ficou tão furiosa comigo.

— Tecnicamente, pode ter sido abuso de menor, mas certamente não foi estupro. Foi inteiramente consensual. Eu *quis* que acontecesse.

— Sim, eu o amava naquela época e sim, eu ainda o amo, mas de uma forma completamente diferente. Não, você *realmente* sabe o que eu quero dizer. Não há pessoas que você ama de muitos modos diferentes?

— Claro que eu não quero dizer de maneira romântica.

— Sim, desde aquela época, 1966. Com longos intervalos quando você estava na Universidade de Nova York e eu era garçonete num bar e, depois disso, quando você estava na pós-graduação e eu, na UNY.

— Sim, houve longos períodos em que não nos encontramos.

— Eu significo algo para ele. Algo importante.

— Sabe o que nós fazemos? Nós conversamos. Às vezes almoçamos ou jantamos. A cada cinco anos, mais ou menos, vamos a um bar. Um bar agradável, não o seu tipo de bar.

— Ele fala, principalmente. Ele gosta do modo como eu o ouço e confia no que eu respondo. O modo como eu recebo o que ele diz.

— Ele quer saber o que eu acho das coisas que ele me diz.

— Por que eu não contei? Porque você foi sempre tão desconfiado em relação a Spencer, e o que fizemos era tão inócuo. Além do mais, ele era meu. Você quis ficar de fora e foi o que eu fiz, mantive você de fora. Não era o seu lugar. Não é o seu lugar.

— Dilly, Donald, teve conhecimento de algumas vezes, sim. No entanto, nunca o vi.

— Não posso dizer. Ele não me contou sobre isso, mas ele não contaria, nunca me contaria sobre qualquer coisa generosa que tivesse feito, especialmente uma coisa dessas. Ele acharia que era contar vantagem. Pelo que você diz do homem do aeroporto, pode ter sido Spencer. Mas, lembre-se, ele também ama Don Olson. Eles foram sócios durante anos.

— Não, ele não salvaria sua vida por culpa. Salvaria sua vida porque você é casado comigo e ele sabe que eu te amo.

— Bem, na verdade, havia duas outras razões para eu ir a Rehoboth Beach. Eu me dei conta de que uma das mulheres com quem conversei sobre o dinheiro roubado tinha me contado uma mentira horrível e eu queria confrontá-la. O outro problema era que alguém tinha começado a roubar a instituição novamente.

— A mentira? Vou lhe contar sobre a mentira. Você vai gostar disso. Você se lembra da mulher que me contou sobre o homem que a cegou e como ela o tinha matado acidentalmente depois que ele a arrastou para um barranco? Eu me dei conta, um dia de manhã, que tudo tinha acontecido ao contrário. *Ela* entrou em contato com o homem, depois que ele saiu da cadeia, e *ela* o convidou para visitá-la. O rapaz do café, Pete, estava esperando no barranco. Ele era louco por ela, faria qualquer coisa que pedisse. Ela conseguiu que o homem se deitasse com ela e Pete estraçalhou a cabeça dele com uma pedra e escondeu o corpo. Depois ela teve relações sexuais com o rapaz. Ela admitiu tudo. Eu só queria ouvi-la dizer aquilo.

— Quanto aos novos roubos, foi fácil. Fui diretamente à mulher que eu tinha identificado na primeira vez e ela confessou tudo novamente. Chorou muito. Chamamos a polícia e ela foi presa. Era o que merecia.

— Spencer confia tanto em mim por causa do que eu fiz naquela noite. Por causa do que ele me viu fazer, e do que adivinhou que eu fiz depois.

— O que eu fiz? Fui muito mais longe do que ele poderia ir. Acredite ou não.

— O que eu fiz? Eu voei e voei e voei como uma cotovia por todo o campo. Ah!

— Sim, vou lhe contar. Eu disse que ia contar e vou contar. Mas não quero falar sobre isso mais de uma vez. Será bastante difícil falar uma vez, mas eu também não quero tornar mais fácil falar sobre isso. Você entende? *Entende?* Ótimo. Mas quando eu falar, na única vez em que falar sobre tudo isso, Howard Bly terá que estar aqui e também Don Olson e Jason Boatman. Hootie, Dill e Boats. Eles têm que poder me ouvir também e têm que estar bem, com estabilidade; eles têm que ter *vidas*. Porque é sobre o que aconteceu com eles. Sobre o que aconteceu com todos nós, nosso pequeno grupo.

— Certo, então, arranje uma casa para Hootie aqui na cidade e depois nós faremos com que ele esteja preparado para viver no mundo novamente. E daremos oportunidade para que você, Donald, se estabeleça também, tanto quanto consiga se estabelecer.

— Então levará anos. Ótimo. Eu não vou a lugar nenhum, nem vocês.

■

Três meses depois daquela última conversa, fui novamente a Madison de carro e peguei Howard Bly no Hospital Lamont. Ao sair da instituição em que passara a maior parte de sua vida, Howard carregava tudo que possuía numa mala Samsonite nova, dada como presente de despedida pelo dr. Greengrass e sua mulher: cinco livros não lidos, uma escova de dentes, um aparelho de barbear, um pente, duas camisas, duas calças, cinco cuecas, cinco pares de meias pretas, uma bota Timberland e uma embalagem de fio dental. Todo o corpo médico e os atendentes estavam enfileirados do lado de fora da porta para desejar felicidades a seu paciente favorito. Pargeeta Parmendera se pendurou em Hootie enquanto se dirigiam ao meu carro e só o largou, com braços trêmulos e visível relutância, quando prometi convidá-la para ir a Chicago em breve. Por sua vez, Howard, também chorando, prometeu ligar para ela toda semana, se não todo dia.

Antes de levar Hootie para Chicago, eu o levei a um passeio por Madison e lhe mostrei nossa antiga escola secundária e as vizinhanças que conhecíamos. A antiga casa de Dilly, a antiga casa de Boats, o barraco caindo aos pedaços onde a surpreendente Eel havia morado. No final do passeio, que tinha feito os olhos de Hootie brilharem, eu o levei a State Street. Não se permitia mais a passagem de automóveis, então descemos por um lado e subimos pelo outro, comentando a implacabilidade da mudança. A pequena loja de esquina ainda estava lá, ainda com sua antiga função, mas quase tudo mais que tínhamos conhecido tinha desaparecido. Não havia mais o Espaço Alumínio, a farmácia Rennebohm Rexall, Brathaus e o sebo de livros.

— Imagino como a Glasshouse Road estará — disse Hootie. — Mas eu não quero ir lá.

— Eu nunca ouvi falar da Glasshouse Road — falei.

Hootie riu e apertou as pontas dos dedos contra a boca.

— Essa é boa — disse ele. — Essa é incrível. Essa é absurda. Essa é o máximo.

Pensei que ele estivesse citando algum livro, não sabia qual.

— O que tem isso de tão incrível?

— Glasshouse Road é para onde todas as coisas ruins vão — respondeu Hootie. — E você não sabe como encontrá-la.

— Então me diga como — pedi.

— Pare de enrolar e me leve para Chicago, por favor — respondeu Hootie.

Na viagem para o sul, Hootie denunciou sua ansiedade de pequenas maneiras. Franzia com os dedos os joelhos da calça. Sorria e virava a cabeça de um lado para o outro sem ver nada realmente. Disse:

— Gosto dos seus óculos escuros. Queria uns óculos escuros. Óculos de sol são legais. Posso comprar, Lee? Posso comprar uns óculos de sol? Custam cinco dólares? Custam mais? Acho que um par de óculos de sol não vai custar mais que cinco dólares.

Quando eu lhe dei a notícia de que a maioria das coisas custava mais que a enorme quantia de cinco dólares, tive que aplacar o terror de Hootie em relação à pobreza. Em sua nova casa, todas as coisas seriam fornecidas e as refeições estavam incluídas. Ele receberia uma pequena mesada para comprar coisas como biscoitos e creme de barbear numa loja no local.

Será que ele ia gostar da nova casa? Ele teria um quarto separado ou teria um companheiro de quarto? Era agradável? Era bonita? Era confortável? Pargeeta poderia conseguir um emprego lá? Havia um jardim, havia flores? E um lugar para piquenique? Como era mesmo o nome dessa nova casa; Lee podia lhe lembrar novamente o nome?

— Claro, Hootie. Você quer que eu o escreva, junto com o endereço e o telefone? Você vai ter seu próprio telefone também. Você vai morar no Centro Residencial de Tratamento Des Plains-Whitfield, que fica só a uma pequena distância de Chicago e é um lugar muito, muito agradável. Pra falar a verdade, é mais agradável que o Lamont.

Tinha aprendido que, quando Hootie ficava ansioso, a única forma de acalmá-lo era falar com ele como se fosse uma criança. Precisava de conversas em cores primárias e respostas simples.

Eel estaria lá, quando eles chegassem?

— Não, Howard, ela não pode. Hoje vamos nos certificar de que você está confortável e sabe onde estão todas as coisas, e vamos conhecer algumas pessoas que trabalham lá. Vou levar Lee amanhã. Ela está ansiosa pra ver você novamente.

— Claro que está — disse Hootie. — Eu também estou. Mas também estou com um pouco de medo.

— De encontrá-la?

— Está maluco? — Um urro que era uma risada espantada, um riso arranhado havia muito não usado. — Medo dela *me* encontrando.

— Oh, Hootie. Você sabe que ela nem vai poder te ver.

— Eu sei — disse Hootie. — Mas ela pode ver de qualquer modo. Sempre pôde. E sabe o que ela vai fazer, quando me vir pela primeira vez? Ela vai pôr a mão no meu rosto.

— Na verdade, ela não faz isso.

— Isso é o que você pensa.

■

A apresentação de Howard Bly ao Des Plains-Whitfield ocorreu tranquilamente. Ele conheceu seus médicos; foi levado ao quarto, que era simples e branco e ensolarado; foi apresentado a três pacientes que pareciam interessados e gentis; fez uma visita às instalações e aos jardins. Com a aparência de uma combinação de campus de pequena universidade e hospital limpo e bem administrado, o centro era a mais agradável de todas as possíveis instituições que Don Olson e eu tínhamos visto. Uma equipe de funcionários experientes com um bom número de médicos, terapeutas, psicólogos e assistentes sociais administrava e supervisionava de sessenta a setenta homens e mulheres no processo de mudança para lares de grupos de pacientes e, finalmente, de integração ao mundo exterior. Eu sabia que tinha tido sorte em conseguir uma vaga para Hootie no Des Plains-Whitfield. Lee tinha sido fundamental. Uma série de engrenagens tinha se encaixado na sequência certa, no momento certo, e mãos calorosas tinham levado Hootie a um ninho aconchegante. Ele sentia falta dos jardins do Lamont e da vista que tinha lá, mas o novo jardim era extremamente agradável, e talvez mais funcional e menos puramente decorativo. Se a nova vista (um campo e uma estrada) não era tão bonita quanto a antiga (uma azaleia e um grupo de bordos), o novo quarto era muito mais adequado que seu cubículo no Lamont. Este agora tinha prateleiras para os livros, quadros nas paredes e um tapete artesanal. O quarto era mobiliado com uma bela escrivaninha de madeira, três cadeiras confortáveis e uma mesa de café espaçosa; ele podia usar uma cafeteira e uma televisão e contava com o luxo de um banheiro exclusivo.

No primeiro dia da nova situação, Hootie pareceu atordoado, mas não infeliz. Mesmo quando chorava — e, nos primeiros dois ou três dias no Des Plains, Hootie passava muitos momentos chorando ou enxugando as lágrimas —, ele não parecia estar desolado. Chorava pelo que perdera, chorava de reconhecimento ou porque ficava confuso de repente, chorava de gratidão.

Como tinha prometido, levei minha mulher ao centro no dia seguinte à entrada de Howard Bly. Hootie tinha sido preparado para o grande evento e, com um macacão limpo, um moletom típico de Wisconsin que Pargeeta tinha lhe dado para que se lembrasse de onde viera, e seu Timbs amarelo, estava sentado num sofá em ângulo na área da recepção, vigiando a entrada, quando Lee e eu passamos pela porta e paramos no balcão para nos identificar.

— Ele está aqui — disse Eel, afastando-se do balcão.

— Está? — virei a cabeça e vi Hootie se levantar lentamente. O psiquiatra encarregado do seu caso, dr. Richard Feld, estava de pé, a postos, atrás dele. Uma expressão maravilhada iluminou o rosto redondo de Bly. — Sim, ele está. Como você sabe?

— O que está chegando a mim só pode vir dele — disse Eel, sorrindo.

Ela se virou na direção de Hootie como se dotada de visão, e eu continuei a olhar, de um lado para o outro, da minha mulher para o homem transfigurado que se dirigia a passos lentos para ela. Com ar de proprietário, Feld caminhava sem ruído atrás dele, de vez em quando acenando para mim, a quem havia conhecido no dia anterior. Em seu avanço a passos de tartaruga, Hootie parecia não querer apressar o momento que viria. Ele desejava saborear tudo que se oferecia a ele ao longo do trajeto, incluindo suas próprias emoções. Lee Truax também assumiu uma atitude de expectativa paciente, as mãos frouxamente dobradas à frente, a cabeça levantada, o sorriso se ampliando. Achei isso admirável, impressionante, comovente. Eles estavam dando ao momento a importância devida. Eel, claro, faria isso instintivamente, mas Howard Bly, eu teria dito, não era Lee Truax. No entanto, ali estava ele, obviamente se esforçando para não apressar o momento do encontro: de fato, esticando a aproximação para sublinhar o papel dela naquele momento. Lágrimas chegaram aos meus olhos. Era como estar num casamento, com toda aquela choradeira.

— Oi, Eel — disse Hootie a uma distância de meio metro. — Você realmente está muito bem. Não consigo acreditar que esteja aqui comigo na minha nova casa.

— Estou feliz por estarmos os dois aqui — disse ela. — É maravilhoso ver você novamente. — Ela deu um pequeno passo adiante e levantou a mão direita como se fosse fazer um juramento. — Você se incomoda?

— Não vá desmaiar — disse Howard.

Surpreendente, pensei. *Esses dois realmente são uma coisa incrível.* Ocorreu-me que, apesar da pretensão de Olson, o casal diante de mim tinha amado Mallon mais que todos os outros, e de um modo mais puro, sem a carência de Boatman, a ambição de Olson e a tendência a marcar pontos de Meredith Bright. Eel e Hootie não quiseram nada e não perseguiram nenhum objetivo.

Lee Truax pôs a mão no lado do rosto de Hootie.

— Você está quente — ela disse.

— Estou sem graça. — Ele riu. — Você me faz... Não sei.

Ela passou a mão, uma aranha rosa e amigável, na frente do rosto dele, na testa, debaixo do queixo, no outro lado do rosto.

— Você está diferente, mas ainda é bonito — disse ela. — Consigo vê-lo muito bem e tudo que vejo é de primeira.

— Oi, Eel — disse Bly e Eel respondeu: — Sim, oi, Hootie — E eles se abraçaram e choraram durante alguns minutos.

— Sinto muito não ter ido visitar você nem uma vez em todos esses anos.

— Eu não estava preparado. De qualquer modo, sempre havia muitas coisas para fazer.

— Que coisas, Hootie? O que você fazia lá? — Ela deu um passo atrás, enxugando os olhos. Pôs a mão no ombro dele por um breve instante e a deixou cair.

— Eu lia livros. Montava um quebra-cabeças grande. Ficava sentado num jardim bonito. Conversava com Pargeeta. Tinha minhas avaliações e minhas sessões de grupo e meu trabalho de grupo. Limpava. Pensava sobre as coisas. Lembrava-me das coisas. Lembrava *realmente*, voltava para aquele tempo. E, muitas vezes, ficava com muito medo, não podia ficar perto de cachorros. — Ele apontou para mim. — Eu li o livro dele, *Os agentes da escuridão*. Ele entendeu tudo errado.

— Eu sei. Ele não tem culpa disso.

— É natural ter medo. Eu fiquei com medo durante muito, muito tempo.

— Don também ficou — falei, entrando na conversa.

— Mas eles parecem guardas de trânsito.

— Ou guardas que ficam nos cruzamentos — disse Lee. — Supostamente eles não fazem mal às pessoas.

O dr. Feld se adiantou e pôs a mão no mesmo ombro em que Eel tinha pousado a dela.

— Isso tudo é muito interessante, mas não tenho ideia sobre o que estão conversando. Nenhuma ideia. Cachorros são como guardas que ficam nos cruzamentos ajudando as pessoas a atravessar? Eles nunca machucam ninguém.

— Eles não *devem* machucar — Hootie falou sombriamente.

Feld girou o corpo para Hootie e se curvou para frente.

— Howard, não se esqueça do nosso encontro às três. Aí então poderemos conversar sobre cachorros e guardas de trânsito e guardas que ficam nos cruzamentos tanto quanto você quiser.

Durante o tempo de residência de Hootie em Des Plains, Donald Olson começou a colocar em prática os planos que descrevera em Madison. Mandou imprimir cartões que ofereciam seus serviços de professor experiente dos mais elevados fenômenos psíquicos que acabara de deixar para trás muitos anos de estrada e desejava se estabelecer em Chicago com um pequeno número de alunos sérios. Tinha preferência por contratos de longo prazo, a valores razoáveis. Depois que Lee Truax voltou para casa em Cedar Street, Don, com muito tato, se retirou para seus aposentos, que consistiam numa pequena suíte de hóspedes, que para ser realmente independente só precisaria de uma entrada privativa. Fazia a maior parte das refeições sozinho e comprou um celular cujo número colocou nos cartões. Don e Eel se davam extremamente bem, mas ele tinha experiência suficiente para não tirar partido ou explorar a antiga afeição que Eel tinha por ele. Ele não era ele, ela não era ela, e ficou entendido que nossa amizade a três seria melhor preservada se o antigo Dilly se mudasse para sua própria casa logo que pudesse. Olson e eu tínhamos formado certos hábitos e padrões de colegas de quarto, entre os quais pedir pizzas e comida chinesa em casa, dormir e acordar tarde frequentemente e a tendência a protelar a lavagem das roupas, o que teve que ser restringido depois do retorno de minha mulher. Ela imprimia certa vivacidade nas rotinas diárias, e o estabelecimento de um horário mais enérgico permitiu que tanto Olson quanto eu trabalhássemos mais do que fora possível quando estivéramos sozinhos. Lee Truax passava todo dia quatro ou cinco horas em seu escritório também, tratando de assuntos da CAC ou usando o Microsoft Narrator ou o Freedombox da Serotek para escrever em seu computador.

Em alguns meses, Olson conseguiu juntar dinheiro o bastante para alugar um pequeno apartamento de um quarto no quarteirão dos números 600 da Webster Street, na parte do Lincoln Park perto da Universidade DePaul, e eu o ajudei a comprar um antigo sedã Accord que ainda funcionava bastante bem.

Jason Boatman contou que O Ladrão Necessário S.A. tinha inaugurado filiais em Milwaukee e Racine. Ele estava mais ocupado do que jamais estivera em toda a vida.

— Antes eu nunca tinha percebido como a maioria dos ladrões é preguiçosa — disse ele no viva-voz para Eel e para mim. — Assaltantes e ladrões ficam no quarto o dia todo até a hora de trabalhar, e o trabalho só leva uma hora ou duas. — Boats viria a Chicago quando o convidássemos; disse que, depois de nos ter forçado, a Don e a mim, a ouvir sua triste história, era o mínimo que poderia fazer.

O dr. Feld nos informou que o dr. Greengrass, a quem enviava relatórios periódicos, agora estava na diretoria administrativa do hospital estadual em Madison. O Lamont tinha novos proprietários e ele tinha sido obrigado a sair.

— Ele está razoavelmente satisfeito, pelo que pude entender. Seu único pesar é em relação àquela jovem que era amiga de Howard, a srta. Parmendera. Ela não era uma espécie de estagiária ou coisa parecida? Ela se tornou a segunda pessoa mais importante do Lamont e ele ainda está magoado com a maneira como foi tratado pela diretoria do hospital.

— Não culpo nenhum dos dois — disse eu. — Provavelmente conseguirão consertar a amizade.

— Gosto do seu otimismo — disse Feld.

Pouco depois disso, Howard Bly foi liberado da residência supervisionada e veio para o mundo aqui de fora e para o cuidado de seus amigos.

Eu vinha acompanhando a transformação gradual do velho Hotel Cedar, do outro lado da Rush Street, de pulgueiro a uma alternativa de moradia mais respeitável de aluguel de longo prazo para trabalhadores urbanos de baixa renda. Seus proprietários tinham conseguido ajuda substancial do município, do estado e do governo federal. (Longe de terem espírito cívico, tinham visto que era possível ganhar bastante dinheiro com a pobreza). Em abril de 2004, o novo Hotel Cedar tinha acabado de abrir as portas, o interior brilhava e apenas metade dos quartos estava ocupada. Howard Bly, agora recebendo uma pensão por invalidez que lhe parecia espantosamente generosa, foi aceito depois de submeter um formulário que eu o ajudei a preencher. Ele se mudou no mesmo dia em que saiu do Des Plains-Whitfield. Repetiu muitas vezes que era o dia mais feliz de sua vida.

Hootie se aninhou na nova casa como se tivesse esperado a vida toda para se estabelecer por conta própria. Em seu primeiro dia no Hotel Cedar, ele foi até a Michigan Avenue, com sua riqueza de ruas secundárias, e conseguiu toalhas e lençóis baratos, um tapete de sisal de segunda mão, lâmpadas, uma estranha luminária com a forma de uma mulher nua alongando as costas, alguns talheres descasados e dois pratos, uma cadeira sólida e uma cômoda não tão sólida que ele achou na calçada. Mais para o final da tarde, as ruas e calçadas lhe renderam um cartaz emoldurado de uma tourada e uma aquarela também emoldurada de um estábulo vermelho, que lhe lembrou de uma fotografia que existia no Lamont. No dia seguinte, ele comprou uma frigideira de ferro fundido, uma panela de tamanho médio, um coador, uma espátula, uma faca de cozinha, uma concha e exemplares de *A alegria de cozinhar* e *Dominando a arte da cozinha francesa*.

No começo, Hootie almoçava e jantava sempre com Eel e comigo ou com Don Olson. (Ele aprendeu a cozinhar em nossa cozinha, e passou a usar suas receitas para ajudar a preparar algumas de nossas refeições). Antes de dois meses, ele já tinha desenvolvido uma rotina mais independente. Duas vezes por semana, subia a Cedar Street para partilhar conosco a refeição da noite. Aos domingos, Donald Olson vinha à nossa casa para tomar drinques e jantar com Hootie. Hootie bebia suco de uva e Olson bebia grande quantidade de tequila com pouca quantidade de gelo.

A própria Eel telefonou para Jason Boatman e Boats marcou um encontro com todos nós em Cedar Street num sábado do final de agosto. Ele parecia ansioso e hesitante diante da ideia de ouvir o que Eel poderia ter para contar. No secundário, recordava-se com vergonha, desejou tanto não ouvir o ponto de vista de Eel sobre a cerimônia de Mallon que evitou falar com ela, evitando até olhar para ela. Quando se aproximavam nos corredores da Madison West, ele costumava virar a cabeça e ficar olhando para a frente dos armários.

No sábado, 28 de agosto, Hootie Bly subia a ensolarada Cedar Street quando Jason Boatman estacionou sua van de quatro portas com os dizeres O LADRÃO NECESSÁRIO SERVIÇOS DE SEGURANÇA & PROTEÇÃO numa vaga e saltou. Devido ao fato de Boats ter visitado Hootie duas vezes no Lamont antes de sua transferência para o Des Plains, eles se abraçaram calorosamente, com tapinhas nas costas em sinal de boas-vindas. (Isto é, Boats bateu duas vezes nas costas de Hootie; Hootie nunca dava tapinhas em ninguém, nas costas ou na frente).

— Se esse *slogan* passasse por mim em qualquer lugar do mundo — disse Hootie —, eu saberia que era você.

— A ideia é essa — disse Boats. Então seu rosto mostrou os sulcos entalhados por seus longos hábitos de pessimismo e ansiedade. — Sabe, eu não vejo a Eel desde que saímos do secundário. E não estávamos nos falando naquele tempo.

— Não se preocupe com isso — aconselhou seu velho amigo. — Isso certamente não vai incomodá-la. — (Estou reconstituindo a conversa aqui).

— Bem especial, hein?

— Espere só, Henry Higgins,* espere só.

— Ela sempre foi muito bonitinha.

O espírito perverso do cômico aflorou em Hootie Bly e ele fez uma cara de paisagem elaborada.

— Isso foi naquele tempo, agora é agora.

— O que quer dizer?

Como se estivesse triste, Hootie olhou para baixo e sacudiu a cabeça. Boatman girou os ombros e balançou os braços.

— Vamos acabar com isso. — Apertou a campainha com delicadeza.

---

* "Just you wait, Henry Higgins" é uma música (Frederick Loewe e Alan Jay Lerner) do musical *My Fair Lady*, baseado na peça *Pigmalião* de George Bernard Shaw. (N.T.)

Lá de dentro veio o som de sinos repicando. Passos se aproximaram da porta.

Boats olhou para Hootie, que respondeu com um aceno de cabeça grave e compadecido.

— Oh, Deus — disse Boats.

— Não seja tão Charlie Brown, Charlie Brown.

A porta se abriu para revelar um sorridente eu, que naturalmente ainda não sabia da brincadeira perversa de Hootie. Apertei a mão de Boats e abracei Hootie. — O dia promete ser interessante, não?

Boatman disse:

— Lee, está tudo realmente...?

Levantei as sobrancelhas, absolutamente perplexo.

— Lamento — disse Boats.

— Não se preocupe com isso, qualquer que seja o assunto — aconselhei.

— Entrem, por favor. Boats, você nunca esteve aqui, não? Depois que terminarmos, posso levá-lo para conhecer a casa, se você se interessar.

Boatman claramente assumiu algo como sua postura convencional.

— E talvez eu possa lhe dizer como tornar sua casa à prova de assaltos, se *você* se interessar. Sei que acha que já protegeu sua casa, mas, acredite, você nem começou.

— É verdade?

— Você não faz ideia.

— Vamos combinar umas visitas à casa — decidi, conduzindo-os pelo belo vestíbulo até à sala de visitas.

Don Olson se levantou de seu lugar no sofá e estendeu a mão para Boatman.

— Até que enfim você chegou — disse ele. — Fez boa viagem?

— Até chegar perto de Chicago, quando foi para-choque com para-choque o caminho todo até aqui. Nunca vou entender como vocês aguentam esse trânsito.

Boatman lançava olhares em torno da sala, checando a porta, depois olhando novamente para seu anfitrião.

— Você está bem? — perguntei. — Quer alguma coisa?

— Eu gostaria de uma pausa para me aliviar. Você poderia...

— Por ali — disse eu. — Lee vai se juntar a nós num minuto. Ela está ansiosa para ver você novamente.

Boats foi em direção ao banheiro um tanto apressado demais.

— Ele está bem? — perguntei.

— Charlie Brown, Charlie Brown — cantarolou Hootie.

— Você está fazendo grandes progressos na área da cultura popular — comentei.

— *Peanuts* tem resposta para tudo.

— Me diga uma coisa, Don — perguntei. — Nosso Hootie descobriu a ironia? Há alguma coisa nele hoje...

— Acho que ele inventou a ironia sozinho — disse Olson. — Como as comunidades primitivas tiveram que inventar o fogo, ou as ferraduras, ou qualquer outra coisa.

Ruídos suaves na escada fizeram com que os três homens olhassem para a porta.

— Ah, bom — falei.

Os passos atingiram o pé da escadaria. Enfiei as mãos nos bolsos e me inclinei para a frente, incapaz de deixar de sorrir. Os dois homens que não eram casados com Eel giraram em direção à porta como cata-ventos.

Pequena, esguia, numa túnica preta sem mangas e calças de linho preto, uma longa echarpe colorida enrolada no pescoço, Lee Truax entrou confiante na sala de visitas. Como sempre quando estava em casa, ela não usava a bengala branca. A constante chama interior, que a iluminava de dentro, como sempre a acompanhava como um espírito familiar.

— Lee — disse eu, dando-lhe um ponto de referência.

— Oi, queridos — disse ela, flutuando diante de nós. — Desculpem o pequeno atraso. Tive que me decidir em relação a essa echarpe.

— Você tomou a decisão certa — disse Hootie, e Don disse ao mesmo tempo: — Boa escolha.

— Você está muito bonita — disse eu, constatando o óbvio, e os outros murmuraram concordando.

Eu me perguntei como ela fazia isso. Embora eu tivesse visto acontecer mil vezes, nunca entendi o mecanismo que lhe permitia passar de bonita a radiante sem assistência humana ou sobrenatural. Ela mal usava maquiagem e nunca exagerava. Enrolava um lenço no pescoço, arrumava o cabelo de um jeito ou de outro, passava batom e o milagre acontecia novamente.

— Vocês são como cachorrinhos. Onde está Jason Boatman? Ouvi tocar a campainha e ouvi vozes. Achei que Jason estivesse aqui.

— Ele vai voltar num minuto — disse eu.

— Ele está no ramo de segurança agora?

— "O Ladrão Necessário" é o nome da empresa dele — disse Hootie.

Ela riu, depois se conteve.

— Maravilhoso. Ele deu um giro de cento e oitenta graus. Estou orgulhosa.

— Por que você não diz isso a ele? — perguntou Don. — Ele acaba de voltar.

Jason Boatman tinha acabado de entrar na sala, vindo do outro lado, e parecia concentrado no espetáculo oferecido por sua anfitriã.

— Ele está parado — disse Eel. — O que está acontecendo?

— A pobre ceguinha faz outra vítima — falei.

— Cale a boca. Isso é diferente.

No fundo da garganta, Hootie fez um som baixo, áspero, que expressava alegria.

— Não ria de nós, Hootie. O que ele está fazendo agora? Ah. Está vindo para cá, não?

— Como você faz isso? — perguntou Don. — Quero dizer, é alguma coisa que você sente ou que você ouve?

— Se me deixar furar seus olhos, em vinte ou trinta anos você vai saber tudo sobre isso.

— Desculpe — disse Don. — De qualquer modo, aqui está ele, nosso velho amigo e malfeitor reformado, Jason Boatman. Um tanto tenso, um tanto confuso, se não se importa que eu diga.

— Como posso me importar — disse Boats, os olhos fixos no rosto de Eel —, se não sei do que você está falando?

Hootie olhou para o belo teto.

— Não faz mal, não lhe dê atenção — disse Eel. — *Eu* vou decidir como você está, Boats.

— E eu não era um malfeitor — disse Boats. — Eu era um ladrão profissional.

— Uma boa distinção — disse Eel. — Mas deixe que eu faça uma boa ideia sobre você, certo? É maravilhoso ter o prazer de sua companhia novamente, e eu quero percebê-lo.

— Eel, você pode me perceber do jeito que quiser — respondeu Boats.

Lee Truax simplesmente se postou diante dele, os pés, com sapatos baixos pretos, plantados no chão, a cabeça erguida, nem risonha nem séria. Finalmente, disse:

— Sim, eu vejo. Olá, Jason.

— Você pode me chamar de Boats, como sempre.

— Eu estava dizendo que estou muito orgulhosa de você. É até um pouco engraçado você ter se endireitado.

— Ser um ladrão desgastava muito o meu organismo.

— Diga o que quiser, *eu* nunca vou me endireitar.

Coloquei o braço sobre seus ombros.

— Graças a Deus; isso estragaria tudo para nós. Mas o que acham, vamos começar? Agora que estamos todos aqui?

— Vamos lá — disse Eel.

— Certo, gente. Bebidas, café? O que quiserem, amigos. Vamos começar. Querida, está pronta?

— Prontíssima — disse ela. — Poderia me dar um pouco de água?

— Eu quero tequila, com gelo.

— Café.

— Suco de uva, por favor — disse Hootie.

Quando voltei com as bebidas, sentamo-nos nas cadeiras e no sofá de frente para a mulher que era o centro de nossas atenções. Ela esperava com um ar de profunda calma pessoal. Pela postura, pelo ângulo equilibrado da cabeça e a expressão meditativa do rosto, Eel parecia transparente como a água de seu copo.

— Estamos todos prontos — anunciei.

— Eu sei — disse ela.

Se Lee Truax tivesse o poder da visão, o modo como girou o rosto de um lado da sala para o outro, observando-nos a todos, teria sugerido que ela não queria ser interrompida durante seu relato.

— Estou pronta também. — Dessa vez, seu olhar cego não deixou dúvidas quanto ao seu desejo de ter toda a nossa atenção.

— Don, Hootie, Boats e você, Lee, por favor, entendam o que vai acontecer aqui. Vou descrever, tão minuciosamente quanto possível, o que testemunhei e experimentei antes, durante e depois da cerimônia de Spencer Mallon naquele campo. Não importa o que aconteça, por favor, não interrompam. Não façam perguntas. Não façam ou digam nada que possa me fazer parar de falar. Eu falo sério. Mesmo que vocês fiquem alarmados de algum modo ou detestem o que estou dizendo, ou fiquem ofendidos, por favor, ponham as emoções de lado e deixem que eu continue como puder. Eu só posso fazer isso uma vez. Não vou me repetir e não vou tentar explicar coisas que ninguém pode explicar; portanto, não me peçam para tentar. Vocês compreenderam? Entenderam o que eu disse?

— Entendemos — falei, e os outros acompanharam.

— Então vou começar. — Eel estendeu a mão para o copo d'água e o envolveu com os dedos aparentemente sem hesitar ou tatear. Depois de tomar um gole que talvez satisfizesse um beija-flor, recolocou o copo exatamente na mesma posição. Suas mãos descansaram no colo, e ela nos deu o tranquilizador sinal de um sorriso.

— Eu quero começar onde começamos naquele dia, no cinema Coliseum. Imagino se algum de vocês se lembra do comentário bizarro que Spencer fez antes de o organista desaparecer novamente debaixo do palco e as luzes diminuírem e a cortina se abrir. Aposto que vocês não lembram; aposto que todos esqueceram.

— Podemos responder a essa pergunta? — perguntou Don.

— Dessa vez, sim.

— Não consigo me lembrar do que ele disse, a não ser que nos encontraria do outro lado da rua depois da segunda sessão. Você não está se referindo a isso, está?

— Não, eu me refiro ao que ele disse sobre filmes e mensagens secretas. Spencer achava que certos filmes continham comunicações ocultas destinadas apenas aos poucos que eram capazes de entendê-las. Naquela manhã, ele quis nos contar sobre um segredo oculto no final de *Os brutos também amam*, que era um de seus filmes favoritos.

Voando como uma cotovia

Exceto Lee, *disse Eel*, provavelmente todos se lembrariam de como Spencer os conduzira à segunda fileira, mas quantos sabiam por que ele tinha feito isso? A tela lançava uma luz própria, fora por isso, e mesmo quando o restante do enorme cinema estava em completa escuridão, as três ou quatro primeiras fileiras ficavam iluminadas por um brilho suave e prateado que parecia luar. Mallon queria que eles ficassem *visíveis*.

Anos mais tarde, Eel pensou que Mallon queria ter certeza de que eles permaneceriam fiéis ao seu plano. Ele os estava colocando numa gaveta até chegar a hora de tirá-los de lá e se porem todos a caminho. Eel não tinha nenhuma prova, mas lhe parecia muito provável que seu grande líder tivesse dado cinco dólares ao lanterninha para se certificar de que eles ficariam em seus lugares.

Um mundo completamente invisível, Spencer pensava, tinha tomado consciência desse grupo de jovens, e ele queria protegê-los dos habitantes daquele mundo até que tudo estivesse no alinhamento adequado. E, além disso, ele tinha assuntos particulares para tratar. Sua suposta namorada número um, Meredith, estava furiosa com uma coisa errada que ele tinha feito e Spencer precisava acalmá-la da melhor maneira que conhecia, que era transando com ela até que o cérebro da garota saísse pelas orelhas. Perdoe meu francês, como dizem os rapazes. Era assim que Mallon falava, quando tratava desse assunto. Perdoe meu francês, por favor, senhorita. Do que seus ouvidos são feitos, de qualquer modo? De cristal?

Eel Truax sabia o que estava acontecendo, ela não era nenhuma idiota. Mas não estava satisfeita — se querem saber a verdade, ela não gostava de nada relativo a essa questão. Ele a colocou numa posição desagradável, e não havia nada que ela pudesse fazer com relação a isso. E o que Mallon decidiu dizer a eles — a todos eles, mas principalmente a ela — não melhorava nem um pouco as coisas. Ele queria explicar alguma coisa sobre a morte.

Portanto a morte estava ali, desde o início. Mallon a colocou bem diante deles. Só que eles acharam que ele estava apenas falando sobre aquele filme de faroeste de dez anos atrás, aquele com o garoto que parecia com Hootie. Todos o tinham visto na televisão; sabiam do que ele estava falando. Alan

Ladd, Van Heflin e Jean Arthur, aquela loura que trabalhou num milhão de filmes. Jack Palance, o suprassumo do cara mau e traiçoeiro. Um homem chega à cidade, ajuda um fazendeiro, fica amigo da família e de toda a comunidade que está sendo ameaçada por rancheiros. Finalmente o homem revela que é um famoso pistoleiro e luta contra o pistoleiro do outro lado. Ele vence, tudo fica bem novamente, e o pistoleiro vai embora ao pôr do sol. Só que, como Mallon lhes contou antes de correr para trepar com sua namorada para que ela voltasse a ficar de bom humor, o pistoleiro, Shane, morre no final do filme.

Na última cena, Alan Ladd cai sobre a sela. O outro pistoleiro o atingira e ele estava morrendo, só que não queria que o garoto, Billy, soubesse. O filme trata do mistério da morte em nossa cultura, como esse mistério é escondido. Shane é um matador. É isso que ele faz. Se Shane não fosse um matador, o filme não teria sentido, entendem? Se ele fosse apenas mais um homem contratado, Van Heflin, o pai de Billy, seria morto numa rua lamacenta. E, se isso acontecesse, o mal venceria. Mas, durante a maior parte do filme, esse matador errante, Shane, aparece como um cara legal e amigável... portanto sua morte tem que ser dissimulada numa espécie de código, num gesto que a maioria das pessoas nem vai ver...

Mallon sabia, Eel agora achava. (Na ocasião, ela tinha chegado a uma conclusão diferente.) Ele sabia o que Keith Hayward era, e, graças a seu marido, Lee Truax agora sabia muito mais do que desejaria sobre *aquele* assunto, e agora lhe parecia que Spencer também sabia que Hayward seria morto naquele campo. Ele contou isso a todos eles também, só que lhes contou em código, como a sua versão do filme.

Depois disso, assistiram a duas sessões daquele filme idiota com Alan Arkin e entupiram suas bocas de balas horríveis compradas no saguão do cinema.

Finalmente a segunda sessão acabou e eles puderam sair, e lá fora o bom e velho Adivinhem Quem os estava esperando, com um enorme sorriso no rosto. Maravilha das maravilhas, Miss América, Miss Beleza Badger, não estava à vista. O que significava que ele a tinha dispensado para ir buscá-los sozinho.

Naturalmente, Mallon tinha acabado de sair da cama dela, isso era óbvio, não importava onde ela estivesse naquele momento, e a pobre Eel sentia como se uma enorme e idiota faca tivesse sido enfiada em suas entranhas, mas algo lhe ocorreu enquanto o pequeno grupo desfilava pela rua para se reunir aos outros dois. Foi uma súbita percepção sobre a Garota Dourada, Meredith Bright, a mulher ideal de todos, e provavelmente isso só poderia ocorrer a Eel quando o objeto de seu pensamento não estava à vista. Quando Meredith estava por perto ela desviava muito a atenção! Sabem qual foi a percepção de Eel? Que não havia muita *substância* em Meredith, e que ela tiraria partido de sua beleza até bem depois da meia idade. Tudo que ela possuía era essa estranha combinação de inocência e ganância e, quando a inocência lhe fosse tirada, como sem dúvida seria, só restaria a ganância: ganância envolta num belo embrulho. Meredith nem mesmo sabia que um dia odiaria Mallon, mas ela o odiaria sim, certamente, porque Spencer Mallon jamais satisfaria toda aquela carência, todo aquele *desejo*...

De certo modo, Meredith lembrava Boats para Eel, mas Boats ansiava apenas por *coisas*, coisas que ele podia pegar e enfiar numa bolsa. O que incendiava e incomodava Meredith era totalmente de outra natureza. Poder e dinheiro, o pacote americano definitivo, era o que ela perseguia.

Enquanto Mallon os conduzia ao ponto de encontro com Hayward e Milstrap, eles foram parar numa manifestação de protesto infernal, com policiais a cavalo e mangueiras de combate a incêndio e garotos sendo atingidos na cabeça com cassetetes, pessoas berrando em megafones, um caos total. Tumulto completo.

Quando o grupo se aproximou da cena, os policiais tinham perdido o controle e estavam arrebentando cabeças por todo lado e jogando garotos em camburões. E estavam *enfurecidos* porque os líderes do protesto tinham ousado fazer uma manifestação fora do campus. Levar a manifestação aos cidadãos quebrava o frágil contrato que era a única coisa que mantinha os policiais num certo padrão de comportamento. Eles estavam zangados e não se importavam em demonstrar isso, o que fazia com que os manifestantes se tornassem mais e mais revoltados. O clamor que ouviam vinha dos estudantes que gritavam subindo a University Avenue, não para fugir dos tiras e seus cavalos e escudos, mas para provocá-los a se excederem em brutalidade e ilegalidade, que era sua verdadeira condição como agentes do estado. E, caras, como funcionou! Quando Mallon e o núcleo de seu grupo chegaram a North Charter Street passando pela multidão que corria, o local era um campo de batalha.

Se não fosse por um lance de sorte no último minuto, decidam vocês se boa ou má, eles teriam inevitavelmente sido tragados pelo turbilhão, atingidos por cassetetes, pisados por cavalos, atacados, espancados e arrastados para a prisão. Mas Mallon olhou por cima do ombro e viu uma garagem de estacionamento nova, grande, e era tudo do que precisava. Ele apontou, virou e correu e os outros quatro o seguiram, um segundo antes de os bombeiros chegarem com mangueiras de alta pressão e começarem a derrubar os estudantes e fazê-los dispersar. Saíram dali a tempo de evitar se transformar em refugo encharcado.

Claro que não estava tudo acabado quando os bombeiros entraram em ação. Muitos estudantes ainda estavam dispostos a dar combate e a maior parte dos policiais estava se divertindo demais para ir embora. Só se pode apontar uma mangueira para uma direção de cada vez, afinal. Portanto, uma vez a salvo atrás do muro de concreto, eles ainda tinham muito que espiar. Só que Eel viu mais do que queria e tudo parecia fluir do que Spencer Mallon tinha lhes contado sobre o final de *Os brutos também amam* depois que se sentaram no cinema.

No início, no entanto, ela viu Keith Hayward e Brett Milstrap e, pela primeira vez, percebeu como eram estranhos, juntos e individualmente. Quando Eel vislumbrou os rapazes da fraternidade, eles estavam se esgueirando ao longo da frente dos edifícios da University Avenue, mantendo-se tão distantes quanto possível da calçada e da rua onde estava acontecendo toda a ação. Estavam se dirigindo ao cruzamento no mesmo lado da rua em que ficava a garagem; portanto, Eel só conseguia ver melhor o rapaz à frente, Hayward. Atrás dele, Milstrap aparecia em relances e fragmentos. Eles se moviam furtivamente, como espiões, as mãos para trás contra as paredes, levemente curvados, de olho no tumulto. Hayward estava *adorando* o que via — Eel devia saber como ele ficaria, mas quando viu sua reação ao caos, ficou chocada.

Era tão desumana aquela alegria, tão perversa... tão inatamente malvada. Seus olhos brilhavam: ele estava sorrindo e balançando o tórax pra cima e pra baixo numa encantada e inconsciente dança de galinha. Hayward nem sabia que estava fazendo aquilo, Eel pensou. Provavelmente ele estava cacarejando também. O aspecto mais estranho disso era a fria e terrível impessoalidade dos movimentos de seu corpo.

Foi nesse momento que uma percepção horrível entrou em foco. Mallon dissera, Shane morre no final do filme; Mallon não seria a versão deles de Shane? Era tão óbvio para Eel que ela não conseguia imaginar por que não tinha entendido imediatamente. Mallon lhe transmitira a mensagem e ela a havia manuseado desajeitadamente o tempo todo em que o seguiram pelas ruas de Madison em direção àquele caos opressivo. Mallon lhe dissera que os conduziria ao momento de transformação e que pagaria isso com a vida. Fora por isso que ele tinha sido tão explícito sobre deixá-los no final da cerimônia e todos eles o haviam entendido mal. Mallon não deixaria a cidade. Quando ele disse partir, quis dizer *partir*.

Horrorizada, Eel se contorceu contra o muro de concreto e olhou para Spencer Mallon, que tinha pulado para uma conveniente cadeira de metal e apoiado os cotovelos no alto do muro. A jaqueta de couro, as botas, os cabelos perfeitos, o rosto levemente bronzeado, esses aspectos do seu ser adquiriam um súbito peso icônico, como se a imagem diante dela agora tivesse se reproduzido em mil cartazes: os belos vincos em seu rosto quando sorria, as ruguinhas nas extremidades dos olhos, a mão levantada em saudação a um manifestante invisível.

— Não morra — disse ela, e suas palavras se perderam instantaneamente no bramido da rua.

Ele não poderia ter ouvido, mas se virou para ela e sorriu. Bombas de foguetes deviam estar estourando no céu, círculos e espirais brancas deviam ter se desenhado no ar claro. Sua bela boca formou palavras que ela poderia começar a distinguir e ele apontou um dedo em direção à rua. O que quer que fosse, ele queria que ela visse também. Eel se ajoelhou e foi rápido até à beirada do muro, de onde podia espiar em relativa segurança.

E lá, na rua violenta, Eel viu o primeiro sinal real de que o mundo viraria pelo avesso naquele dia. E, mesmo no meio da loucura e do caos se manifestando lá fora, o que viu foi tão inesperado, na verdade tão *impossível*, que ela achou que estava enganada. Porque, para começar, ela viu um osso de relance.

Mas o que limpou a rua para essa visão era em si extraordinário. Era como ver um monstro bíblico se lançar no campo de visão com um demônio em suas costas, uma figura tão enorme e aterrorizante que todos, estudantes, policiais e bombeiros, largaram o que estavam fazendo e correram para se abrigar. A criatura era simplesmente o maior, o mais descomunal cavalo que Eel já tinha visto, um cavalo negro que parecia uma estátua heroica, empinada, trazida à solidez da vida. E o oficial mascarado que o montava, com os músculos das coxas e dos braços salientes, poderia ser um general de estrutura monumental a levantar a espada, para abaixá-la novamente de um só golpe. Juntos, eles pareciam sobre-humanos, sobrenaturais, uma figura combinada para retaliação selvagem, convocada de um sono inquieto para garantir a ordem civil.

O cavalo gigante *realmente* empinou e o grande policial de choque na sela *realmente* levantou seu grande cassetete como uma espada e, em sua enorme montaria, partiu como um anjo vingador por toda extensão da University Avenue, dispersando igualmente estudantes e policiais, depois dando meia volta para golpear de novo. Ninguém conseguia ficar à sua frente e, no entanto, os manifestantes continuavam a se reagrupar em sua esteira, depois se espalhavam novamente antes de uma nova investida. Foi nesse contexto que Eel teve a visão fugaz de um osso.

Ele aparecia, depois desaparecia, e para onde ela olhasse para vê-lo de novo, via apenas um borrão de cáqui sujo conforme um soldado num uniforme velho era lançado para longe do cavalo e de seu cavaleiro implacável. Um velho uniforme, ainda manchado do campo de batalha, as insígnias obscuras... ela olhou novamente e viu um braço de esqueleto, depois um crânio ao qual ainda estavam presos algum cabelo e alguma carne podre. O esqueleto de um soldado morto veio se juntar ao protesto, e alguns de seus companheiros o acompanharam. Com um rifle na mão, um homem alto e largo, com três, divisas no braço correu para o cavalo que arremetia, sem qualquer impedimento por possuir apenas meia cabeça e intestinos que o seguiam como uma corda prateada. O esqueleto sacolejava nervosamente e o sargento morto saiu do caminho um momento antes que o cavalo o atropelasse.

Ninguém mais via os soldados mortos, Eel sabia.

Será que Mallon tinha percebido os homens mortos e podres, será que a presença deles o divertia? Os mortos saltitantes indicavam que um véu se rasgara, que as regras normais se subverteram... Ela olhou novamente para seu amado em sua cadeira e se deu conta de que, afinal, ele não tinha visto os cadáveres dançantes; olhava para ela e apontava para algum lugar mais afastado.

Eel olhou naquela direção e localizou Meredith Bright: claro. A quem mais Mallon estaria procurando, quem mais seria tudo que ele *realmente* conseguiria enxergar? Ela parecia um pouco amedrontada com o tumulto à sua frente, mas não tanto quanto Eel pensou que ficaria — ao contrário, parecia frustrada, ansiosa mas irritada, com pressa de se dirigir ao lugar aonde deveriam ir.

Seus cálculos malfadados tinham sido desrespeitados por ao menos uma hora, provavelmente mais. O horóscopo era sua grande contribuição para a empreitada e ela ficaria ofendida caso se tornasse irrelevante. Era provável, pensou Eel com uma selvagem pitada de alegria, que em breve Meredith seria forçada a descobrir que desde o começo seu rei herói/salvador/filósofo a estivera apenas mimando.

Spencer acenava para Meredith e Meredith olhava de Mallon para Keith Hayward e vice-versa. Nenhum deles vira os soldados mortos. Talvez só ela achasse que fazia sentido os espíritos de soldados mortos participarem de protestos contra a guerra que roubara suas vidas. Parecia muito sensato para Eel. Sob as mesmas circunstâncias, ela também o faria, se pudesse. Eles não gostavam de estar mortos, aqueles pobres coitados. Achavam que tinham sido enganados, o que ela julgava inteiramente razoável. Era estranho, mas não perturbador, que ela não considerasse aqueles tristes fantasmas amedrontadores. Keith Hayward, no entanto, era assustador. Ele tinha atingido uma intensidade de alegria histérica que o fazia dançar sem sair do lugar — claro, ela deveria ter entendido, Keith também tinha visto os esqueletos-fantasmas. Claro que tinha! Como ela não havia percebido? Era tão óbvio. O que Keith olhava, o que ele *bebia*, o punha fora de si de felicidade. A morte excitava o cara! Spencer não tinha ideia de quem havia convidado a fazer parte do círculo deles.

Spencer estava jogando, Eel percebeu. Ela se perguntou por que não soubera disso desde sempre: desde o início, ele descrevia tudo como uma espécie de jogo. O pior dos jogos, o mais destrutivo, era "o jogo da realidade". Ele e Meredith realmente falavam dessa maneira.

— Ele não sabia o que estava fazendo? — perguntou Jason Boatman.
— A resposta é não, mas eu pedi que vocês não me interrompessem, principalmente com perguntas — disse Eel. — Se mais alguém interromper, acabou, estou fora.
— Desculpe — disse Boats.

Até aqui, tivemos apenas o prólogo, *continuou Eel*. O prólogo tem a ver com a morte e a história do que ela fez naquele dia gira em torno da morte e do mal, do mal e da morte, com aparições em papéis destacados para dois demônios completamente diferentes, ambos assustadores, mas há outra coisa também, algo maior e mais sábio e melhor em todos os aspectos, algo do qual ela não poderia ousar se aproximar mais que qualquer um deles ousaria, e isso era absolutamente não se aproximar, por ser o mais aterrorizante de tudo. Sua experiência não foi de todo unilateral, longe disso, só que os dois lados não vêm a ser o que se pensa que são. Eel ainda está tentando entender isso.

Depois que os tiras e os bombeiros foram embora, o pequeno grupo se reuniu, vindo de vários esconderijos, e Eel notou que estava certa quanto a Meredith. A moça estava ofendida e zangada. Ela se sentia traída. Mallon nem fingiu se importar com o efeito de um grande atraso em relação ao horóscopo. Ele não acreditava, apesar do que Meredith dizia, que aquela fosse uma das poucas vezes em que um atraso teria sérias consequências. Spencer, ela disse, acho que nossa janela acabou de se fechar. Ótimo, disse ele, abriremos outra.

As pessoas deveriam tomar cuidado com o que dizem.

Furiosa, Meredith se afastou de Mallon e deliberadamente lançou um olhar sedutor para Keith Hayward, que quase levitou. Meredith achou que era romantismo e amor e desejo juvenil ou coisa semelhante e certamente em parte eram essas coisas... mas era principalmente outra coisa, o lado de

345

Keith que de fato Eel havia notado pela primeira vez, um pouco antes. Eel ainda não tinha noção de sua forma e tamanho; só sabia que ele era ainda mais doente do que ela pensara. Grande parte de sua experiência naquela noite consistiria em se familiarizar com a natureza e o alcance da doença de Hayward.

Mallon os pôs a caminho com poucas palavras e magoou Jason ao perguntar a Don se ele achava que poderiam levar a cabo a cerimônia. Apesar de o horóscopo ter sido desconsiderado, era o que ele queria dizer, mas Don não entendeu, nem Boats. Para eles, parecia que Spencer havia sagrado Dill como seu aprendiz e sucessor. Eel pensou: *O que o pobre Dill vai fazer se Spencer morrer hoje? O que nós todos faremos?*

De qualquer modo, Don disse o que Spencer queria que ele dissesse, e eles se puseram a caminho. Hootie manteve Eel sob sua vista durante toda a noite, até o momento em que perdeu a consciência — Hootie sabia de alguma coisa, tinha visto alguma coisa, e Eel achava que provavelmente ele tinha percebido a hora em que ela vira os soldados mortos. Ela se preocupava com todos eles, mas ele se preocupava com ela. Eles eram muito ligados, ele próprio quase tinha visto os mortos que andavam... então ela precisava encorajá-lo, o que fez com um sorriso e um olhar repleto de amor. Eel amava Hootie e, com aquele olhar, declarou sua intenção de protegê-lo até o fim.

Na Glasshouse Road, ela o manteve concentrado e andando para frente e, depois de ter olhado em volta para localizar a origem dos ruídos estranhos que os seguiam, silenciosamente fez com que ele soubesse que não deveria virar a cabeça. Glasshouse Road foi uma experiência engraçada. A maioria dos rapazes olhou ao redor e o que devem ter visto, ela sabia, era o espetáculo daqueles cachorros enormes, vestidos como homens e de pé sobre as patas traseiras, cães que poderiam ter saído daquela pintura boba que seu pai trouxera do bar, só que eles não eram amigáveis nem inofensivos, não é? Eles tinham um aspecto selvagem, como cachorros dos Hell's Angels, cachorros bandidos de moto que teriam atacado se Mallon e seu pequeno grupo fizessem qualquer coisa que não fosse andar em frente. Foi o que todos viram e Eel viu também, mas não foi tudo que ela viu.

Brett Milstrap marchava, mal contendo a fúria dos insanos. Quando ela olhou para frente, próximo ao fim da rua, pôde ver Brett Milstrap também lá, caminhando com um sorriso oblíquo e afetado em seu rosto quase bonito, à direita de Keith Hayward. O Brett da frente não sabia nada sobre o enraivecido Brett que o acompanhava atrás, mas o que estava atrás detestava sua posição e queria trocar de lugar. De algum modo, Eel entendeu que essa troca não estava prevista. Era uma impossibilidade. Brett fora vítima de um desses erros que nunca podem ser corrigidos.

Aqui chegamos a outra parte realmente estranha da noite. Na turbulenta passagem pela Glasshouse Road, eles se mantiveram coesos numa verdadeira unidade — ela sentiu isso acontecer e sabia que os outros também sentiram, até Hayward e Milstrap — e, no centro dessa unidade, ela percebia, estava Eel Truax. Não Spencer, porque Spencer, a quem ela amava totalmente naquele momento, seria apenas o mecanismo que a lançaria. Ele sabia disso somente pela metade, pois sua vaidade recuava diante de tal percepção; sua centralidade em relação a qualquer coisa que ocorresse ao seu redor era uma importante pedra de base de sua existência, mas ele tinha pelo menos meio conhecimento de seu verdadeiro papel. Era isso que lhe permitia cumpri-lo.

E o papel de Spencer seria grande, Eel sabia. Tudo realmente dependia dele, já que ela nunca seria capaz de fazer a sua parte se ele falhasse na dele. E *vejam* o cara! Antes mesmo que Don os levasse até aquela pequena área de reentrância do campo, antes mesmo que todos vissem o círculo branco brilhando como um convite, Spencer estava radiante com a convicção de que estava fazendo a coisa certa.

A vibrante convicção de Mallon de que nessa noite eles atingiriam o extraordinário influenciou a todos, ela achava. Depois de um tempo, até Meredith pareceu abandonar seu desejo de controle. E até os rapazes da fraternidade olhavam para ela de um modo que sugeria que sua mulher ideal tinha entrado numa esfera além da meramente sensual. Essa esfera, repleta de sinais de transcendência, parecia estar em todo o entorno. Quando eles se preparavam para realmente dar a partida, a noite estava linda como Eel jamais vira. A lua e as estrelas apareceram brilhando suavemente e foram ficando mais e mais luminosas à medida que a noite avançava. Hootie ainda vigiava Eel, que pôde notar que ele achava que as estrelas e os pontos de luz do tráfego tinham se tornado duas vezes mais bonitos porque a atravessavam — Hootie as via como ela e estava decidido a não deixar passar nada.

Quanto a Eel, ela tinha uma sensação em relação a Spencer: que afinal ele conseguiria procurar dentro de si e encontrar a chave que permitiria que ela se libertasse e realizasse as coisas inimagináveis que deveria fazer. Ele estava cantarolando com decisão, concentrado, elétrico, alegre. Estava tão belo que quase doía olhar para ele. Eel pôde enfim se persuadir de que Spencer tinha ficado tão afinado consigo mesmo e com seus objetivos que não havia a possibilidade de ele morrer na execução de sua tarefa. Essa cerimônia não o mataria. O que só podia significar que ele, afinal, simplesmente partiria para outra parte do país. Essa versão do futuro não a deixou mais alegre do que quando Mallon a tinha revelado pela primeira vez, mas, como resultado, era um milhão de vezes melhor que a morte.

Portanto, misturada ao prazer e à admiração pelo muito amado Spencer Mallon, enquanto ele ajudava os rapazes a rodear o círculo branco com as cordas e distribuía as velas e os fósforos, e também misturada à sensação de transcendência transbordante, havia a dolorosa consciência de que o que quer que os dois conseguissem conquistar naquela noite, em breve ele estaria perdido para sempre, para ela. Pensem: será que isso não teve alguma influência no que aconteceu depois, exatamente da mesma maneira que a terrível doença de Keith Hayward? Eel tinha morte e perda em sua mente, também, mesmo enquanto ela se via cantarolando e tremendo em direção a essa... *consumação* que pendia invisível diante dela.

Depois que todo o equipamento estava disposto, eles pareceram começar a respirar juntos. Todos inspiravam e expiravam ao mesmo tempo. Eel estava intensamente consciente da intimidade do momento. Não tinha importância que ela e Meredith tivessem sido colocadas tão perto; parecia quase que eram da mesma substância. A mútua aversão perdurava, mas sem peso.

Quando chegaram na parte em que levantavam as velas acesas e aguardavam que Mallon começasse, Hootie se retesou e se queixou de que "eles" tinham chegado e todos imaginaram que ele se referia aos cachorros, não é Hootie?

Por favor, não responda, eu sei que você viu algo mais à nossa volta, algo que tinha chegado com os cachorros. Algo que se escondia entre eles. Foi o que você viu no ano passado, naquele dia em que meu marido e Don o levaram para fora do Lamont pela primeira vez. Naquela ocasião, você os entendeu tão bem que soube que aquilo estava se despedindo, e sentiu uma pena enorme. Jason Boatman vai ficar espantado ao saber que aquilo de que você sentiu tanta pena era o que ele chamou de "matéria escura", mas era.

Hootie, que pôde se compadecer de uma coisa dessas, com certeza tem um dos corações mais puros do mundo. Eel sabe. Ela também viu um deles, antes de partir em sua longa viagem e terminar no mais assombroso de todos os lugares que visitou, o mais desesperador... no final da viagem que começou com uma enorme sensação de riqueza e plenitude, quase de luxo, ela se viu novamente diante do imundo pedaço de merda que aparecia e desaparecia de sua vista a partir do segundo em que Mallon tomou fôlego para falar, para *cantar*: a criatura que lhe contou como Spencer tinha se enganado, como fora tolo, mas, ao mesmo tempo, como chegara perto da descoberta que buscara a vida toda. Um demônio de barba vermelha com rabo de cavalo, dentes ruins e um sotaque nova-iorquino antiquado...

Primeiro, porém... primeiro, ela se tornou a cotovia. O momento mais maravilhoso que jamais teve ou terá. Era como ganhar a sobremesa antes do jantar, ou receber o indulto antes da punição.

Hootie, que prestava atenção, sabia que tinha acontecido alguma coisa de que ele não podia compartilhar. Algo que tinha chegado para Eel depressa demais, com intensidade demais, para ser compartilhado. Ela estava no interior de uma experiência que o tinha deixado de fora. Só o que a impedia de se sentir desolada, Hootie, era saber que você podia amar o que estava acontecendo com ela. E, a seu modo, Spencer Mallon podia amá-la também, pela mesma razão. Ele entendeu que ela fora além dele e, se sentiu inveja, foi apenas por um segundo.

O ar de alguma maneira ficou mais denso, como uma membrana. Coisas invisíveis, vidas invisíveis surgiam e rodopiavam em volta — ela as percebeu apenas por um segundo. Porque então Mallon achou suas palavras, ou suas palavras o acharam, e sua cabeça pendeu para trás e seu tórax se expandiu, seus dedos se abriram e um grande *som* saiu dele.

Exatamente então, por mais louco que pareça, ela se tornou duas pessoas, ou uma pessoa e uma alma, ou qualquer coisa assim. Sua alma viveu em sua imaginação, disso ela sabe bem. Hootie viu isso acontecer e Spencer também.

Spencer não soube, e mais ninguém fora de Hootie, sobre o que finalmente lançou Eel em sua viagem. Foi o terror, a repugnância e o choque que a atravessaram assim que ela notou um movimento estranho sobre a relva rala a cerca de três metros à direita do círculo. Esse movimento, essa *atividade*, indicava que o círculo tinha sido desenhado no lugar errado. Mallon nem estava olhando na direção certa! Hootie foi a única outra pessoa que viu o que realmente aconteceu.

Um ser terrível acordou, isso foi o que de fato aconteceu lá. Mallon não só o acordara quando ele não queria ser acordado, como não viu nada. Eel desejava também não ter visto. A criatura que tentava se levantar no capim gasto podia ser invisível, mas a aterrorizou — fez com que ela tivesse vontade de se jogar no chão e de pressionar os olhos contra a terra. Ela podia notar, pelos movimentos no capim ralo, que a coisa se contraía de irritação, que queria permanecer invisível. Ninguém jamais deveria vê-la enquanto ela andava pelo mundo derrubando homens de escadas, fazendo bebês se enrijecerem e morrerem, safras de milho secarem, mulheres terem hemorragia e perderem seus fetos, motoristas bêbados se desviarem para pistas de fluxo contrário, maridos agredirem mulheres, mulheres assarem os maridos vivos em suas camas como baratas, velhos amigos brigarem e se separarem. Ela se movia por seu território sem limites, trazendo o caos e a desordem, trazendo o desespero.

Algumas moscas voavam sobre seu couro fedorento. Eel podia sentir a criatura mexer a cabeça feia e dar um passo à frente, um passo ao lado. Suas esperanças congelavam dentro dela — os outros viam o que viam, o que quer que fosse, mas o cheiro que sentiam era da criatura. Em meio a seu terror e repugnância, ocorreu-lhe que o monstro demoníaco diante dela era o famoso Demônio do Meio-Dia, sobre o qual seu pai e os companheiros dele, que pareciam cadáveres, murmuravam boatos depois de matarem tardes miseráveis na Casa de Ko-Reck-Shun: o selvagem demônio de segunda classe, o demônio do mal cotidiano. Ele havia entrado por uma porta que Mallon tinha aberto e não sabia como fechar. Esse era o puro demônio dos vingativos, da inveja doente. Como demônio do que era cobiçoso e inferior e implacável, ele nunca podia ser saciado, satisfeito, aplacado ou posto em descanso. Provavelmente ela havia respirado suas emanações por toda a vida.

Mallon olhava para ela, mal podendo vê-la através da fedorenta nuvem laranja que ele criara do nada.

Eel ascendeu um ou dois pontos na passagem estreita que se formara ao seu redor. A passagem subia para cruzar com outras passagens mais largas que, mais do que via, ela intuía. De sua nova posição, Eel conseguiu entender o que acontecera seis anos atrás nas prateleiras da biblioteca da Universidade de Columbia: atraído para uma saleta de estudos que emanava a mesma cor brilhante que agora os envolvia, Spencer Mallon tinha batido na porta, tinha respondido a uma série de perguntas e relutantemente lhe fora permitida a entrada. Ocorreu a ela que sabia disso tudo porque Don "Dilly" Olson ousara uma vez perguntar a seu mentor a respeito e seu mentor ousara contar a verdade.

Naquele dia, Eel penetrou o grande curso do tempo e observou algo que, embora não fosse acontecer senão dali a dez ou onze anos, estava acontecendo bem perto, e ela podia ver ao virar a cabeça. O que Mallon disse a você, Don, foi: *Quer saber o que aquele idiota da saleta me disse? Eu nunca entendi, então tanto faz eu lhe contar, garoto. O que aquele idiota esquisito me disse foi: Eu tenho pena de você. Eu controlo o que faço e você provavelmente nunca vai controlar.*

Eel viu isso acontecer, embora estivesse na porta do quarto de hotel onde mentor e aluno partilhavam uma garrafa de meio litro de uísque Johnnie Walker Black, sem gelo e sem água. Depois ela abriu as asas e voou. No campo, Hootie e Spencer Mallon observaram a alma de Eel em seu voo até ela se perder na escuridão. O corpo de Eel sorveu o ar momentaneamente malcheiroso, tremeu diante do mal impessoal e viu as travessuras dos outros seres que Mallon tinha conseguido trazer ao nosso mundo. Essa Eel, a Eel física, testemunhou a estúpida e obstinada desaparição de Milstrap no mundo tumultuado dos deuses e avatares. Mas o restante de Eel, seu eu essencial, elevou-se para uma expansão ofuscante de avenidas que brilhavam e caminhos secundários errantes ligados a estradas estreitas e largas, e ela entendeu que Mallon, sem saber, tinha lhe dado acesso ao coração do tempo, que se estendia como um enorme mapa para todos os lados, nem bi, nem tridimensional, mas os dois simultaneamente. Com o acréscimo da respiração, o tempo estático, a quarta dimensão tinha sido estabelecida. Através desse grande mapa, ela estava livre para viajar como desejasse.

Eel estava descrevendo isso da única forma que sabia. Ela achava que tinha sido separada em duas partes iguais, uma delas a cotovia. Aquilo acontecera. Sim. Acontecera. Mesmo que o surpreendente episódio inteiro tivesse se originado na imaginação da Eel que fora deixada no campo.

Com a canção de Mallon enchendo seus ouvidos, Eel, em êxtase, se elevou num voo atordoado por muitos céus.

No recreio, em 1953, crianças de escola em Milwaukee corriam ofegantes pelo pátio de concreto numa brincadeira de pegar, ignorando um menininho sentado sozinho debaixo do trepa-trepa. Ele os seguia com os olhos, mas nunca virava a cabeça. Sozinho no pátio, esse menino deixado de lado olhou para cima, para uma cotovia que passava. Em seu voo, Eel soube que o menino era Keith Hayward e seu coração doeu de tristeza e aflição;

depois de planar rapidamente sobre uma avenida e girar para uma travessa estreita, a cotovia se elevou em ângulo íngreme, cantando sua canção, sobre o jardim de um *pub* em Camden Town, Londres, em 1976. No meio das pessoas nas mesas redondas espalhadas por entre árvores plantadas em vasos, uma mulher morena, sorridente, cutucou o ombro de um homem de suéter preto que, surpreso e alegre, se levantou de repente e apontou, rindo, para a primeira cotovia que ele jamais vira ou ouvira;

em 1958, ela rodopiou sobre as cabeças de moradores de uma vila indiana que olhavam para cima em lenta incompreensão enquanto o americano esguio, de jaqueta de couro, que era o centro das atenções, pôs a mão sobre os cabelos ásperos e louros, inclinou a cabeça e por um momento pareceu que ia desmaiar;

então era o verão de 1957 e ela estava voando sobre uma bela piscina num fundo de quintal em Fox Point, Wisconsin, onde um menino taciturno, de doze anos, com um acentuado desenho em V da linha dos cabelos na testa, enfiou a mão direita dentro da sunga e se acariciou e, ao mesmo tempo, suspendeu a esquerda, apontou o dedo indicador como um cano de arma para ela e abaixou duas vezes o gatilho do polegar;

então a cotovia rodou por uma passagem brilhante e entrou no futuro com um giro ascendente de alto verão sobre o Great Lawn e o Belvedere Castle no Central Park, na cidade de Nova York, em consideração a homens e mulheres de meia idade dispostos como um colar ao longo das trilhas. Os observadores de pássaros ficaram sem fôlego e procuravam cadernos de anotações, câmeras, celulares, para poder documentar a aparição diante deles do nunca visto, do impossível, do que estava prestes a desaparecer;

depois desse ruidoso momento de exuberância, uma virada para uma alameda que escurecia e um frio e morto diorama de uma esquina do futuro onde, sob um sol pintado num céu pintado, um Boats Boatman magro e envelhecido, que em breve teria a pior experiência de sua vida, olhou para ela perplexo de uma faixa de concreto entre uma marina e um comprido gramado artificial marcado com pegadas marrons artificiais em duas linhas retas. As pegadas eram dele e de um enorme não cachorro com dentes de plástico pontudos que irradiavam o luar nu de ossos expostos; durante um segundo terrível, ela *se* viu, um pequeno pássaro marrom de asas estendidas, da perspectiva de um olho situado sob o focinho feio e inerte do cachorro; no meio de um tumulto estridente de vozes, uma voz metálica de tenor trombeteou: *Eu quero o que você quer*; estremecendo, Eel se afastou, sua canção interrompida tão bruscamente que, lá do campo, Hootie lhe lançou um olhar de terror e alarme.

O choque e o desalento diante do céu pintado e do mundo morto abaixo, dos dentes de plástico do cachorro empalhado, da aflição de Boats, da voz mortal de tenor e sua afirmação invasiva, e do medo de Hootie por sua causa, jogaram Eel aos trambolhões através de vários quadros:

de pé diante de sua inútil "bancada de trabalho", seu pai deixou cair um copo com uma dose, o qual se espatifou no chão e espirrou uísque nos pés de Eel bebê;

em outro quarto, o Demônio do Meio-Dia, invisível e atormentado pelas moscas, reclinou-se sobre um berço de segunda mão e Colby Truax, o irmão mais novo de Eel, teve um espasmo e morreu;

a cabeça de Roy Bly explodiu em mechas de cabelo e massa cerebral ensanguentada na trilha de uma floresta no Vietnã;

refestelados em suas cadeiras, num ano em que Eel ainda enxergava, ela e Lee Harwell, inconscientemente felizes, no início de grandes problemas que iriam enfrentar juntos e separados, ela vinda de seu emprego de atendente de bar, ele longe de sua escrivaninha pela primeira vez no dia, liam em voz alta trechos de um livro chamado *Rios e montanhas*, na East Seventh Street;

    o último quadro era da State Street ensolarada no começo do outono e da janela grande e suja da lanchonete Tick-Tock, através da qual uma Eel desolada, agora não mais uma cotovia, mas simplesmente um grão de poeira passageiro sendo levado pela calçada, podia enxergar indistintamente ela própria e seus companheiros do pequeno grupo inclinados para a figura esquelética que lhes falava, visível apenas quase de costas nesse quadro, mas claramente identificável como Keith Hayward,

    a quem, a Eel desolada entendeu, algo verdadeiramente terrível iria acontecer, mas não antes que ela soubesse muito mais a respeito dele.

■

    No campo que escurecia, de onde a sua parte alma tinha se aventurado, Eel permanecia próxima a Hootie Bly e observava os espíritos lunáticos de Mallon criarem tumulto diante deles. Que esses espíritos o tinham pegado de surpresa, que ele estava absolutamente atordoado pelo que tinha invocado e trazido à vida, podia ser lido em sua expressão e sua postura. Agora, no que deveria ter sido seu momento de maior triunfo, ele estava paralisado, praguejando. Parecia exausto e despreparado: um ator jogado no palco antes de decorar o texto.

    Eel, embora ainda preocupada com Keith Hayward, percebeu que Mallon se via engolido pela névoa laranja-avermelhada e assediado por centenas de cães selvagens. Ele só percebia relances do panorama temerário à frente. Ele não tinha noção da verdadeira grandeza de seu fracasso. Na frente de Don e dos rapazes da fraternidade, uma espécie de circo bêbado se divertia ruidosamente, uma festa desregrada em algum planeta frio e distante em que todos os habitantes eram feitos de metal brilhante e líquido. Numa atmosfera de festividade lunática, um rei louco dava voltas balançando em cima de um urso; uma rainha vociferante apontava uma vareta comprida para várias pessoas, dirigindo-lhes pragas, como o Brett Milstrap de dez anos tinha apontado uma bala imaginária para a cotovia Eel que pairava acima dele. A rainha insana e sem rosto girou na direção de Eel como se enrolada numa mola, mirou sua vara de prata e fez uma simples marca de X no ar. Sem causar dor, uma pequena cápsula fria atingiu a superfície do olho direito de Eel e escorregou para dentro como um mergulhador numa piscina. Instantaneamente, a cápsula foi absorvida.

Meu olho! pensou Eel. Então, na estranha e angustiante correria que se seguiu, ela acabou esquecendo esse incidente até que o escurecimento de sua visão, quando tinha trinta e poucos anos, fez com que ela o relembrasse.

Na frente de Mallon, uma mulher nua que parecia quase verde posava apática ante uma paisagem morta com um camelo que se movimentava lentamente, um vestido flutuante, uma pomba branca...

Uma confusão extraordinária emanava dessas cenas: vaias e berros do mundo vazio da rainha louca, gemidos altos do território atrás da mulher verde. Numa tempestade com trovões, um gigante ruivo com uma espada em riste gritava para Boats. Na cena diante de Eel, um casal muito velho, ele com uma longa barba como Dom Quixote, ambos com cabelos brancos escorridos, enfrentavam um vento forte e giravam o pescoço perversamente, exibindo caras feias com enormes narizes pontudos na parte de trás da cabeça.

Para essas figuras, eles não representavam nada. Na medida em que os humanos eram notados por elas, eles existiam para ser atormentados e despachados. Essas coisas tinham a visão transparente e vazia de deuses. (A verdadeira divindade é outra questão.) Mallon as tinha invocado, mas, agora que estavam ali, ele mal as via e não tinha noção do que fazer com elas.

Àquela altura, Eel viu Brett Milstrap se abaixar e dar um puxão em alguma coisa, uma beirada, uma costura com a linha arrebentada. Ela teve a sensação de que aquela ideia era tão terrível que ele deveria abandoná-la imediatamente. Por outro lado, Brett Milstrap parecia ter sido criado para inventar ideias terríveis.

O maior problema com o mundo do outro lado da resistente membrana de ar que a envolvia, Eel percebeu, consistia em ele ser lunático e venenoso. Sendo louco e tóxico, segundo algumas fontes, ele havia afugentado Cornélio Agrippa, o querido de Mallon, de volta para a Cristandade. Se não afugentara, deveria ter afugentado. Esses reis e rainhas sem rosto, moças murchas, camisas flutuantes, guerreiros gigantes e arengueiros e o resto, esses camelos e dragões e porcos estranhos, não faziam sentido porque eram inteiramente incapazes de lógica e coerência. A racionalidade não tinha espaço em seu mundo. Eles não podiam raciocinar; não existia razão neles. O significado tinha chegado tardiamente ao mundo e eles não tinham o que fazer com ele.

■

No campo, Brett Milstrap estava de pé diante da costura que ele abrira revelando uma única luz, brilhante e inumana, cercada de escuridão. Eel o viu se inclinar para a abertura, provavelmente na esperança de ter uma visão melhor daquele reino estranho e vazio.

Junto dele, Hayward parecia ter esquecido tudo sobre o irmão de fraternidade e também não demonstrava muita preocupação com o mundo dos espíritos. Pela fixidez de seu olhar, ele evidentemente estava olhando para o trio Meredith-Hootie-Eel havia algum tempo. Eel não podia dizer se o objeto de seu olhar era Meredith ou ela própria. Ela só tinha certeza de que ele não estava olhando para Hootie. De acordo com tudo que intuíra sobre o triste Keith Hayward, ele tinha uma espécie de atração masoquista por Meredith. No entanto, seus olhos pareciam passar de uma para outra, coisa que a perturbou profundamente. Eel não queria as atenções de Keith Hayward.

O suor brilhava no rosto de Keith Hayward, seus olhos pareciam quentes, quase escaldando. Distraído pelos pensamentos que agitavam seu cérebro, ele deu um passo hesitante à frente, depois outro mais decidido. Do outro lado de Hootie Bly, Meredith ajustou sutilmente sua postura, uma mudança no ângulo do quadril e do ombro, de um modo que reivindicava Hayward só para ela. Ela o estava convidando, a idiota. No terceiro passo, Hayward desatou a correr; talvez Meredith não pudesse ou não quisesse ver, mas ele estava olhando diretamente para Eel. Ele era o próprio Insaciável — ela não sabia como deixara de perceber isso até então, que Hayward sobrepujava o modo de ser de Boats — e ele a *queria*.

Porque ele também sabia! Ele tinha visto alguma coisa. Hayward tinha percebido alguma parte da viagem de Eel e o que percebera o havia desequilibrado. Eel desejou poder se transformar numa verdadeira cotovia e levantar voo para o céu noturno, porque seu corpo aterrorizado se recusava a mexer. Ela havia se tornado uma coisa inerte e passiva, uma estátua.

E ela pensou realmente que fosse morrer. E sabem o que percebeu então? Percebeu que estaria bem quando chegasse sua hora. Eel não abriria mão de sua vida suando e tremendo de medo. De pé no campo naquele momento extraordinário, ela pensou: *Se este psicopata idiota vai realmente me assassinar, pelo menos eu vi o que vi hoje e pelo menos eu tive amor e pelo menos eu não deixei meu pai arruinar a minha vida. Uma vida é uma vida e essa aqui foi minha.*

Bem, Eel não estava afirmando que aos dezessete para dezoito anos, a idade que tinha naquela noite, disse para si essas exatas coisas dessa exata maneira, mas seguiam nessa direção. Ela achava que tinha sido uma garota tremendamente corajosa e perspicaz e desejava poder ter mais dessas características agora. Com o passar do tempo, pensou, ela havia amolecido. Eel achava muito ruim que não acontecesse ao contrário, de modo que se pudesse ficar mais corajosa e esperta à medida que os anos passassem.

Mas, obviamente, ela não morreu, não foi?

Agora ela se aproximava da parte sobre a qual seria realmente difícil falar.

Bem, antes de chegar a essa parte *difícil*, eles tinham que lidar com Keith Hayward. De *dentro* de Keith Hayward.

Durante todo esse tempo, porém, duas coisas estavam acontecendo. Atrás de Hayward, Eel tinha uma vaga noção de que Brett Milstrap se aproximava mais da abertura que ele tinha forçado no tecido entre esse mundo e o deles — como um gato que não consegue deixar de enfiar a cabeça numa sacola convidativa. Brett se aproximou mais um centímetro crucial e depois ele se *foi*, sugado para dentro. Aconteceu tão depressa que Eel só viu um par de mocassins marrons voando através do ponto de entrada, que imediatamente se fechou — então, antes que seu colega de quarto bloqueasse sua visão, Milstrap apareceu lá no fundo do mundo frio dos espíritos lunáticos, correndo muito em direção ao primeiro plano, e seu rosto era uma máscara de pânico.

Decidido a cravar suas garras em Eel, Hayward se aproximava com estardalhaço, todo joelhos e cotovelos. Se não fosse pelo segundo processo que acontecia diante dela, Eel teria sido agarrada e levada embora, para ser morta em breve. No entanto, o ser demoníaco que Mallon acordara estava rodopiando na direção deles e fixou Eel e Hootie em seu campo de visão. Do grupo de Mallon, somente eles o tinham visto! Hayward queria Eel e a coisa queria Eel e Hootie. Enquanto ela se projetava — e era muito mais rápida que Hayward — não pôde impedir que fosse parcialmente visível. O que por um breve tempo tinha parecido um porco eriçado com uma cabeça ligeiramente humana e uma expressão de quem teve seus direitos negados se ampliava e aumentava de volume à medida que corria na direção deles. Como em lampejos de luz estroboscópica, Eel viu luvas escuras estouradas nas costuras e um fraque preto, manchado e empoeirado. Algumas moscas preguiçosas continuavam a descrever círculos sobre suas partes mais altas.

Quando aquele ser diligente ficou quase paralelo a Hayward, e estava de fato a um passo de ultrapassá-lo, Keith olhou para o lado e — Eel supôs — se deu conta do que o estava alcançando. Sem perder o ritmo ou diminuir o passo, Hayward passou evidentemente por um complexo processo mental. Então, com um olhar estranho e inquisidor para a petrificada Eel (nos poucos segundos desde que soubemos dela, sua serenidade se despedaçara), ele se jogou na trajetória da criatura demoníaca que tinha sido o resultado principal do trabalho de Mallon.

E então, o que foi que Keith Hayward fez? Atacou a coisa ao seu lado? Sacrificou-se para que Eel ou Hootie, ou ambos (mas não Meredith, embora, como ele, ela tivesse ido ao campo visando lucros) pudessem sobreviver àquela noite? Hayward morreu e, se Eel e Hootie não tivessem sobrevivido, não estariam em Chicago nesta noite; mas o que realmente aconteceu naquele momento? E o que aconteceu no momento exatamente anterior?

■

Bem, aqui está algo que aconteceu, ou poderia ter acontecido.

No breve intervalo de tempo entre o enigmático olhar de Hayward para Eel e seu salto para a trajetória da criatura, Eel viajou novamente, cotovia ou não, numa velocidade inacreditável, para o Mundo de Hayward, podemos chamar assim. Ela disse "viajou", mas não havia sensação de voo ou transição

— ela estava planando sobre o que pareciam ser pequenos quintais numa cidade como Milwaukee, mas a luz era de um azul arroxeado estranho e o ar não tinha temperatura alguma, e nada se movia ou crescia ou respirava. Ela entendeu que tinha chegado a um mundo interior, um mundo guardado na memória. Naquele momento, ela não tinha sido liberada e não tinha escolhido partir. Havia sido arrancada de seu espaço e jogada ali. Isso era outra coisa que Mallon tinha feito inconscientemente: ele lhe havia dado acesso a Keith Hayward, a última pessoa com quem ela teria desejado tal coisa.

Mas lá estava ela, e lá estava ele, a mesma criança com o rosto pálido, com a cabeça que parecia sutilmente disforme, que ela havia visto como um pária no pátio de recreio, agora com alguns anos a mais, deitado de costas na grama maltratada, claramente remoendo algo na mente. O garoto meditativo olhou para cima e pareceu notá-la no mesmo segundo em que ela viu que ele estava segurando uma comprida faca de cozinha numa das mãos. Isso era só uma memória, ela lembrou a si mesma, mas a ideia de ser vista enviou centelhas de alarme para seu peito e estômago.

Claro que ela não foi vista. Os olhos dele vagavam pelo céu, seguindo algum pensamento haywardiano estranho — ou, ela se perguntou, rastreando uma cotovia? —, e ele se sentou e ficou de pé. O garoto saiu do quintal e entrou numa ruela antes que ela pudesse se mexer. Ela pairou sobre a cerca e o viu já no final do quarteirão, virando a esquina.

Então ela estava no final do quarteirão bem atrás de Hayward enquanto ele subia rápido a rua e entrava num terreno baldio coberto de vegetação, onde se esgueirou por trás de um muro de tijolos e se abaixou junto a um viçoso pé de cenoura-brava. Keith se inclinou para a esquerda para remexer no bolso direito, de onde puxou uma bolsinha de plástico contendo pedaços de carne marrom e cozida do tamanho de borrachas de apagar que pareciam ter sido tiradas de um hambúrguer. Ele pegou cerca da metade dos pedaços de carne e os arrumou no fundo do mato florido na forma de um zigurate em miniatura. Com um tapinha final nos pedacinhos de hambúrguer empilhados, Keith se afastou depressa e se recostou no muro. Com as duas mãos, ele apoiou o cabo da faca na virilha e manteve a lâmina para cima.

O suor lhe escorria da raiz dos cabelos e deixava as suas bochechas vermelhas. Os olhos se contraíram. Ele apertou a boca até ela se tornar uma linha virada para baixo.

Depois de longos minutos, um gato mirrado pisou no ninho embaixo da cobertura branca das cenouras-bravas. Hayward disse:

— Meu lindo gatinho, gatinho, gatinho. Você não quer esse almoço gostoso que eu fiz pra você, gatinho, gatinho?

Ronronando, o felino se achatou contra o chão e rastejou até o monte de carne de hambúrguer. Seu nariz vibrava. O gato abaixou a cabeça em direção à comida e lambeu.

— Sim, isso mesmo — disse Keith. — Seu magricela, seu safadinho engraçado. — Ele lentamente estendeu a mão e começou a acariciar a espinha do animal. Quando o gato abriu as mandíbulas e deu uma mordida de verdade, a mão de Keith apertou o pescoço do gato e o levantou. Ele empurrou o gato que cuspia e arranhava contra o muro de tijolos e enfiou a faca no meio de suas costas. Um fio de sangue jorrou e logo arrefeceu. As patas do gato se curvaram para dentro; o rabo se curvou para cima. O garoto correu a faca ao longo do tronco do gato, cortando-o como se fosse um melão, e o corpo magro ficou flácido.

A expressão no rosto do menino era a de um advogado inglês de dez anos ouvindo os argumentos da Coroa.

Quando Keith baixou sua vítima ao chão e se curvou sobre ela, Eel se afastou num movimento rápido. *Chega disso*, pensou ela, mas havia muito mais. Ela esteve presente na memória chocante do lento gotejar de um pequeno número de palavras do tio Tilly, que derramaram um mundo de depravação dentro do ouvido receptivo de seu jovem discípulo. Na mente de Keith, acima dos improváveis nariz romano e bela cabeça de Tillman Hayward, o céu ardia em vermelho-sangue, púrpura, azul-hematoma, belo como uma orquídea. Uma dúzia de cães e gatos tombou diante de Keith, e, depois da aquisição no curso secundário de um amigo/escravo chamado Miller, outra dúzia. Miller, dois anos mais moço que seu amigo/senhor, parecia com o Pinóquio e tinha uma boa cabeça, além de uma passividade arraigada e exasperante, outro serzinho magricela, faminto e de aspecto engraçado, que o tornava perfeito para o papel de companheiro de Keith. Eel visitou as lembranças de Hayward em seu quarto privativo, uma grotesca mutilação animal após a outra, e viu que uma espécie de ternura e conexão, um amor doentio, realmente floresceu naquele lugar horrível.

Por fim, ela foi obrigada a olhar, como numa tela particular, a lembrança de Hayward do Natal de seu último ano de curso secundário e a perversa troca de presentes entre tio e sobrinho. Em torno de Till sempre brilharam luzes cintilantes, um sol frio mas reluzente sempre esteve lá no céu durante o dia, e as noites sempre foram dos mais profundos, ricos, dos mais inspirados negros. Seus menores gestos lançavam sombras imensas. Till presenteou o sobrinho com uma faca Sabatier para chefes de cozinha e o informou de que ela seria seu centro de mesa, seu animal de exposição. O tio Till aceitou o presente do sobrinho, que era o Miller, com um sorriso como o brilho de lâminas de aço, e o sobrinho se sentiu desfalecer de admiração e amor.

Antes mesmo de os três entrarem no prédio abandonado do Sherman Boulevard, Miller claramente se sentia alarmado e temeroso por ter sido dado ao perigoso tio de Keith. Seus joelhos tremiam dentro de seu *jeans* azul e seus poros pareciam exalar um odor metálico estranho. Depois de eles terem descido para o lugar secreto de Keith, ele anunciou que preferiria sobreviver à experiência e o tio de Keith informou-o de que ele podia ficar tranquilo, pois ele nunca havia matado, nem nunca mataria, alguém que tivesse um peru. ("A não ser, talvez, por acidente", acrescentou). Então ele ordenou ao trêmulo Miller que se despisse e perguntou se ele tinha um peru avantajado. Quando Miller respondeu que não sabia, Till disse que logo descobririam. Havia uma série de coisas que eles estavam prestes a aprender, disse ele, todo tipo de coisas. E sobrinho, acrescentou, se era para ele se divertir da melhor maneira possível, sentia muito, mas teria que ficar sozinho com seu presente de Natal.

Dentro de Keith Hayward pareceram se agitar os espíritos impertinentes de resistência, desafio, pesar e relutância, fato surpreendente dado o seu amor pelo tio, mas ele agiu com espírito de Natal e se lembrou em voz alta da existência mais abaixo no bulevar de certo restaurante. Prove a torta de cereja, disse o tio Till. Era digna de um rei.

A lembrança de Keith de sua hora de penitência no restaurante era um pesadelo de rostos enormes e grotescos, a companhia de homens e mulheres que padeciam de horrível morte em vida, uma luta monumental com uma torta de papelão sufocada sob um excesso de cerejas venenosas. O mundo em volta dele havia se tornado decadente e envenenado. No balcão, um gigante repulsivo chamado Antonio, com uma gagueira que o desfigurava, dizia à garçonete que tinha acabado de conseguir um bom emprego num hospital de doentes mentais em Madison. Hayward não entendia por que via as coisas daquele modo.

Ele tinha dado a uma das duas pessoas que amava permissão para matar a outra.

Eel sabia que não suportaria ver os últimos momentos de Miller e temia o que estava por vir, e descobriu que nem Hayward desejava manter aqueles momentos claros, enterrando-os sob camadas de fumaça e luz e sombra, onde eles existiam apenas como sugestões de movimentos contaminados do início ao fim pela culpa. Relutantemente, vendo de relance um pé se contraindo aqui, uma mão caindo ali, finalmente ela vislumbrou Hayward agachado atrás do amigo cortado, espancado, ensanguentado, guiando, sob as instruções do tio Till, a sua Sabatier pônei de exposição para a lateral do pescoço do Miller. As palavras chegavam distorcidas através da estática visual *use os músculos do seu braço e afunde-a no... depois um forte puxão por toda a extensão...* Naquele instante Eel sentiu um gosto escuro, amargo de veneno fluindo para dentro dela, manchando sua língua, seu palato e sua garganta. Garota adolescente, pássaro, ou um ponto de consciência nadando por outra mente, ela não conseguia suportar o que estava acontecendo consigo e virou para o outro lado, os olhos fechados com força, e tossiu e cuspiu, querendo vomitar.

Então seus pés encontraram uma superfície sólida e o sabor indescritível lavou a si mesmo de sua boca e garganta. A natureza do espaço à sua volta tinha passado por uma grande mudança. Eel arriscou abrir um olho pela metade e espiar pela fresta. Por outras formas de evidência sensória — primeiramente a ausência de uma atmosfera emocional subjacente abafada e superaquecida —, ficou claro que ela havia sido transportada para fora das paisagens oníricas de Keith. O que foi relatado pelo olho meio aberto a tranquilizou: um sofá vermelho estofado de couro encostado numa parede com uma fileira de gráficos pendurados, uma luminária de pé para leitura, uma estante apinhada mas bem-arrumada, um tapete persa sobre um assoalho de madeira de lei encerado.

Essas impressões e reflexões requereram não mais que um segundo e meio.

Eel abriu bem os dois olhos e observou que os gráficos sobre o belo sofá representavam as torturas do inferno.

No que ela não reconheceu como sendo um sotaque de Nova York dos velhos tempos, da classe A, a voz atrás dela disse:

— Ei, garota, como vai você?

Ela se virou e viu um homem de barba castanho-avermelhada bem aparada e cabelos curtos, escuros e cacheados, sorrindo para ela detrás de uma mesa. Suas bochechas eram afundadas e seus olhos se escondiam bem no fundo sob as sobrancelhas cerradas. O homem estava de pé. Entre as mãos, ele segurava uma fileira de livros.

— Você ainda está bem? — perguntou ele e abaixou os livros, colocando-os dentro de uma caixa de papelão onde couberam perfeitamente, como se tivessem sido medidos para aquele espaço. A estante atrás estava meio vazia. Pilhas de caixas de papelão fechadas cobriam o tapete ao lado da mesa.

Eel disse que estava bem, sim. Ela achava que sim.

Ele sorriu, mostrando dentes brancos como dentaduras.

— Sem problemas, sem problemas. Ei, você quer saber o seu futuro?

Ela abanou a cabeça.

— Esperta. Você é muito esperta.

Seus olhos afundados mudavam de cor à medida que ele falava. Quando ela o viu pela primeira vez, eram marrons como o envoltório de um charuto, mas quando ele perguntou se ela queria conhecer seu futuro, ficaram de um azul inocente e brincalhão. Seus olhos se tornaram amarelos dourados e brilhantes enquanto ele admirava sua inteligência.

— A maioria das pessoas quer conhecer o futuro, mas não gosta muito quando fica sabendo. Você não tem nada com que se preocupar, deixe que eu lhe diga. Talvez um pequeno problema aqui ou ali, mas você vai superar. E com estilo, sabe? Primeira classe, é o que você é.

Dali em diante, Eel ia parar de tentar imitar esse sotaque pungente e usaria sua própria voz. De todo modo, poderia ter usado qualquer sotaque que quisesse. O sotaque não era importante.

Ela perguntou onde eles estavam e que espécie de ser sua nova e amável companhia era. Eel pensava que sabia as respostas, mas perguntou de qualquer maneira.

— Ah, você ainda está dentro do meu garoto Hayward — respondeu seu novo amigo. — E você sabe exatamente quem eu sou.

Ela achava que sabia. Ele tinha nome?

— Todo mundo não tem nome, doçura? Eu me chamo Doity Toid.

Thirty-third? Trigésimo terceiro? Eles tinham números em inglês em vez de nomes?

— Não, garota. Não me chamo Thoity-thoid, meu nome é Doity Toid. "D" de demônio. Toid de você sabe o quê.

Haveria uma família inteira Toid, com um avô e uma avó Toid?

— Não é um nome incomum para nós. Nós não temos pais e não temos filhos. Não nos reproduzimos porque nunca morremos, apenas nos gastamos depois de cinco ou seis milhares de anos. De qualquer modo, quando o mundo lá fora muda, um dia, de repente, descobrimos que temos nomes novos. Leva algum tempo para nos ajustarmos, naturalmente. Até mais ou menos seiscentos anos atrás, eu me chamava Sassenfrass. Mas não importa qual seja o meu nome. Meu nome não faz diferença alguma.

Ele se virou de costas, puxou outros sessenta centímetros de livros de uma prateleira atrás dele e, com a mesma confiança de haver calculado com uma tolerância de erro de um milionésimo de centímetro, colocou-os dentro de uma caixa ao lado do primeiro grupo de livros.

— Tenho que preparar as malas bem, bem depressa. Está tudo acabado por aqui e eu tenho que ir. Não sei pra onde ainda, mas dane-se, não dou a mínima. Nesse ramo de trabalho, nunca se fica realmente sem E-M-P-R-E-G-O.

Eel supunha que não. Será que ela podia dar o fora dali também, por favor? E o que ia acontecer ao Keith? Parecia que...

— O que parece é o que é. Até logo, Hayward, e adeus. É uma pena, sabe?, porque esse garoto, ele era um em um milhão. Keith Haywards não aparecem todos os dias, pode apostar nisso. Raro. Muito raro. Mas você deu uma olhada no grandalhão?

Infelizmente, sim.

— Você disse a coisa certa. Esse cara, o nome dele é Badshite* e ele não gosta que ninguém o veja. Isso o enlouquece, sabe? Isso quer dizer que ele

---

* Badshite é formado por "bad", que significa "mau" e "shit", que quer dizer "merda". "Bad shit" pode significar um acontecimento ruim ou algo muito bom, como em "a bad shit CD", que é "um CD maneiro" ou "um CD sinistro". (N.T.)

vai aplicar algum castigo pesado, e Keith se colocou no caminho. Meio que se ofereceu, o maldito garoto. Isso me deixa furioso; ele estava indo tão bem. Nós poderíamos ir longe juntos, eu e ele.

Ele se ofereceu?

— Com certeza é o que me pareceu. Claro que ele não tem ideia do que Badshite vai fazer com ele. As pessoas realmente não entendem nada de demônios. — Suspirou. — Vocês não percebem e, provavelmente, nunca vão perceber.

Não percebemos o quê?

Os olhos de Doity Toid ficaram de um vermelho intenso. Ele pegou um peso de papel de latão na mesa e, por um momento, Eel teve medo de que ele fosse jogá-lo nela. Uma expressão de desprezo passou pelo rosto dele e se abrandou no que pareceu a Eel uma mistura de cansaço e aceitação.

— Você está preparada para isso? Você precisa de *nós*. Esse é o lance. É por isso que estamos aqui.

Ela se perguntou — se existiam demônios, isso não significaria que também existiam anjos?

O demônio tremeu de desgosto.

— O que é você, uma tonta? Você não precisa de grandes tiras protetores com asas, você precisa de *nós*. As pessoas são anjos, entende? Mas sem nós, vocês não conseguem nada que realmente valha a pena.

Desculpe, mas Eel achava aquilo completamente insano.

Doity Toid guardou o peso de papel num espaço exatamente do tamanho dele e deu a volta na mesa. Ele estava coçando a cabeça de cabelos cacheados e lançando olhares enviesados para ela. Seu repentino ataque de mau humor tinha desaparecido completamente. Com ele veio um cheiro de fezes, fraco demais para ser detectado, que se dissipou tão rapidamente quanto tinha surgido. O demônio sentou em cima da mesa, cruzou as pernas na altura dos tornozelos e correu os longos dedos pela barba avermelhada.

Ocorreu-lhe que, por mais amedrontada que tivesse ficado em vários momentos, nunca temera pela própria vida, nem temia agora. Eles — quem quer que fossem — a queriam ali porque queriam lhe ensinar alguma coisa. Seu único verdadeiro medo era o de que não fosse capaz de entender completamente, de ver a coisa por todos os lados: temia que, ao contar para outras pessoas, ela se confundisse.

O que Doity Toid dizia não soava como vindo de um professor universitário de seu tempo, mas, vestido assim de calça cáqui, blazer azul amassado e camisa azul, ele se parecia com um professor. Seus pés calçavam mocassins como os de Milstrap. Seu ar ponderado, paciente, também passava uma impressão professoral a Eel.

— Caras, vocês todos funcionam com um único grande motor, o mesmo para todo mundo pelo mundo afora. Você sabe qual o nome desse motor?

— Amor?

— Boa tentativa, mas completamente errada, sinto muito. O nome do motor é história. Não história, mas histórias.

Ele fez um gesto para trás de si, onde um quadro verde tinha aparecido na frente das prateleiras meio vazias.

Quando ele girou o dedo indicador, a palavra *história* se escreveu em boa letra cursiva no quadro.

— Se você quiser enfeitar a coisa, podemos usar a palavra *narrativa*.

Ele remexeu o dedo e *narrativa* se escreveu no quadro debaixo da primeira palavra.

— E do que uma narrativa precisa? Da presença do mal, é disso que ela precisa. Pense na primeira história, a de Adão e Eva no Jardim. Os primeiros seres humanos decidem, escolhem, de livre e espontânea vontade, fazer a coisa errada, cometer um ato mau. E, por causa disso, são conduzidos do Jardim sem pecados para *este* lugar, o bom, velho, lindo e decaído mundo. Acontece então, o que você sabe, que este nosso mundo surgiu *por causa de* um ato mau! O primeiro demônio, que apareceu sob a forma de uma serpente muito sensual, mais ou menos *criou* o seu maldito mundo, pode-se dizer. E como sabemos disso, como essa informação nos foi dada? Como "veio a nós", como o outro time gosta de dizer? Numa história, numa narrativa pequena e bem feita incluída em poucas páginas do Gênesis.

Certo, disse Eel. Acho que entendi.

— Então experimente mais isto aqui. *Nós* damos livre arbítrio a vocês, portanto somos responsáveis por toda a sua vida moral. Você não pode ter uma história sem incluir um ato mau ou uma má intenção; você certamente não pode obter uma redenção sem ter algum mau comportamento para torná-la suculenta, e o comportamento decente só existe pela tremenda tentação do seu oposto.

Doity Toid chegou mais para perto dela em cima da mesa. Ele se inclinou para frente. No fundo das cavidades, seus olhos brilhavam com uma cor âmbar inquietante.

— E aqui vai algo realmente muito importante, meu docinho. Quando você pensa sobre o mal, você tem que pensar sobre o amor, e vice-versa. Amor, amor, amor, vocês amam amar, vocês amam falar de amor, vocês até cantam o amor, repetidamente, o tempo todo. Isso me dá gases. Me faz sentir nauseado. Me dá uma dor régia no cu. Eu poderia vomitar vidro moído e lâminas de barbear por uma semana, com toda essa baboseira sobre amor. Porque, qual o oposto de amor? Vamos, me diga, você tem língua que eu sei.

Eel disse que o oposto de amor era ódio.

O demônio jogou a cabeça para trás e gargalhou. A gargalhada dos demônios era rica e sombria e invariavelmente afiada com uma ponta perversa de desprezo.

— Ah, isso é o que vocês todos dizem. E isso é o que vocês todos realmente pensam, cada um de vocês. De presidentes e reis a mendigos na sarjeta, os quais, falando nisso, se foram quase todos. Antes, não se podia andar alguns quarteirões sem ver uns pobres coitados arruinados sem teto e sem emprego com doença venérea caçadores de bebida cheiradores de cola fungadores de coca usuários de anfetamina estendidos na sarjeta e fedendo horrores a xixi e merda. Nem os tiras gostavam de pegar esses caras, mas tinham que fazer isso, era trabalho deles jogá-los dentro da viatura e arrastá-los para a prisão, onde eles podiam recuperar a sobriedade até a próxima farra. Agora quase todos esses caras se foram e eu não consigo entender isso. O que aconteceu? Para onde eles foram? Todos morreram de seus hábitos nocivos e não surgiram outros? Por que não? Onde estão os novos decaídos, os novos caras velhos com dentes ruins e hálito fedorento e cê-cê e roupas imundas e rasgadas e rostos sujos e machucados e pés descalços inchados e cheios de feridas?

O mundo muda, disse Eel, que tinha até gostado da última parte da arenga dele.

— Sim, você está certa, garota. Eles não podem mais pegar carona nos trens, a banda Skid Row já era, o Bowery* virou classe média, todos gentrificados** até o inferno, a tolerância pública acabou, não existe mais. E acontece que, para ter mendigos piolhentos, incapazes e autodestrutivos, primeiro é preciso ter uma sociedade generosa. Vai entender.

Mas qual era a resposta certa?

— A resposta certa de quê? Você está começando a me dar nos nervos. Me disseram, sabe? Ei, tenha uma conversinha com aquela garota, e aqui estamos, mas eu tenho que arrumar as minhas coisas, porque isso aqui é como o Bowery, não vai durar por muito mais tempo, você sabia?

Qual é o oposto de amor? perguntou Eel.

— Ah, é, eu me esqueci do assunto.

Novamente engajado, o demônio levantou uma perna e cruzou os dedos em torno do joelho, o que o fez parecer mais que nunca um acadêmico empenhado em frente de uma turma. Ele sorria para ela.

— Ódio não pode ser o oposto de amor, boneca. Você ainda não entendeu isso, não é? Ódio é amor. O oposto do amor é o mal. Claro que o mal *inclui* o ódio, mas é apenas um pequeno subproduto. Quando o amor se deteriora e se desvia, aí é que surge o mal.

Ele soltou o joelho, inclinou-se para frente e abriu os braços. Por um momento, seus olhos emitiram uma luz vermelha de trânsito. Seu rosto enrugado e barbado se projetou para frente, investindo na direção de Eel através do ar viciado.

— Seres humanos estúpidos, a coisa toda está bem na sua frente, mas vocês continuam debatendo se o mal é interno ou externo, inerente a todo mundo ou criado pelas circunstâncias. Natureza ou criação, não dá para acreditar que vocês ainda estão debatendo essa oposição imbecil. *O mundo não é dividido em dois.* Vocês têm o mal dentro de vocês, vocês contêm o mal, essa é a ideia básica. Quando você abre a porta, o que encontra, a

---

* A Bowery Street e seu entorno, em Manhattan, Nova York. (N.T.)

** Gentrificação é a restauração e melhoria de uma área urbana degradada, que passa a ser habitada por gente de maior poder aquisitivo e se torna inviável, pelo custo dos aluguéis, para os antigos moradores. (N.T.)

dama ou o tigre? Ops, sinto muito, você encontra os dois, porque a dama *é* o tigre.

— Nem vamos entrar no tema morte, certo? Milhões de idiotas acreditam que a morte é um mal, como se achassem que deveriam ser imortais. Sem a morte, não haveria beleza alguma, significado algum... e quando se tenta contornar a morte, ou quando se age como se fosse possível evitá-la, aí então é que o mal é liberado.

Eel lhe disse que achava que realmente não entendia o que ele estava dizendo. Ao dizer isso, ficou surpresa por sentir lágrimas em seu rosto. Ela não sabia que estava chorando e nem sabia havia quanto tempo chorava.

— Você vai relembrar isso, aos poucos — disse Doity Toid. Ele escorregou da mesa e dirigiu-lhe um olhar castanho e gentil. — Certifique-se apenas de que você vai se lembrar da parte sobre a dama e o tigre. Isso pode ajudar, quando chegar à última parada.

A última parada?

— Suba estas escadas e abra a porta. Temos que deixar nosso adorável sr. Hayward antes que Badshite crave os dentes nele. Vá até o ponto e entre no ônibus.

O ônibus?

— Ele está esperando. Ande logo, agora. Nenhum de nós tem muito tempo.

Ela limpou as lágrimas do rosto com a palma da mão e percebeu que o que a fez chorar tinha sido a gentileza do demônio. Só isso, nada mais. Não, havia mais uma coisa. Ela não sabia como tinha deixado aquilo de lado até agora.

Keith ia salvar a vida dela, e talvez a de Hootie também, ao se jogar na frente de Badshite, não era verdade? Ele havia *se oferecido*, não foi isso que o seu novo amigo havia dito? Então o mal não tem que permanecer como tal, não é?

— Permanecer como tal? Você ainda está pensando ou/ou, boneca, quando não existe ou/ou, existem os dois. Mallon, o pobre idiota, estava certo pelo menos sobre essa parte. E talvez Keith estivesse mais interessado em algo como Badshite do que em você e no seu amiguinho cabeça de estopa. Pode ser tão simples assim, você sabe.

Ele realmente dissera *cabeça de estopa,* como se seu autor favorito fosse Booth Tarkington ou alguém parecido. Mais tarde, quando ficou mais velha, Eel se lembrou daqueles livros todos que ele estava empacotando e pensou que muitos deles provavelmente eram romances. Demônios como Doity Toid formavam uma espécie de grupo literário.

De qualquer modo, ele a havia despachado e voltado para o empacotamento, então Eel olhou para a esquerda e viu, junto à parede, um lance íngreme de escadas parecendo degraus que levavam a um velho sótão e acenou um adeus. Ele não viu o gesto. O odor fecal que havia notado antes chegou novamente e ela fugiu o mais depressa que pôde.

A porta branca e estreita no topo da escada dava para a rua vazia de uma cidade no crepúsculo tardio. Exalando baforadas brancas pelo cano de descarga, por baixo de uma lâmpada de arco de vapor de sódio de um amarelo cortante, um ônibus de dois andares contendo apenas o motorista e o trocador esperava no ponto, do outro lado de uma calçada larga. Prédios de tijolo altos e sujos se enfileiravam na rua. Havia lâmpadas acesas em poucas janelas apenas, alguns centímetros de luz brilhando por baixo de venezianas arriadas. Ela parecia estar em Londres.

O trocador se curvou para olhá-la por uma das janelas laterais e ela atravessou depressa a calçada e subiu na parte de trás do ônibus, que estava aberta. Imediatamente o motorista engrenou a marcha e o ônibus partiu com um solavanco que quase a fez cair na rua. O trocador, um homem corpulento com vincos profundos na testa permanentemente franzida, agarrou seu braço e puxou-a com firmeza para o interior do ônibus.

Onde devo me sentar?

Virando as costas largas para ela, o trocador perguntou, com um sotaque que ela poderia apostar que era um cockney* perfeito:

— Por que cargas d'água eu vou importar com o lugar em que você vai se sentar?

Senhor, poderia me informar, por favor, para onde estamos indo?

— *Nós* não estamos indo para lugar nenhum — respondeu o trocador com uma voz estrangulada e indignada. Mesmo assim, ele não se virou para olhá-la. — *Eu* estou indo para White City. *Você* está indo para outro lugar.

---

* Sotaque de uma região popular de Londres. (N.T.)

Você sabe para onde?

Diante dessa pergunta, ele girou a parte de cima do corpo e novamente revelou seu rosto para ela. Olhos miúdos, cor de caramelo, a espreitaram de uma paisagem lunar arruinada. Sua boca escorregou para a esquerda e se contraiu num sorriso cheio de dentes quebrados.

— FAÇA O FAVOR DE SE SENTAR.

Ela andou algumas fileiras para frente e se deixou cair num lugar vazio. Então mudou para o lugar da janela e ficou olhando a cidade vazia passar. Onde quer que ela estivesse, ficava muito longe do campo de agronomia, de Mallon e de Hootie. O Gêmeo estava ainda mais distante. Em determinado momento, uma profunda dúvida a invadiu: ela estava perdida num mundo irreal e desconhecido e, em vez de tentar escapar, rapidamente penetrava mais fundo em seu território. O motorista acelerava por avenidas e ruas, passando direto pelos pontos que estavam quase sempre vazios. Duas vezes, em pontos bem distantes um do outro, um homem com uma longa capa cinza, chapéu cinza e óculos de sol tentou parar o ônibus, que vinha em velocidade, levantando um braço que se destacava pela mão vestida com luva preta e, de ambas as vezes, para a imensa gratidão de Eel, o motorista ignorou o sinal e passou voando. Os homens de cinza, Eel sentia, queriam jogá-la para fora do ônibus — queriam frustrar sua missão, impedi-la de chegar ao ponto final.

Tentando pular no estribo traseiro, o segundo homem tinha corrido atrás do ônibus, mas o motorista imprudente aumentou a velocidade e o deixou aos tropeções no meio de uma avenida chamada (ela achava) Alto da Indignação. Estavam correndo tanto que Eel não conseguia distinguir a maioria das placas das ruas por onde passavam. Toda vez que eles zuniam por uma esquina, o ônibus parecia se inclinar para dentro da curva como um motociclista.

Uma longa reta chamada Esquina do Alpinista? Uma avenida larga e malcheirosa chamada Caminho do Dinheiro?

De um bairro com grandes edifícios públicos cobertos de fuligem e perfurados por janelas escurecidas eles entraram em ruas largas (Terraço Amor de Guerra? Largo Ensanguentado?) com fileiras de sólidos e respeitáveis edifícios residenciais, com fachadas em arco e grandes portas georgianas.

Sem olhar para os lados, o trocador robusto subiu o corredor com passos pesados e se jogou num assento bem atrás do motorista. Virando outra esquina, eles entraram numa região degradada, em declive, com prédios comerciais de tijolos e três pavimentos onde imensas igrejas de pedra com torres, arcos e colunas escurecidas brotavam como sapos gigantes esquina sim esquina não.

Para ficar mais longe do trocador, Eel saiu de sua fila e foi bem mais para trás. Quando tornou a se sentar, o trocador se inclinou para o motorista e sussurrou alguma coisa. Ao se aprumar novamente, ele virou a cabeça e olhou diretamente para ela, transbordando de hostilidade e mais alguma coisa, algo parecido com ressentimento. Ele a culpava por ter que trabalhar naquela rota sem fim enquanto a tarde virava noite. O trocador tenso e o motorista impassível, mas imprudente, eram seus condutores e a pilotavam através daquela cidade sem fim.

As lojas e igrejas ficaram para trás e as ruas se estreitaram. Os prédios ficaram mais surrados, menores, apertados um contra o outro em vez de arrumados em filas como soldados. As janelas escuras e sujas encolheram. Largo do Trapalhão, os Chapeleiros, Terraço do Bandolim. Uma esquina estreita, barulhenta deu lugar à Rua Frágil e depois à Via Desmoronada.

Rua após rua de moradias escuras passaram voando pelo ônibus que corria como um foguete, sem nunca uma luz nas poucas janelas. Eel afundou no banco e descansou a cabeça na barra da fileira da frente. As moradias ficaram menores e mais pobres. O ônibus passou por uma placa que anunciava Largo do Mistério ou da Mistéria (um grafite havia escondido as letras finais). As luzes de sódio estavam fracas e havia apenas uma por quarteirão.

Na Via Tremens, o ônibus contornou uma esquina, andou de sete a dez metros e parou abruptamente. O motorista se virou dentro do seu compartimento; o trocador se levantou e, com a expressão de um carrasco partindo para o cadafalso, avançou pelo corredor. O ônibus havia parado na habitação mais pobre da mais pobre das ruas pelas quais tinham passado. O prédio escuro e estreito parecia escorado pelos prédios vizinhos.

Eu não posso saltar aqui, disse Eel. Por favor, não me obrigue.

Implacável, o trocador foi andando até chegar à fileira de Eel. Pelo lado, ela fugiu para o último assento.

Como vou chegar em casa? O que vou fazer?

— Estou cansado dessa frescura — disse o trocador, estendendo o braço e imobilizando o punho dela com a mão enorme. — E estou cansado de você.

O que vou fazer?

— Se quiser você pode se encolher e morrer no meio da rua. — Ele a puxou do assento para o meio do corredor como se ela não pesasse mais que um gatinho.

De seu compartimento, o motorista soltou uma gargalhada.

Eel tentou gritar, mas só um lamento seco que mal parecia humano saiu de sua boca.

O trocador a arrastou para o estribo e a jogou para fora do ônibus. Em menos de um segundo, muito antes que Eel conseguisse se recuperar e tentar pular de volta para dentro do ônibus, o trocador tinha rodopiado, enganchado o cotovelo numa barra e o ônibus já estava correndo, diminuindo até desaparecer na noite.

A fraca luz de arco pareceu virar seu topo idiota para ela. Talvez a luz estúpida estivesse curiosa sobre o que ela pretendia fazer a seguir. Como se fosse um conselho, o sussurro de um som, mais uma sugestão de som que um som propriamente dito, uma expiração sem ar, pareceu vir do prédio repulsivo e aparentemente inseguro diante do qual o ônibus a tinha largado. Eel observou a construção por algum tempo.

Para olhar mais de perto, ela deu um passo em sua direção. No mesmo instante, a porta da frente se abriu com um clique. Seu coração deu uma rápida batida extra. No topo dos degraus, a porta se mexeu no umbral não mais que um sutil meio centímetro para a frente.

Alguma coisa queria que ela subisse aqueles degraus e entrasse por aquela porta. Numa janela do andar mais alto, uma cortina pareceu se mexer. Será que ela estava sendo convidada a entrar? Pergunta estúpida, estúpida. Claro que estava sendo convidada a entrar naquele edifício miserável, naquele local de lágrimas e tristezas e esperanças mortas em sucessão infinita. Mas por que ela iria...?

Então, foi como se toda a alegria e a doçura que jamais existiram atrás da porta no topo da escada descessem em espiral, invisíveis como uma fragrância e se enrolassem ao redor de Eel. Uma grande beleza impessoal falou do centro da alegria e uma grande e requintada dor penetrou seu coração com a consciência da perda no cerne de toda a doçura do mundo. Eel sentiu-se como se uma grande cortina tivesse se levantado e revelado sua vida emocional e por um longo segundo ela estivesse na essência de um significado definitivo: o significado que pulsava no centro da tristeza penetrante dentro da beleza e alegria extravagantes de cada momento na Terra. Então, quase tão logo havia sido experimentada, a sensação de um significado revelado escapou, e já naquela ocasião ela soube que não seria capaz de se lembrar daquele momento surpreendente, fugaz, em todos os seus aspectos entrelaçados e extasiantes. Ele não a deixou; ele *fugiu*.

Foi assim que aconteceu, pensou Eel, você fez o que pôde com o pouco que conseguiu guardar. O que lhe ocorreu em seguida foi que, sem se importar com o que lhe pudesse custar a longo prazo, ela precisava entrar naquela casa espantosa tão logo fosse capaz de mexer as pernas.

— Desculpem todas essas lágrimas — disse Eel, que havia soluçado durante aquela última parte do relato.

— Lee?

Ela estendeu um maço de lenços de papel molhados, que eu peguei e troquei por outros secos e dobrados.

— Ah, é duro — disse ela. — Por favor, fiquem comigo.

— Não vamos a lugar nenhum — disse eu. — Você consegue continuar?

— Ah, sim. — Ela sorriu na minha direção. — Se você pode aguentar essa, eu posso.

Suas pernas covardes não tinham propriamente vontade de se mexer, *disse Eel*, mas ela forçou-as a carregá-la para frente em direção ao primeiro degrau. A sensação de um grande significado revelado ainda se agarrava a ela.

Eel subiu os degraus e parou diante da porta. A porta estava talvez um centímetro e meio aberta. A fresta revelou somente uma escuridão cor de carvão. Por um momento, sua empreitada lhe pareceu duvidosa e cercada de perigo. Um brutamontes de uniforme de cobrador de ônibus jogou-a na rua em frente a um edifício parecendo assombrado e prestes a desabar e agora ela estava pensando que devia entrar nele? Por causa do conselho de um *demônio*?

Sua mão trêmula tocou a áspera superfície da pintura avariada da quina da porta.

A pintura parecia não ser de cor alguma. Ela não acreditava na existência de uma não cor, no entanto ali estava ela, nem cinza nem branco, nem verde, nem amarelo, nem alabastro, nem marfim, nem qualquer das cores reais que ela sugeria em sua nulidade. Embora morta, na luz cinzenta e com a sugestão de um reflexo da lâmpada de sódio, ela parecia cintilar com a tonalidade de uma gota de chuva ao se formar embaixo de uma nuvem.

Por uma fração de segundo, Eel pensou que pairava à beira de um abismo, como Brett Milstrap, mas pior. Então ela disse a si mesma: *Muito embora rudemente, fui trazida para este lugar e tudo será em vão se eu não entrar.* Ela agarrou a beirada da porta, abriu um vão de uns sessenta centímetros e deslizou para dentro do velho edifício.

Sua primeira impressão, de que nada aconteceu, atingiu-a com uma onda soturna de desapontamento. Uma parte de sua mente esperava uma revelação, uma chave para o grande quebra-cabeça sobre beleza, doçura e dor que o edifício lhe havia enviado. Agora ela estava de pé entre uma porta descascada e em más condições e uma escada sombria, parecendo insegura, num saguão areento. Até a poeira parecia cansada. Gerações de vidas frustradas tinham cruzado aquela escada.

Eel pisou com cuidado o chão imundo. Quando pousou o pé esquerdo no primeiro degrau, os restos cinza-poeira do carpete da escada, algum dia de cor alegre e agora da mesma nulidade de gota de chuva da pintura da porta, se desfizeram em partículas e caíram como que peneirados. Tocando o corrimão com a ponta de um dedo, ela levantou o pé direito e o colocou ao lado do esquerdo, causando idêntica destruição nas fibras gastas. Ela subiu o segundo degrau, olhou para cima e gritou um cumprimento.

Olá?

O silêncio respondeu com mais silêncio.

Tem alguém aí em cima?

Novamente silêncio. Ela pensou na sua voz flutuando escadas acima, rodopiando pelos quartos, armários, banheiros e se movendo pelo terceiro andar, anunciando-se em cada cômodo, pequeno e grande. Se Eel pudesse seguir a sua voz tão livre de peso e tão depressa, ela imaginou, o que será que veria? Uma cortina no último andar se mexera, uma porta se abrira. Alguma força a convidara a entrar, ou assim ela imaginara. Mais que imaginar, ela havia sentido. No segundo em que tinha se aproximado do prédio, uma intuição repentina praticamente a levantou e carregou para frente. Será que tudo isso tinha vindo do prédio, ou de algum ser dentro dele?

Antes que ela tivesse ao menos acabado de se fazer a pergunta, a convicção de que a resposta era um ser, não o prédio, bateu dentro dela com uma autoridade rude e indiscutível. Era como ser esbofeteada pela mão gigantesca de uma criatura monstruosa impaciente com suas dúvidas e medos.

Claro que eu estou aqui, sua criança idiota. Como eu poderia chamá-la se não estivesse?

Se existiam demônios, então, presumivelmente, existia uma Divindade. Antes mesmo que Eel tivesse elaborado o que isso implicava para ela, ela começou a tremer.

Sabendo apenas que a tentativa era necessária, ela descobriu que seu corpo estava querendo subir mais dois degraus. Então percebeu que seus joelhos, como os do pobre coitado do Miller, estavam tremendo tão violentamente que logo seria incapaz de ficar de pé. O prédio balançava ao seu redor. Eel parou de se mexer, abaixou-se e comprimiu a parte superior do corpo contra os degraus. A parede do seu lado esquerdo se transformou em líquido, em gás, em nada, e o corredor pequeno além do corrimão se despedaçou como o carpete da escada sob seus pés.

Um ar frio e imóvel pairava à sua volta. Por baixo de suas mãos, sua face e seus quadris, o toque gélido do mármore queimava. Diretamente à sua direita, onde um instante atrás o corrimão e uma parede morta e sem cor tinham estado, havia um espaço vasto, escuro, tridimensional, cheio de buraquinhos de alfinete, que ela levou um tempo para reconhecer como estrelas. Isso estava tão longe, além de ser demais para ser absorvido, que ela fechou os olhos e por um momento se concentrou na experiência incomum de sentir sua pulsação no cérebro. Antes de se arriscar a abrir os olhos novamente, ela virou a cabeça para olhar somente o que estivesse diretamente na frente deles.

A grande, embora apavorante, tentação era olhar para o lado, mas ela não podia se permitir tal risco até estar ancorada no que estava próximo. Comprimida contra uma laje de mármore verde-escura entremeada de riscos brancos e dourados, seus dedos pareciam pequenos, pálidos e quase inúteis. Aquele mármore gelado tinha substituído a escada e se tornou seu foco imediato. Tudo o mais voltaria ao seu lugar assim que ela tivesse solucionado a questão da escada instável. A coisa era bastante débil, mas serviria. Eel ergueu-se sobre os joelhos e viu que o lance de escadas dentro da residência frágil tinha realmente se transformado em mármore verde. Estranho, sim; bizarro, certamente. Ah, podemos todos concordar sobre esse ponto, não podemos? Sim, estamos de acordo quanto a isso. Mas o problema é todo o resto.

Porque no minuto em que deixamos nossos olhos se desviarem dessa bela mas surpreendente escada, categorias como *bizarro* e *estranho* se reduzem a pedrinhas duras e frias; tornam-se nada, pobres coisas. Um longo tempo se passaria antes que a palavra *bizarro* provocasse qualquer coisa dentro de Eel que não fosse um vago assombro ante sua insuficiência. As escadas de mármore estavam flutuando sem sustentação, no meio do ar, na verdade não apenas no meio do ar, mas aparentemente no espaço profundo: sem sustentação, pairando como um satélite. Em ambos os lados não havia nada a não ser o ar frio e imóvel; por baixo e atrás, a mesma coisa. Em seus dezessete anos, Eel nunca se sentira tão amedrontada, tão deslocada e em risco. Estava presa entre planetas e cercada por luzes frias de estrelas que pareciam furinhos de alfinetes. O problema real, entretanto, era o que estava no alto das escadas.

Mais cedo naquele dia, pareciam várias horas mais cedo, mas na verdade eram apenas alguns minutos, ela havia visto uma porta parcialmente aberta no topo dos degraus da fachada de uma residência. Superficialmente, isso também era verdade quanto à sua presente situação. No topo da escada de mármore para a qual ela havia sido transportada havia uma porta parcialmente aberta. Era mais alta e mais larga, absolutamente mais grandiosa. De maneira distinta da porta da frente da residência, esta porta, *sua* porta, emanava uma luz ofuscante.

A luz a arrasou.

Não, não somente a luz. Tudo em relação ao cômodo acima dela deixava Eel tensa. Ocasionalmente, a luz variava de tal maneira como se traísse a presença de alguma coisa se movendo dentro do cômodo. Um homem caminhando pra lá e pra cá, uma mulher andando. Algo que não era nem homem nem mulher se mexendo lentamente, deliberadamente, dentro do seu quarto, mostrando para ela que estava lá. Sobre essa presença dentro do quarto, Eel não podia nem pensar. A saliva secou na sua boca; os cabelinhos louros de seus braços se arrepiaram como penas.

O quarto, ela pensou, seria pequeno e silencioso, quase vazio. Qualquer que fosse o seu tamanho físico, o ser dentro dele não era pequeno nem imóvel. Amor e indiferença, o civilizado e o selvagem, compaixão e crueldade, beleza irresistível e feiura esmagadora, toda qualidade possível e natural pululava dentro dele, fervia, expandida para além de nossa capacidade de entendimento, portanto era insuportável — era bonito demais, glorioso demais, furioso demais também, destrutivo demais e desconhecível demais para ser contemplado por mais que um nanossegundo.

Como exemplo da milionésima parte do que ele continha, o ser expectante no topo das escadas cedeu-lhe estas imagens em cadeia, até ela não aguentar mais:

Um rei, urrando, baixou sua espada e decepou o braço infectado de um camponês que chorava;

um *barman* com cabelos pretos e ásperos e rosto impassível de camponês baixou o cutelo e decepou a mão ladra do cliente;

um cirurgião numa sala branca de cirurgia cortou a mão de um paciente com o golpe certeiro de uma serra de cortar osso;

um amante despido cortou fora a mão pálida de sua amante nua com o beijo brutal de uma faca de *chef*;

numa sala de equipamentos vazia, um estudante com uma expressão cruel no rosto puxou uma faca comprida da cintura e cortou fora a mão de um professor de ginástica enorme e de rosto vermelho, cuja outra mão, mexia na sua braguilha;

um ladrão numa alameda cortou a mão de uma velha com um rápido golpe de faca;

um operador de máquinas mordeu os lábios e meteu a mão dentro de uma cortadeira;

um árabe de túnica baixou um machado e decepou a mão de um batedor de carteiras condenado pela terceira vez;

Depois dessa nona repetição, Eel gritou por alívio; e lhe foi dado:

um campo dourado de flores de mostarda;

um riacho de montanha dançando e brilhando;

um feixe de luz do sol entre os cânions de arranha-céus de uma avenida em Manhattan;

um rosto radiante vislumbrado numa janela;

uma vela bruxuleando e depois brilhando;

uma menininha vestida de princesa atravessando descalça um gramado verde cintilante;

um copo d'água sobre uma mesa num quarto vazio;

e soube que, visto de certa maneira, a presença no quarto acima era o copo d'água, e que aquela entidade pura e transparente era eterna e intolerável; e que o objetivo dos não cachorros tinha sido proteger os seres humanos, evitando seu contato próximo com aquela presença eterna e intolerável.

Assaltada ao mesmo tempo por amor e terror, uma combinação insuportável, a Eel de dezessete anos, que estivera chorando incontrolavelmente, descansou a cabeça sobre os braços, urinou nos *jeans* e chorou mais um pouco. O líquido morno desceu por suas pernas, esfriando ao cruzar as plataformas de mármore dos degraus. As costas arfavam, os olhos transbordavam, o estômago tremia. Até onde lhe era possível pensar, ela pensou: *Então o Grande Mistério e o Segredo Final é que não podemos tolerar o Grande Mistério e o Segredo Final.*

Quando finalmente conseguiu interromper os soluços, o choro e os gemidos, Eel descobriu que suas mãos estavam espalmadas sobre grama e não mármore e que não havia degraus de pedra penetrando em suas coxas e quadris. Com uma enorme, inacreditável inspiração de ar, ela lutou para se pôr de pé. A um metro e meio adiante na elevação, o corpo mutilado de Keith Hayward jazia no centro de uma poça de sangue que encharcava a grama. Hootie havia desaparecido. Meredith havia desaparecido. Boats estava agachado no chão, soluçando e apertando a cabeça.

Atordoado, Spencer Mallon vagava descrevendo uma trajetória oval frouxa, irregular, obviamente incapaz de ver a maior parte do que realmente estava diante de si. Os espíritos saltitantes e outros seres tinham voltado para seus domínios, e, através da névoa rosa alaranjada que tinha marcado o limite de sua visão, Mallon localizou Dilly Olson, que olhava diretamente para ele em adoração, disposto a fazer o que quer que ele desejasse. Que Mallon também podia ver Eel era óbvio pelo olhar que lhe devolveu, que dizia que, afinal de contas, ele havia testemunhado pelo menos alguma coisa do que ela havia feito. O rosto dela estava um horror e a urina escurecia ambas as pernas do seu *jeans*. Esses poréns não causaram impressão em Mallon. Realçado por sua verdadeira modéstia, tudo que ela amava nele ardeu como uma fogueira. No entanto, independente do quanto ele a admirasse, Mallon ia partir; com Dilly preso a si como que por uma correia, ele iria embora em corrida desabalada.

Spencer voltou as costas para ela e começou a andar depressa em direção à Glasshouse Road. A correia de ouro já tensa, Dilly correu junto. Num instante, eles já tinham fugido. O surpreendente peso de sua tristeza empurrou Eel de volta à tarde do dia anterior, quando se tornara um farrapo branco e miserável voando pelo campo, invisível para todos, exceto Hootie Bly.

■

— Eu vi isso! — explodiu Hootie. — Você tem que estar falando a verdade. Eu nunca falei disso com ninguém. Ah! Eu interrompi você. Sinto muito, Eel. Desculpe, desculpe, desculpe.

— Você não me interrompeu, eu já tinha terminado. Tenho total certeza disso, de qualquer modo. Depois do que acabei de suportar, é melhor que tenha terminado.

O mundo além das janelas tinha ficado escuro. Boatman havia acendido apenas a luz de um abajur durante o relato e seu brilho deixava grandes espaços sombrios na periferia da sala.

Eel limpou o rosto com um bolo de lenços de papel, assoou o nariz neles e depois andou até o cesto de lixo debaixo da lareira e os jogou fora. O maço de lenços errou o cesto por alguns centímetros. Na luz fraca, nós quatro olhamos o lento desdobrar dos lenços e decidimos fingir que eles tinham caído no cesto.

— Opa; como vocês viram, eu errei — disse Lee Truax. — O som que o cesto faz é realmente diferente. Vocês ouviriam, caso prestassem atenção nas coisas. Obrigada, gente. Agora, claro, estou sem graça com o tato de vocês.

Ela se abaixou e tateou à procura dos lenços. Na segunda tentativa, achou-os.

— Parece que estou um pouco longe agora — disse ela, tomando cuidado para posicionar o maço sobre a cesta antes de deixá-lo cair.

— Por que você não se senta?

— Porque não estou com vontade de me sentar agora. Se eu ficar de pé, pelo menos tenho a chance de manter o meu autocontrole. Eu realmente o perdi agora há pouco, não foi? Bem, eu só... — Os traços do seu rosto se afrouxaram com uma repentina onda de emoção. — Eu só... — Seus olhos se fecharam, ela sacudiu a cabeça e fez movimentos abruptos de afastar algo com a mão direita.

— Nós estaríamos exatamente da mesma maneira — falei. — Chore à vontade, Lee. E, sério, não fique de pé.

— Eu estaria um milhão de vezes pior do que você está — disse Hootie. — Eel, você é incrível. Isso é o que você é: incrível.

Ela ignorou os cumprimentos e, num desses momentos que incomodam e constrangem os convidados de um casal que começa a implicar um com o outro em público, falou diretamente para mim: — Quero ficar de pé, certo? Eu já disse isso pra você. Tem uma coisa que eu ainda preciso falar.

— Está bem. Por favor, vá em frente. Você vai se sentar de novo? — Eu me levantei e dei um passo na direção dela.

— Nós dois vamos nos sentar. Não preciso de ajuda. Estou na minha casa. Por favor, Lee.

— Tudo bem — falei. — Claro que está. Desculpe.

— Todo mundo está me pedindo desculpas hoje. Por favor, rapazes, parem com isso.

Ela andou na direção da cadeira, obviamente sentindo o caminho com o pé somente no último minuto. Depois de se sentar, Lee Truax fechou as mãos sobre os apoios de braço e se colocou ereta, com as costas a uns bons quinze centímetros das costas da cadeira. Parecia a rainha de um reino pequeno e um tanto boêmio com uma boa quantidade de ouro em seu tesouro. Meus olhos se embaçaram e, de algum modo, Eel parecia saber disso, porque ela virou a cabeça para mim e disse:

— Ah, eu não sou tão especial assim, você sabe. Não faça drama.

— Registrado — disse eu, lembrando-me de não pedir desculpas.

— Eu não sabia que ainda tinha o que dizer — contou ela. — E então me vi atrapalhada com aqueles lencinhos e percebi que depois de fazer vocês ouvirem tantas coisas malucas, eu lhes devia mais isto. Então, estou quase acabando, mas não acabei inteiramente. Quero que vocês saibam tanto quanto eu sobre isso tudo. Parece justo, não?

Balbuciamos sons de assentimento e Eel se inclinou para frente e apoiou os cotovelos sobre os joelhos.

— Tudo bem — disse ela.

Últimos pensamentos de Eel

Então a principal questão sobre tudo o que ela havia falado, *continuou Eel*, era se tudo aquilo tinha acontecido ou não, não é verdade? Ou colocando de outra maneira: será que Eel realmente acredita que toda aquela coisa maluca aconteceu de verdade? Será que Spencer Mallon havia descascado material suficiente do nosso mundo para que uma horda de espíritos e demônios saísse aos trambolhões de lá de dentro? Será que ela entrara em Keith Hayward e desfrutara de uma conversa amigável com um demônio literato que simulava um sotaque antiquado das ruas de Nova York? Será que fora jogada de um ônibus em Londres e se urinara na escada de mármore diante da Divindade? Cada uma das coisas que ela testemunhara e fizera pode só ter sido resultado de estresse ou medo — de hormônios até, produto de substâncias químicas queimando no seu cérebro.

Mas.

Por mais simplório, por mais completamente lunático que parecesse até para si mesma, ela ainda pensava que cada pedacinho daquilo realmente tinha acontecido. Se o único lugar onde aquilo tinha acontecido de verdade fosse a sua imaginação, então, ainda assim, aquilo realmente tinha acontecido.

Uma porção de vezes, Eel disse para si mesma que tinha aprendido muito mais com o bom e velho Gêmeo do que jamais aprendera com Spencer Mallon.

Ela queria lhes contar a razão específica que tinha para acreditar que tudo que havia dito era a verdade literal. Era sobre algo que aconteceu muito, muito depois dos tempos em que eram estudantes do secundário em Madison, muito depois de Eel e Lee Harwell se casarem, e muito depois do surgimento de sua cegueira e de seu envolvimento com a CAC, especialmente com as seções de Chicago e Rehoboth Beach.

Então, houve uma vez...

— Você está bem? — perguntei.

— Vou ficar, se você me deixar explicar isto — respondeu Eel.

Uma vez ela teve que ir, pediram que ela fosse, para Rehoboth Beach para ver se ela podia corrigir um problema da CAC antes que tivessem que envolver a polícia no caso. Tinha a ver com uma questão criminal, fundos sendo roubados da tesouraria, sempre um pouco de cada vez, mas a soma tinha chegado a uma quantia apreciável, algumas dezenas de milhares de dólares. Vocês têm que saber — Eel *amava* a seção de Rehoboth Beach. Ela dera muito de seu tempo ajudando a organizar a seção e aceitou fazer o que pudesse assim que lhe pediram.

Não há razão para entrar em detalhes sobre tudo que aconteceu quando ela esteve em Delaware daquela vez. Eel resolveu o problema deles. Ela conseguiu que a ladra confessasse, os fundos foram devolvidos através de um pagamento parcelado e ela voltou para sua casa em Chicago com a satisfação de ter feito bem o seu trabalho. Entretanto, há mais coisas nessa história. Durante os quatro dias que passou naquela praia turística, tinha acontecido algo que a aborreceu demais e tornou extremamente difícil prosseguir com o trabalho. Esse acontecimento trouxe de volta tudo que havia atingido Eel no campo e ela teve que trabalhar duro para deixar aquilo de lado e se dedicar à sua tarefa. Embora tivesse sido incapaz de deixar transparecer o que se passava com ela, e de fato não pudesse demonstrar nada devido à natureza do seu papel, ela atravessou um período de desagrado e repulsa, uma náusea que incluía uma porção saudável de completa aversão. Se ela tivesse demonstrado qualquer agitação, toda a missão poderia ter ido por água abaixo.

Imaginem uma sala de reuniões de bom tamanho com uma grande mesa no centro. Não havia luzes acesas, porque todas as pessoas que entravam nessa sala eram cegas. Outra coisa que vocês têm que tentar imaginar é que o ambiente ao redor era quase sufocante de tão luxuoso. Pesados candelabros de ouro, apagadores de vela de ouro. Algumas tapeçarias, um lustre de cristal. Agora, nenhuma das pessoas podia ver nada disso, mas tudo contribuía para criar certa atmosfera — era o ar que se respirava quando se estava iniciando algo sério, algo sujo em seu âmago. Naquela sala, Eel passou cerca de uma hora com uma mulher que havia cometido um assassinato.

Sua história, e era somente uma história, surgiu sem mais nem menos. Não tinha nada a ver com o dinheiro roubado. A mulher que havia cometido o assassinato estava tentando chocá-la — ela sabia que Eel não iria entregá-la. Fazia parte do acordo desde o começo. Elas podiam falar com impunidade, não importando o que dissessem. Entretanto, essa mulher em particular, a assassina, contou-lhe uma mentira. Ela falseou o que havia acontecido para se apresentar mais como vítima que como assassina.

Um antigo amante a havia cegado e o testemunho dela o havia mandado para a cadeia. Ela contou para Eel que, depois de libertado, ele descobriu onde ela estava morando e telefonou pedindo um breve encontro. Ela recusou, mas ele implorou e implorou, e, finalmente, ela concordou em encontrá-lo para tomar um café num lugar perto do seu apartamento. No dia, as coisas correram surpreendentemente bem e ela disse sim quando ele perguntou se podia levá-la em casa. Quando ela chegou a essa parte da história, Eel sentiu — tinha certeza de que sentiu — uma outra presença se aproximando dela. Custou-lhe alguns segundos para perceber ou, se quiserem, para imaginar, que era Keith Hayward, alguma parte de Keith Hayward, que estava lá junto dela.

Aquela mulher disse que o homem arrastou-a por um terreno baldio e jogou-a no fundo de um barranco onde, em vez de estuprá-la, a manteve deitada por um tempo, soltou-a e disse que só queria que ela soubesse como ele tinha se sentido todos os dias durante os anos em que esteve na prisão. Ela disse que ficou tão enfurecida que perdeu o controle e acertou a cabeça dele com uma pedra. E continuou batendo com a pedra até esmagar seu crânio. Nessa altura, um jovem admirador entrou em cena e a ajudou a se limpar antes de voltar até o fundo do barranco e se descartar do corpo.

Quando a mulher contou a parte do terreno baldio, o braço de Keith Hayward deslizou sobre o ombro de Eel. Ela quase podia ouvir a respiração de Keith no seu ouvido, tão próxima da sua estava a cabeça dele. Era como ser abraçada pelas costas por uma lesma. Ela ficou amedrontada e enojada demais para se mexer e, claro, não podia deixar a outra mulher saber o que estava acontecendo. Mas aqui está o que ela pôde sentir: Keith Hayward estava adorando a história dessa mulher; ela o excitou até a ponta de seus dedinhos sujos do pé. Quando a história acabou, ele teve uma espécie de tremor de êxtase, como a versão demoníaca de um orgasmo! Foi ouvir sobre o assassinato que o excitara, ela achava. E achava que, de todo modo, ele sabia que ela lhe devia isso.

Sim, ela lhe devia, foi o que Eel disse. Ela achava que lhe devia isso, pelo menos... o esquálido prazer que a história da mulher lhe deu. Afinal de contas, no último dia de vida de Keith, ela havia feito uma extensa viagem através da mente e da memória dele. Era até possível que ele tivesse sacrificado sua vida por ela. Eel achava que isso não tinha acontecido, mas não podia deixar de lado a possibilidade. Ela havia passado um bocado de tempo no mundo interno de Keith Hayward, o que havia criado vínculo suficiente para que ela deixasse ele ficar ali junto naquele momento terrível. Nada tem só uma direção, não importa o que a gente sinta.

Alguns meses mais tarde, ela estava pensando sobre tudo isso, principalmente porque sua cabeça não a deixava fazer outra coisa, e lembrou-se de ter sentido que, por mais terrível que isso soe, Hayward estava tirando prazer demais, e que seu prazer era complicado demais para o que ele e ela estavam ouvindo. Ele havia ouvido mais que ela, mas ela não podia imaginar o que seria. Pouco tempo depois, um dia em que ela estava fazendo um relatório em seu escritório, no andar de cima de sua casa, ocorreu-lhe que o repugnante Keith Hayward havia percebido imediatamente que a mulher estava mentindo. Ela havia marcado o encontro e atraído o homem até o barranco e seu admirador havia saído detrás de arbustos, pulado em cima dele e o matado. Tanto quanto com o assassinato, Keith tinha gozado com a mentira.

— Portanto, é por isso que eu acho que foi real — disse Eel. — Eu pude senti-lo lá comigo naquela sala, nosso velho amigo, Keith Hayward, de volta para cobrar uma promissória assinada por mim. Não sei como consegui ir até o fim daquela entrevista. Antes de poder encarar o pessoal da CAC novamente, tive que subir ao meu quarto e tomar uma chuveirada. *Mas tudo bem*, disse a mim mesma, *agora eu sei que tudo aquilo realmente aconteceu.*

Ela relaxou nas costas da cadeira e deixou as mãos caírem ao lado do corpo. — Não dá pra dizer mais nada. Só que eu não acredito que Shane morra no final de *Os brutos também amam*. Mallon era só papo furado.

— Sim, concordo — disse Hootie. — Eu também não acredito que ele morra.

— Claro que ele não morre — disse Boatman.

— O Shane não morre de jeito nenhum — disse Don. — Eel, você entendeu certo.

Eles estavam concordando em série com tudo que ela havia contado. Tinham se filiado ao partido de Eel; estavam convictos.

— Você está com a gente, não está, Lee? — perguntou Don. — Nem preciso perguntar. Eu sei.

— No final daquele filme, Shane já era — falei. — Ele já estava morto antes de bater no chão.

Um silêncio chocante encheu a sala.

— E no final de *Casablanca* — continuei — Humphrey Bogart e Claude Rains vão andando direto na direção da hélice do avião e são cortados em pedaços.

Lentamente, Hootie, Boatman e Olson viraram a cabeça na minha direção. Lee Truax soltou uma risadinha abafada. Os três outros homens na sala se viraram para olhá-la. Então Hootie apontou para mim e deu uma gargalhada. Don abanou a cabeça, balançou a cadeira para trás e riu.

— Não entendo esse tipo de humor — disse Jason. — Desculpe, mas eu não entendi nada.

— Não precisa entender — disse Eel. — Você é muito bom como é.

■

Prevendo uma noite longa, preparamos uma grande quantidade de comida e, depois que Eel chegou ao fim de sua história e assegurou a Boatman, gentil mas falsamente, que sua falta de até o mais rudimentar senso de humor não o diminuía aos seus olhos, todos nos seguiram para a sala de jantar e serviram-se de fatias de costeleta, frango assado, legumes cozidos, aspargos no vapor, cogumelos sauté, batata-doce frita e, como um aceno ao fantasma de Keith Hayward, uma torta de cerejas que eu trouxe de uma confeitaria da vizinhança. Garrafas de um *pinot noir* do vale de um rio russo, um *cabernet sauvignon* do vale de Napa, um *pinot gris* alsaciano gelado, um uísque escocês de dezesseis anos, um *bourbon* de vinte anos, água de *iceberg*, suco de uva galês estavam num aparador com copos, balde de gelo e pinças.

A conversa parecia anticlimática a todos e caiu em frequentes silêncios onde os únicos sons ouvidos eram o tinir e o arranhar dos talheres na porcelana. Cubos de gelo chacoalhavam num copo de suco de uva.

Eu disse:

— Suponho que não haja esperança para aquele garoto, o Milstrap, mas será que ao menos ele pode esperar a morte?

— Acho que não — respondeu Don. — Acho que nada morre naquele mundo. Eles nem envelhecem. Só vão ficando cada vez mais loucos.

— E isso é uma forma de libertação, pelo menos? Uma forma de escape?

— Pelo que eu sei — disse Hootie — as coisas não melhoram quando você enlouquece. Elas tendem a piorar, e depressa.

— Isso pode não ser verdade para Milstrap — disse Boatman. — A última vez em que o vi faz talvez uns dezoito meses. Ele estava sentado no meio-fio da Morrison Street, ao que parece só olhando os estudantes passarem. Vocês conhecem a peça: bermuda cáqui, camisa polo, jaqueta de madras. Mocassins sem meias. Ainda se vestindo como um rapaz de fraternidade de meados dos anos sessenta.

— Às vezes eu fico pensando, onde será que ele consegue as suas roupas? — comentou Don. — Será que existe um dispensário em algum lugar?

— Não tenho ideia. Mas o fato é que ele não parece maluco. Nem ao menos parece tão desesperado como costumava ser. Cara, houve ocasiões em que eu vi esse sujeito e atravessei a rua para não passar perto dele. Na Morrison Street, porém, ele parecia apenas exaurido e resignado. Ele acenou para mim, só que com um sorriso triste no rosto.

— Talvez ele estivesse se despedindo — disse Hootie. — Sinto que ele não tenha vindo me ver também. — Mordeu uma cenoura cozida e mastigou por alguns segundos. — Mas também fico feliz que ele não tenha vindo.

Pouco depois, os homens envelhecidos que carregavam dentro de si a brasa viva de Dill, Boats e Hootie se despediram, me abraçaram, beijaram Eel, que tinha ficado muito cansada, e partiram para seus diversos destinos.

Eel e eu fechamos a porta da frente e voltamos para a sala de jantar para recolher os pratos e guardar a comida que sobrou. Quando ela voltou da cozinha depois de lavar os pratos, eu disse:

— Vá se deitar, querida, eu cuido do resto.

— Vou arrumar só mais um pouco. — Ela meteu as hastes de alguns cálices de vinho entre os dedos e, com a mão livre, pegou um copo baixo e largo de coquetel que exalava, como que em sucessivos anéis, o aroma de uísque caro.

— Hum, eu queria te perguntar uma coisa — falei, e olhei-a de uma maneira tão insegura e dividida que imagino que foi o que a fez parar em seu caminho para a cozinha.

Não, pensei, *não foi a maneira como a olhei. Como poderia ser? Ela percebeu alguma coisa na minha voz.*

— Ah — disse ela, com uma voz neutra. — Pode perguntar. Por favor.

Tive a sensação de que ela já sabia o que eu queria perguntar. De qualquer modo, fui em frente:

— Pensei como seria bom se, quando você estava voando por aí como cotovia, você nos tivesse visto no jardim daquele *pub* em Camden Town. Julho de 1976 foi um mês maravilhoso. Eu ainda me lembro de quando vi aquela cotovia.

— Eu também me lembro de você vendo a cotovia.

Eu me dei conta de que ela podia se lembrar daquele momento de mais de uma perspectiva.

— Mas continue — disse ela, e eu tive uma estranha certeza de que Eel sabia o que eu tinha em mente.

— Eu estava me perguntando se você também me viu fazendo papel de bobo no calçadão do lado de fora daquele seu hotel.

— Aquele hotel não é meu, mas sim, eu vi. — Ela pousou os copos sobre a mesa de novo e deixou os braços caírem ao longo do corpo. — Claro que, quando eu tinha dezessete anos, não podia ter certeza de que era você, ali de tocaia. Eu só cheguei a essa conclusão muito depois.

— Eu fui um idiota.

— Você já sabia que estava sendo idiota — disse ela. — Por isso é que comprou aquele chapéu ridículo e aqueles óculos escuros horríveis.

— Posso pedir desculpas agora?

— Você pode fazer o que quiser. Como eu disse a Jason Boatman, você é ótimo como é.

— Você acha isso mesmo?

— Tanto quanto eu achei naquela época. Talvez um pouco mais.

Sorri e entendi com absoluta certeza que ela estava consciente daquilo.

— Nós realmente não queremos mais saber de Jason, não é?

— Levar uma vida de ladrão por mais de quatro décadas não acrescenta muito ao caráter de uma pessoa. Ele virou um chato. Mas talvez ele sempre tenha sido chato e nós não percebíamos.

Com isso, ela tateou os cálices com os dedos e ajeitou-os novamente em suas mãos. Então, pegou o copo de uísque e entrou sem hesitação na cozinha. Eu segui atrás, carregando duas mãos cheias de talheres. Ela pousou os copos na bancada, e eu, depois de ajeitar os talheres, coloquei o copo de uísque dentro do lava-louças e os cálices de vinho na pia.

Ela se encostou à bancada de madeira no centro da cozinha e ficou me esperando.

— O que você fez foi maravilhoso — disse eu.

— Você quer dizer naquela época ou agora?

— Agora. Com todos nós ali.

— Obrigada. Mas tenho que ir pra cama; estou exausta.

Apoiei a face numa das mãos e olhei para ela.

— Mas já que estamos falando no assunto — disse ela — você precisa saber que eu acho mesmo que o coitado do Keith Hayward realmente fez algo grande também. Altruísta, de qualquer modo.

— Você acha que ele realmente se sacrificou? Você disse que não tinha certeza.

— Ninguém queria ouvir isso. Jason e Hootie detestavam a ideia.

— Isso não se parece muito com Hayward, você tem que admitir.

— Eu sei. Mas eu estava com ele, fui ao restaurante com ele. Ele estava se sentindo miserável; nem entendia isso, mas, do seu modo patético, ele amava Miller de verdade. Ter entregado o rapaz ao tio assassino o deixou doente de culpa.

— Mas como isso... por que ele faria...?

— Se sacrificar por mim? Porque ele sabia que eu tinha entendido a respeito de Miller. Que ele não era de todo mau; que havia pelo menos algum tipo de centelha nele.

— Então ele trocou a vida dele pela sua.

— Meredith obviamente pensa que ele fez isso por ela, para salvar a vida *dela*. Talvez eu esteja tão iludida quanto ela. Nós duas nunca vamos saber realmente. Mas eu o vi pensando. Ele sabia que eu tinha entendido.

— Então ele...

— Ele estava fazendo uma reparação por Miller. Sim, é o que eu penso.

— Impressionante.

Levantei sua mão e a coloquei onde a minha tinha estado, do lado do meu rosto. Ela não puxou a mão. Por um momento, ficamos os dois assim, sem mexer ou falar.

— E o que mais?

— Eu sinto... é como se... eu tenho a sensação de que nós nos libertamos.

— Você também sente isso? Que bom.

Por fim ela sorriu para mim. Com um tapinha final, ela deixou a mão cair.

— Agora que você é um homem livre, planeja escrever um livro sobre Mallon e o que cada um de nós fez?

— Parece que eu já escrevi esse livro.

— Ah. — Ela sorriu novamente. — E então?

Não pude evitar — uma gargalhada brotou dentro de mim e voou da garganta. *E então?*

Agradecimentos

Gratidão e admiração por meu amigo Brian Evenson, cujo extraordinário romance *The Open Curtain* (A cortina aberta) sugeriu tanto o material quanto a abordagem do subcapítulo intitulado *A matéria escura II*. O bom Brian não pode dizer que não o avisei. Bradford Morrow, Neil Gaiman, Gary Wolfe, Bill Sheehan e Bernadette Bosky, primeiros leitores deste romance, quando ele ainda estava sendo escrito, ofereceram comentários inteligentes, úteis e solidários, e conselhos, pelos quais sou profundamente grato. Também devo agradecimentos aos editores de pequenas tiragens que criaram primorosas edições limitadas de variantes iniciais deste material, Thomas e Elizabeth Monteleone e William Schafer. À "Eel" original, Lee Boudreaux, tiro o meu chapéu e faço uma grande reverência em admiração e encantamento. Meu agente, David Gernert, me proporcionou sabedoria, conforto psíquico e excelentes conselhos nas muitas ocasiões em que isso foi necessário. Meus editores, Stacy Creamer e Alison Callahan foram imensamente prestativos no processo de trazer equilíbrio e clareza a este longo projeto. Jay Andersen desempenhou seu usual e afiado copidesque amador durante os primeiros estágios do livro. Lila Kalinich sabe o que ela fez, e é quase profundo demais para dizer em palavras. De minha mulher, Susan Straub, só posso dizer que minha dívida de quase uma vida inteira de amor dado e retribuído e vivido junto realmente é intensa demais para as palavras: vai lá no fundo, tanto quanto eu.